C000080828

Die
Behandlung der Bienen

ihren Naturtrieben gemäß

durch vieljährige Erfahrung bewährt
erfunden und dargestellt

von

J. C. Knauff.

Zweite verbesserte und vermehrte Auflage.

Jena 1819,
bei August Schmid,

Vorbericht
zur ersten Auflage.

Gegenwärtige Abhandlung war nie bestimmt, durch den Druck bekannt gemacht zu werden; allein es ging hier, wie es oft zu gehen pflegt — es ereignen sich oft Umstände, die das sogleich möglich machen, woran man noch vor Kurzem nicht dachte; Umstände, die sogar vom Zufall geleitet, uns zu Unternehmungen bestimmen, auf welche wir uns sonst nie eingelassen hätten. Ich bin im Schriftstellerfache nicht bewandert, hoffe mich aber doch so deutlich erklärt zu haben, daß man mich begreifen kann. Sollte ich hie und da, aus Mangel gehöriger

* 2

Sprachkenntniſſe, gefehlt haben, ſo bitte ich um Nachſicht. Die Sache ſelbſt unterwerfe ich gerne dem Urtheil praktiſcher Bienenkenner. Sie beruht, wie man bald ſehen wird, und wie ich ſchon in der Anzeige dieſer Schrift bemerkt habe, auf eigener Theorie. Kenner mögen nun urtheilen, ob ſie Befolgung verdiene und ob ich den Zweck, meinen Mitbürgern dadurch nützlich zu werden, erreicht habe.

Mühlheim am Rhein, d. 1. Aug. 1805.

Der Verfaſſer.

Vorbericht

zur zweiten sehr vermehrten und verbesserten
Auflage meiner Behandlung der Bienen.

Die erste Auflage meiner Behandlung der
Bienen wurde mit mehr Beifall aufgenommen, als ich erwartet hatte und der Umstände
wegen erwarten konnte, wie die vielen Re-
censionen, die darüber erschienen sind, beweisen; ich habe nicht Ursache, mich über
eine derselben zu beklagen und habe hier wei-

ter nichts, als allen Herren Recensenten den
verbindlichsten Dank zu sagen und sie zu
versichern, daß alle jetzigen neu hinzugefüg-
ten Sätze von mir selbst erprobt und gut
befunden worden sind.

Nur das will ich hier erwähnen, daß
mehrere Herren Recensenten mich spaterhin
schriftlich beehrt und versichert haben, daß sie
öffentlich nichts weiter gethan hätten, als mir
Gerechtigkeit widerfahren zu lassen. Mehrere
derselben haben mich aufgemuntert, das ange-
fangene Werk ferner eifrig zu betreiben und
dem Publicum meine, seit dem gemachten
Beobachtungen und Erfahrungen ferner mit-
zutheilen.

Ich habe meinen Zeitgenossen am Rhein,
sowohl durch praktische Proben, als auch
durch schriftliche Darstellung, schon lange bewiesen, wie der höchste Ertrag von Bienen

jährlich geärntet werden könne, und ich würde weit eher eine zweite Auflage befördert
haben, wenn nicht der Krieg und ein seltenes Familienverhältniß mich daran gehindert
hätten. Ich konnte sie also nicht eher erscheinen lassen, obgleich die erste Auflage
schon seit 6 Jahren in keinem Buchladen
mehr zu haben war. Die Vorsehung wollte
nun, daß ich zuvor die Gegenden des Werragrundes wieder besuchen und auch hier erst
praktisch anwenden sollte, was ich am Rhein
schon lange that und vieles davon vor 12
Jahren schriftlich darstellte. Ich wurde
in den Stand gesetzt, die beiden, gegen einander sehr verschiedenen Gegenden in dieser
neuen Auflage vergleichen und aufnehmen
zu können und die Local-Vortheile der einen,
wie der andern Gegend zu schildern. Ich
hatte auf meiner Reise Gelegenheit, mehrere
Bienenschriftsteller zu besuchen und persönlich kennen zu lernen; allein ich muß gestehen, sie hatten entweder gar keine Bienen-

ſtöcke aufzuweiſen, oder ihre ſehr geringe
Anzahl war in ſehr kläglichen Umſtänden
und ihre praktiſchen Kenntniſſe ſtimmten damit zuſammen.

Hier heißt es mit Recht, dachte ich,
thue nach meinen Worten, aber beſehe nicht
meine Werke; ich ſchüttelte den Staub ſolcher Anblicke von mir und — ging weiter;
denn eine praktiſche Belehrung war gar nicht
anwendbar, weil ihre Stöcke ſchlechter aus-
ſähen, als ich ſie je bei dem Unerfahrenſten
gefunden habe. Der würdige Pfarrer Kai-
ſer in Niederklein, ſo wie der Herr Con-
rector in Kirchheim waren die erſten, die ich
auf meiner Reiſe als vernünftige Bienenhalter antraf; ſie verdankten ihre Kenntniſſe, wie ſie mir ſelbſt ſagten, einem Tage-
löhner, der ihnen aber aus gewiſſen Urſachen
entriſſen wurde. Sie und noch viele Bienenfreunde in Kirchheim bewieſen mir ſehr

viele Freundschaft und baten mich um praktische Proben, die ich ihnen sehr gerne zeigte: Wie sie ausgefallen und wie sie sich dabei befunden haben, werden diese Kenner (denn wirklich hatten sie mehr Bienenkenntnisse und Liebe zur Bienenzucht, als ich Anfangs erwartete) schon bekannt werden lassen.

In der Gegend von Barchfeld lag mein Buch gleichsam vergraben; man hatte es gekauft, gelesen, manches darin bewundert, aber keine Anwendung davon gemacht. Der Herr Cantor Kümpel in Frauenbreitungen war der erste, der mich daselbst um eine praktische Probe ersuchte, die ich ihm bewilligte; — ihm folgte Herr Amtskästner Engelhard. — und noch an demselben Tage wurde die Sache schon bekannt in der Gegend. Ich machte in Zeit von 14 Tagen über 200 junge Bienenstöcke, die, wenige ausgenommen, wo eine zu alte Mutter

Schuld war, und die beim Schwarm in
den ersten 14 Tagen schon abgestochen wurde,
nicht nur ihren hinreichenden Winterausstand, sondern viele noch Ueberfluß sammelten. Lebendige Brispiele, sagte ein geschätz-
ter Schriftsteller schon lange, wirken am geschwindesten auf den gemeinen Mann. Die
Wahrheit dieser Behauptung habe ich schon
längst am Rhein erfahren, und nun auf
meiner Reise, vorzüglich aber im Werragrund, auch wahrgenommen.

Ja, ihr Fürsten und Großen der Erde,
wollt ihr die Bienenzucht in euern Staaten
geschwind und regelmäßig aufblühen sehen,
wollt ihr sie für den Bürger und Landmann,
vielleicht in der Folge für euch selbst wichtig
und wünschenswerth machen, so wählt Männer, die der Sache gewachsen und die vorzüglich praktischen Unterricht zu ertheilen
im Stande sind. Gebt ihnen den Auftrag,

eure Länder jährlich zwei - bis dreimal zu
durchreisen, laßt sie durch praktische Beispiele euern Unterthanen zeigen, wie ein
Schatz gewonnen werden könne, den die
Natur jedes Jahr bald größer bald kleiner,
je nachdem die Sommerwitterung ist, darbietet. Oder laßt in euren Seminarien sowohl theoretischen Unterricht über die Bienenzucht ertheilen, als auch vorzüglich durch
die Anwendung der Theorie — durch praktische Handübungen — die Sache anschau-
lich und begreiflich zu machen suchen, so werden bald bessere Kenntnisse die Stellen der
schlechteren im Bienenfache, bei sehr vielen
Bewohnern des Landes vertreten. Die Bienenzucht könnte, nach meiner Einsicht und
Erfahrung, auch sehr gut Gesetzen und Vor-
schriften unterworfen werden, die zur Ver-
vollkommnung derselben sehr vieles beitra-
gen würden. Es könnte sogar eine indirecte
Abgabe von großem und wichtigen Nutzen
seyn. — Es könnte eine Abgabe von 10 .

Kreuzern von jedem jungen Schwarm, der
sein Winterfutter im Sommer sammelte zum
Vortheil der Bienenzucht, zum Vortheil der
Bewohner, zum Vortheil des Staats selbst
erhoben werden. Ein strenges Strafgesetz
müßte ferner jeden Bienenhalter, in Anse-
hung des Mutterloswerdens, bekannt gemacht werden. Es wäre Wohlthat für alle
Bienenwirthe, wenn man von einem Stocke,
der im April mutterlos gefunden würde,
60 Kreuzer Strafe zahlen müßte, wenn man
ferner von einem mutterlosen Stock im August 40 Kreuzer ersetzen müßte. Dieß scheint
übertrieben zu seyn; aber wahrlich es scheint
nur so. Wie würde sich jeder Bienenhalter
um der Strafe willen hüten, wenn er sich
überzeugt hätte (und das kann Jeder in 14
Tagen wissen), daß einer seiner Stöcke mutterlos sey, ihn so stehen zu lassen, ohne ihm
auf die eine oder andere Art geholfen zu
haben. Sehr wohlthätig würde dieser Punkt
auf das Bienengeschlecht wirken; denn die

Frühjahrs- und Herbsträuberei würde dadurch größtentheils unterbleiben.

Dieses Geld könnte von jedem Amte jährlich erhoben werden und es müßte nun zum größten Nutzen der Bienenzucht, in 6 Prämien oder Preise vertheilt, unverkennbar wirken.

Den ersten Preis müßte nun derjenige im Amt oder Kreis erhalten, der die volkreichsten Stöcke mit guten jungen Müttern und zweckmäßigem Bau versehen, in den Winter gestellt hätte, auf die Mehrzahl dürfte es hier nicht ankommen.

Den zweiten Preis der, welcher im nächsten May die stärksten, schönsten und beßten Stöcke aufzuweisen hätte, sie also im Winter gut und schön, was sehr viel ausmacht, erhalten hätte.

Den dritten, wer Anfangs May die mehrsten, schönsten und schwersten bebauten Honigkörbe für seine Schwärme zu einer starken Vermehrung im Sommer, gut conservirt, zeigen könnte.

Den vierten, wer die mehrsten und schönsten jungen Schwärme, nach der Zahl seiner Stöcke berechnet, im Herbste aufweisen könnte.

Den fünften, wer im Herbst den mehrsten, schönsten und reinsten Honig von seinen eignen Stöcken erhalten hätte, ohne seiner künftigen Zucht dadurch zu schaden.

Den sechsten endlich erhielte derjenige, der im verflossenen Sommer die wenigsten mutterlosen Stöcke, nach der Anzahl seiner eignen berechnet, gehabt, oder ihnen am zweckmäßigsten zu andern Müttern verholfen hätte.

Anfangs May müßte nun in jedem Amte oder Kreise eine Liste aufgenommen werden, welche zeigen würde, wie viel gute Stöcke vorhanden wären, und wie viel im Winter oder Frühjahr mutterlos geworden seyen, was die Ursache sey und wie man geholfen habe, wie auch, wie viel bebaute Honigkörbe vorhanden und wie sie beschaffen seyen.

In der Mitte des Septembermonats würde dann eine zweite Liste aufgenommen, um zu sehen, wie viele Schwärme es im Amte gegeben habe, wie viel Vorschwärme, wie viel Afterschwärme und wie viel sogenannte Jungfernschwärme. Wie viel in bebauten Honigfässern und wie viel in leeren Körben aufgestellt worden seyen. Wie viel ihr Winterfutter und darüber gesammelt hätten und wie viele zu leicht geblieben seyen und nun wieder als bebaute Honigfässer aufgehoben werden müßten.

Wie viele alte Mutterstöcke und Nachschwärme im Sommer durchs Ausfliegen der
jungen Mütter mutterlos wurden und wie
man geholfen habe, um endlich die Summe
der guten Stöcke, die Summe der schlechten und die ganze Summe der Stöcke zu
bemerken. Ferner wie viel Stöcke jeder
Bienenwirth für den Winter aufstellen, wie
viel er ausbrechen oder verkaufen, wie viel
er bebaute Honigfässer aufbewahren will.

Solche Listen könnten am leichtesten und
beßten in jedem Orte von dem Herrn Schullehrer aufgenommen und vom Amte an den
Schulzen geschickt werden, und dann wäre
ja die Hauptliste eben so leicht von dem Hn.
Schullehrer daselbst zusammen zu tragen.
Auf diese Art hätte man einen geschwinden
und ganz sichern Ueberblick des Ganzen vor
sich, und es ließe sich nun sehr leicht die Be-
rechnung machen, was jährlich im Staate

durch die Bienenzucht gewonnen worden
und wie viel höher man damit gestiegen sey.
Wie viele hundert Thaler, die jetzt jährlich
nach Indien für Zucker, sogar für Wachs
ausgesendet werden, würden dann im Um-
lauf bleiben und so manchen dadurch in den
Stand setzen, seine Abgabe besser entrich-
ten zu können. Ich habe hier blos die
Sprache der Wahrheit, der vollen Ueberzeugung geredet und suche weiter nichts als
nur unsere deutschen Fürsten auf diesen
wichtigen Gegenstand aufmerksam zu machen, um dadurch das Wohl ihrer Unterthanen auf eine ganz einfache Weise zu befördern.

Ich muß gestehen, daß sich die Bewohner des Werragrundes, welche Bienenstöcke hatten, gar nicht abgeneigt, sondern
sehr bereitwillig zeigten, sich junge Schwärme machen zu lassen, weil ihre Bienen, so
schwer und volkstark sie auch waren, doch

**

bei der schönsten Witterung zögerten freiwillig zu schwärmen. Es war mir in der
That sehr auffallend, daß die meisten Stöcke,
ungeachtet ihrer Schwarmfähigkeit und der
schönsten Witterung doch nicht freiwillig
schwärmen wollten. Ich dachte lange über
die Ursache dieser Erscheinung nach, erkun-
digte mich und beobachtete selbst, und der
Grund davon liegt in folgenden sehr natürlichen Ursachen. Denn erstens werden die
Bienenstöcke in dieser sehr guten Gegend in
den mehrsten Jahren zu frühe schwarmgerecht und fallen mit ihrer Vollkommenheit
beinahe alle Jahr in diejenige nahrungslose
Periode, die im Frühjahr gleich nach der
Baumblüthe eintritt, und 14 Tage bis 3
Wochen dauert. — Die Bienen, wenn sie
sich stark vorlegen, geben dadurch zu erkennen, daß sie ihre höchste Vollkommenheit
erreicht haben und schwarmfähig sind. Doch
die Feldnahrung will jetzt noch nicht ge-
statten, daß dieser Trieb befriedigt werde,

die größte Anzahl der Arbeiter ist unthä-
tig, ist müssig; dieß gibt Gelegenheit einem andern, dem Begattungstriebe zu folgen und Drohneneyer über Drohneneyer zu
legen, so daß späterhin eine bessere Nahrung
sie nicht davon abzubringen vermag.

Oder zweitens, die Bienenstöcke werden bei schlechter Frühlingswitterung, weil
sie im Herbst nicht verstärkt worden waren,
zu spät schwarmgerecht, erwarten nun die
großen viereckigen Holzkasten, die man ihnen alle Jahre, obschon manchmal sehr spät,
untersetzt.

Die Bienen arbeiten im Sommer sehr
gern darin, und weil sie ihnen zur Gewohnheit geworden, so schwärmen sie auch deswegen sehr ungern. Dieß waren also die
Haupturfachen, warum das Vermehren der
Stöcke sogleich mit allem Beifall aufgenommen wurde. Das Vereinigen im Herbst,

** 2

wodurch der größte und wichtigste Vortheil
errungen wird, konnte ich Anfangs bei den
wenigsten Bienenwirthen anbringen. Nur
einige, die mir glaubten und der Sache
besser nachdachten wie andere, ließen eine
ordentliche Vereinigung im Herbst zu; doch
ihre Anzahl war gering! Die mehrsten sag-
ten: ja, aus 6 Stöcken soll ich nun wieder
drei machen lassen, was hilft mir denn
eine starke Vermehrung im Sommer? Ich
habe die Frage beantwortet so gut ichs vermochte; ich habe gesagt, daß der Bienenstock im Herbst nicht mehr werth sey als
seine Wohnung, die aus Korb, Honig und
Wachs besteht, und daß man bei einer Vereinigung die Hälfte des Werthes auf den
Boden oder in seiner Kammer für den nach-
sten Sommer ganz sicher aufheben könne,
und daß das gesammte Volk auf diese
Weise sicherer, gesunder und munterer erhalten werde, so daß ein doppeltes Volk
im Winter nicht mehr als ein einfaches

zehre, daß es doppelt jeder Witterung trotzt
und im Frühjahr entweder bald von selbst
schwärmt oder doch, die Witterung sey wie
sie wolle, zeitig schwarmgerecht wird, daß
auf solche Art zu einer Zeit gespart werde,
wo sonst verschwendet wurde.

::

Dieß kann man noch nicht begreifen!
Viele Mädler in einem Hause müssen doch
mehr verthun, als wenige? So sagte man
mir, so sagte man sich selbst. Doch mehrere haben meinen Rath befolgt, und die
Erfahrung und der Vortheil, der bei richtiger Behandlung daraus entspringen muß,
wird auch andern den Weg bahnen! Was
endlich die starke Vermehrung dieser Auflage
betrifft, so war ich, um mein Buch voll-
ständig und für alle brauchbar zu machen,
gleichsam dazu gezwungen. So gut ich mich
seit 18 Jahren beim Abtreiben und den damit verbundenen aufbewahrten Körben und
einer regelmäßigen Vereinigung im Herbst

befunden, und so viel Nachahmer ich auch am Rhein gehabt habe, so gibt es doch andere, die ihr Steckenpferd reiten, und die glauben, wenn sie vom Gegentheil noch nicht überzeugt und ohne Erfahrung sind, natürlich sey besser, sey vernünftiger; Ich mußte also das natürliche Schwärmen nach meiner Erfahrung und Beobachtung beschreiben, die Riemsche Ablegerkunst nach meiner Methode anzeigen und lehren, den Schirachschen Betrug durfte ich nicht übergehen, sondern ich mußte ihn nützlicher und gemächlicher darstellen.

Das Honig= und Wachsausmachen mußte ich auf meine Art vortragen. Das Meth= und Essigbereiten aus dem Träberwasser mußte ich auch zeigen und lehren. Die wichtigen Punkte für einen Anfänger durfte ich nicht übergehen und wählte dazu den ersten Abschnitt. Die Beschreibung der verschiedenen Körbe, der Magazinkränz-

chen, der Holzkästchen, mußte seyn, um
das Nützliche wie das Schädliche anzuzei-
gen. Die Lehre von der Mutter und den
Bienen mußte bestimmter vorgetragen werden, und die Drohnenlehre, die jedem Bienenhalter wichtig seyn muß, weil sie zum höchsten Ertrag führt, wenn sie gehörig beobachtet wird, mußte bekannt gemacht werden.
Das Aufbewahren recht schöner, guter und
schwerer Honigkörbe mußte ich dringender
empfehlen, eine stärkere Vermehrung im
Sommer und eine sehr starke Vereinigung
im Herbste anrathen, weil es in jeder Gegend den höchsten Ertrag der jährlichen Ho-
nig- und Wachsärnte ausmacht. Ein In-
halts-Verzeichniß, welches oft, wenn etwas
vorfällt, für den Ungeübten sehr nützlich ist,
mußte ich hinzufügen. Auch ist alles, wie bei
der ersten Auflage geschehen, nach eigner Erfahrung und Beobachtung dargestellt, und
lassen mir einsichtsvolle Kenner und Beoach-
ter ferner Gerechtigkeit widerfahren, so

glaube ich den Zweck, den ich mir bei Bear, beitung dieser zweiten Auflage vorgesteckt hatte, nicht verfehlt zu haben: aufs Neue meinen Zeitgenossen nützlich zu werden.

Inhalts-Verzeichniß.

Erster Abschnitt.

Zweiter Abschnitt.

Von den Magazin-Bienenstöcken, in Vergleichung mit Stülpstöcken oder gewölbten Körben.

Dritter Abschnitt.

Vierter Abschnitt.

C.

Fünfter Abschnitt.

Sechster Abschnitt.

Von den Geschäften im September.

Siebenter Abschnitt.

Von den Geschäften im Oct. u. November.

Achter Abschnitt.

Von den Geschäften im Dec. u. Januar.

31

S.

Dreizehnter Abschnitt.

Von den Geschäften im Juny.

Vierzehnter Abschnitt.

Von den Geschäften im July.

Funfzehnter Abschnitt.

Von den Geschäften im August.

Erster Abschnitt.

---

§. 1.

Vom Ankaufe guter Bienenstöcke.

Der Anfänger, der sich Bienen kaufen oder anschaffen will, begeht gewöhnlich den Fehler, daß er wohlfeil kaufen und mit einem einzigen Stock oder einem einzigen jungen Schwarm den Anfang machen will. Ein Stock ist kein Stock, sagt Ramdohr, und er hat Recht. Man kaufe im Frühjahr einen guten Stock, wenn man nicht mehr anwenden kann, (zwei ist, wenn man es seiner Umstände wegen kann, immer besser) man sehe aber zu, daß er gut sey, nämlich 1) daß er nicht zu alte Rosen habe, die ganz schwarz sind; 2) daß er eine junge Mutter habe; 3) daß er

A

bis zur Baumblüthe Nahrung habe, und 4) daß er stark im Volke sey. Um sich des Erstern zu gewissern, blase man einige Züge Tabacksrauch zum Flugloch hinein; so wird den Bienen bange und sie ziehen sich in die Höhe: man dreht nun den Stock, besieht seinen Rosenbau, ist derselbe sehr schwarz und sind die Rosen dick und hart; so wähle man lieber einen andern: sind aber die Rosen nur braun und brechen leicht ab, oder drücken sich leicht zusammen, wenn man sie mit den Fingern anfaßt; so ist sein Bau nicht zu alt.

Der zweyte Satz ist im Frühjahr nur zu erfragen und deswegen schwer zu erfahren; wenn man mit unwissenden oder nicht aufrichtigen Leuten zu thun hat. Hat der Stock, den man kaufen will, im vorigen Jahre geschwärmt, oder ist ein Schwarm von ihm abgetrieben worden, oder er ist ein Nachschwarm (Afterschwarm), so ist der Satz richtig: er hat eine junge fruchtbare Mutter und das ist die allerwichtigste Eigenschaft bei einem guten Stocke. Sie allein pflanzt fort, sie allein legt alle Eier, woraus Bienen werden: — sie muß jung und stark seyn; so ist das größeste — eine starke Fortpflanzung — gewonnen.

Der dritte Satz ist: der Stock muß bis zur Baumblüthe Nahrung haben: kauft man ihn nun im März; so muß er noch 18 Pfund schwer seyn: kauft man ihn im April; so muß er noch 15 Pfund wiegen. Leichter zu kaufen, rathe ich keinem Anfänger; denn wer füttern muß, füttert zu seinem Schaden, und wer ohne Noth füttert, wirft das Seine weg.

Der vierte Satz ist, ein Stock muß volkstark seyn; wenn ich oben sagte, eine Mutter muß jung und stark seyn: so muß ich hier sagen, auch ihre Mithelfer, ihre arbeitende Klasse muß stark seyn; sie müssen Nahrung zuführen, müssen die nöthige Wärme im Stock befördern, die War- tung der Brut besorgen, und alles aus dem Wege räumen, was der Mutter an ihrer Fruchtbarkeit hinderlich seyn könnte. Kurz, eins muß dem an- dern die Hand reichen, wenn es ein guter Stock heißen soll. — Dieß zu erfahren, verfahre man wie beim ersten Satz — blase einige Züge Rauch zum Flugloch hinein, drehe den Stock um, sehe nach, ob die Bienen alle Rosen des Stocks mit Volk besetzt haben, ist das; so ist er stark am Volke, und er ist gut am Volke; findet man das

A 2

Gegentheil: so hüte man sich ihn zu kaufen; weil, wie gesagt, eins nicht ohne das andere frei wirken kann.

Ich habe hier die Eigenschaften eines guten Bienenstocks genau beschrieben und warne den Anfänger noch einmal, sich ja nicht durch wohlfeiles Einkaufen zu einem schlechten Stock, den er bei genauem Durchlesen des hier Gesagten eben so gut kennen lernen kann, wie den guten Stock, verleiten zu lassen. Ein guter Stock kostet in der Rheingegend im Frühjahr 4 bis 5 Thaler — die französische Krone zu 2 Thaler gerechnet. — Im Werragrund 6, 7, sogar 8 Thaler in nämlicher Geldsorte. Die Ursache des großen Preisunterschieds liegt theils in der schlechtern und bessern Behandlung der Bienen, — theils darin, daß der Honigpreis im Werragrund über die Hälfte höher steht, als am Unterrhein.

Dieß darf den Kenner gar nicht wundern. Man lege sich im Werragrund nur ernstlich auf Vermehrung seiner Stöcke, man benutze im August die schöne Haidefluren in den Wäldern; so wird die Bienenzucht in dieser schönen Fruchtgegend das, und noch mehr werden, was sie am Unterrhein schon ist — eine bedeutende Nahrungs= und Handlungsquelle!!

An seinem Orte werde ich die Vorzüge der Werragegend genau schildern, wie auch die großen Fehler kennbar machen, die man hier in der Bienenpflege begeht, dafür warnen und auf bessere Grundsätze aufmerksam machen. Ich kehre nun zu unsern Anfänger zurück und rathe ihm, daß, wenn er sich im Frühjahr einen Stock, so wie ich ihn oben beschrieben, gekauft hat; so kaufe er sich, so bald als möglich, noch einen guten, starken Vorschwarm, oder einen guten Abtreibling, welches einerlei ist; wenn ich ihn eine halbe Stunde weit kaufen und bei mir aufstellen kann: will ich einen solchen aber im nämlichen Orte kaufen und gleich bei mir aufstellen; so ist ein natürlicher guter Schwarm besser, als ein Abtreibling, indem sich die Bienen eines freiwilligen Schwarms, wenn sie in der Nähe aufgestellt werden, nicht so sehr verfliegen, als die Bienen eines Abtreiblings. — Ist es aber, wie gesagt, eine halbe, oder auch eine ganze Stunde entfernt, wo aufgestellt werden soll: so sind ein Schwarm und

ein Abtreibling sich nur darin noch ungleich. —
Der Schwarm nimmt gewöhnlich auf 8 Tage
Nahrung und etwas Stoff zum neuen Bau mit;
der Abtreibling hingegen kann in der Eile sehr wenig Honig und noch weniger Wachsstoff mitnehmen, weil er unvorbereitet auf einmal in eine
leere Wohnung versetzt wird. Kann ich aber
den Abtreibling frühe bekommen, zumal bei guter
Witterung; so ziehe ich ihn doch einem Schwarm,
der 14 Tage später fallen sollte, wenn sie nämlich von gleicher Stärke und gleich guten Müttern sind, vor. Ich rathe dieß einem Anfänger
aus folgenden Gründen: 1) weil er den Anfang
auf diese Weise sicher, und 2) weil er ihn ohne
zu großen Kostenaufwand, macht.

Der junge Schwarm oder Abtreibling muß
1) stark seyn, das heißt: sein Werk muß ohne
Korb 4 Pfund wiegen; er muß 2) eine fruchtbare Mutter haben. Solches zu erfahren, setzt
man den Schwarm oder Abtreibling, so bald man
ihn in die neue Wohnung gethan hat, auf ein
schwarzes Brett, sieht nach einer Viertelstunde
nach, ob Eier auf dem Brette liegen; findet man
deren, so ist eine fruchtbare Mutter bei dem

Schwarm oder Abtreibling und man kann ihn vollkommen nennen; unvollkommen nennt man hingegen einen Schwarm, der eine junge, noch
nicht fruchtbare Mutter hat; — es kann ein
Hauptschwarm (Vorschwarm, erster Schwarm)
seyn und kann doch eine, noch nicht fruchtbare
Mutter haben. Hier liegen zwei Ursachen zum
Grunde, warum es unvollkommne Hauptschwärme
geben kann. Die erste ist: wenn der Stock, der
schwärmen will, etliche Tage zuvor seine fruchtbare Mutter getödtet oder umgebracht hat; so
zieht der Hauptschwarm mit einer jungen, noch
unfruchtbaren Jungfer — oder, wie in hiesiger
Gegend allgemein gesagt wird, Hauptherrin aus:
man nannte früher einen solchen Vorschwarm
Singervorschwarm, aus dem Grunde, weil sich
etliche Tage vor dem Schwärmen mehrere Mut-
terjungfrauen hören lassen. Auch mit dem Namen Rothschwarm wurde ein solcher Vorschwarm
aus dem nämlichen Grunde vor diesem beschrieben. Man nenne ihn, wie man will: so bleibt er
immer so lange ein unvollkommner Vorschwarm,
bis seine junge Mutter in der neuen Wohnung,
und seinem nunmehrigen Standort ihren Ausflug gehalten und fruchtbar geworden ist, das

heißt: die Fähigkeit erhalten hat, um Eier zu le=
gen, und nun mit der arbeitenden Klaſſe (den
Bienen), ihr Geſchlecht fortzupflanzen und ſich
zu vermehren. Die zweite Urſache, warum es
ſolche unvollkommene Vorſchwärme geben kann,
iſt dieſe: Der Stock ſchwärmt; der Schwarm
zieht wieder zum alten oder Mutterſtock zurück,
entweder, weil ſeine fruchtbare Mutter beim
Schwärmen nieder fiel und von den ſchwärmen=
den Bienen vermißt wurde, oder die Sonne ver=
ſteckte ſich während des Schwärmens plötzlich;
oder der Bienenwärter ließ den Schwarm zu lange
der heißen Sonnenhitze ausgeſetzt hängen, oder
er ging mit dem Einfaſſen zu ungeſchickt, ja oft
barbariſch genug um, u. dergl. Der Schwarm
fliegt zurück, die Mutter und manchmal auch
Bienen fallen auf einen andern Stock. Der
Wärter ſieht nicht nach, und ſie wird ſammt den
Bienen umgebracht. Die Bienen erwarten nur
das Auslaufen der angeſetzten jungen Mütter und
es entſteht auf eine ganz natürliche Weiſe ein
unvollkommner Vorſchwarm.

§. 2.

Daß ein unvollkommner Vorschwarm für einen Anfänger nicht tauge.

Der Anfänger kaufe einen solchen Schwarm nicht, weil die junge unfruchtbare Mutter beim Ausfliegen zur Befruchtung verloren gehen kann, und dann wären, ohne Zusatz einer andern Mutter, die Bienen eines solchen Schwarms auf einem neuen Standorte verloren. Er hat zwar den alten Stock, den er sich im Frühjahr kaufte; allein, der kann nun auch geschwärmt haben, und will er nun das mutterlos gewordene Volk seinem Schwarme geben; so werden die Bienen umgebracht und er ist drum; will er es seinem alten Stock zugesellen: so gehts in den mehrsten Fällen, zumal bei einem Anfänger, eben so, und das Geld wäre gleichsam weggeworfen. Das einzige Mittel, einem solchen verwaisten Volke auf einem fremden Stande zu helfen, ist, wie schon erinnert, dieses: man gebe ihm eine andere Mutter, sie sey frucht- oder unfruchtbar; aber nur keine Bienen dürfen mitgegeben werden, weil sonst ein Streit unvermeidlich ist.

Man wird mir verzeihen, wenn ich mich

hier einen Augenblick von meinem Anfänger ent=
ferne und dem Publikum einen schon erfahrnen
Bienenfreund, der in der Nähe von Barchfeld
wohnt, zeige, der zu hitzig oder zu ungeduldig,
den Ausgang der Sache abzuwarten, einen ähn=
lichen Fehler beging. — Er heiße Eidschwur. Die=
ser hatte am 21. Juli einen alten Mutterstock, der
auch durchs Ausfliegen der Königin mutterlos
geworden war; ich half ihm auf folgende Weise
zu einer Mutter: ich fand nämlich bei einem
seiner Abtreiblinge, der sehr schön war, beim Auf=
heben eine Mutter, die von Bienen verfolgt
wurde; ich rief dem Herrn zu: er möchte mir
geschwind ein Glas holen — ich erhielt eins und
schöpfte damit die Mutter aus dem jungen Stöcke
heraus, bedeckte das Glas mit der Hand, damit
sie mir nicht wegfliegen möchte, und ging damit
in die Stube. Herr E. machte nun alle Fenster
zu, ich that die Hand vom Glase und die Mut=
ter flog sogleich ans Fenster, — der Mutterlose
wurde geholt und ich setzte ihm die Mutter in
der Stube zu. Dieß alles sah Herr E. selbst mit
an — nun sollte aber, nach seiner Einbildung,
der Stock gleich so fleißig seyn, wie seine an=
dern; da das nun in den ersten 8 Tagen nie

geschehen kann und sogar wider die Natur der
Sache ist; so wollte Herr E. nun die Sache
schon besser verstehen, als ich, setzte am 28. Juli
beide, nämlich den jungen und alten Stock auf
einander, brauchte dabei auch die Mittel, die ich
bei der Vereinigung brauche; allein vielleicht zu
stark, vielleicht zu schwach, vielleicht trat ein anderer Umstand ein, den Hr. E. noch gar nicht
kannte, genug, ich mußte gerade dazu kommen
und das Würgen mit ansehen!! Man lerne doch,
um aller Welt Willen, erst gehen, ehe man laufen
will! Des Stolperns wirds sonst zu viel und des
Würgens und Schlachtens noch weit mehr geben!
Wenn Hr. E. am Abend den untersten Stock wird
aufgemacht haben, wie viele geschlachtete Opfer
werden sich dann erst seinen Augen gezeigt haben!
Nur fein stille in ein Loch gescharrt und reinen
Mund gehalten, damit solche Beispiele nicht
nachgemacht werden!

Will man ja vereinigen; so lese man erst
die Lehre vom Vereinigen und Verstellen sorgsam
durch: hüte sich, so lange man der Sache noch
nicht gewachsen ist, das heißt: so lange man noch
nicht selbst Erfahrung gemacht hat, sich am Tage

damit abzugeben, sondern man wähle sich lieber
die Nacht oder den späten Abend dazu, so geht
man sicher.

Das hier Gesagte ist Warnung für den Anfänger, wie auch für den schon geübten Bienen-
vater. —

Hier noch ein Beispiel, um zu zeigen, wie
leicht der Anfänger zu Fehlern verleitet werden
kann: Ich wurde kürzlich einer Gesellschaft vor-
gestellt; ein gewisser Herr nahm die Miene eines
Kenners an, und unter mehreren nichts bedeu-
tenden Fragen kam er auch auf den Punkt der
Vereinigung. Ich antwortete ihm, daß ich bald
so, bald anders vereinige, je nachdem es der
Instinkt der Bienen fodere.

O, sagte er, „das ist Kleinigkeit! — Nur
einen tüchtigen Rauch unter beide Völker, die
man vereinigen will, gemacht, und keine Biene
rührt die andere an; der verschiedene Geruch ist
die alleinige Ursache, daß sich zweierlei Bienen
nicht leiden wollen, der Rauch bringt das Gleich-
gewicht und die Vereinigung ist vollbracht." —

Haben Sie schon viele Proben damit gemacht?
entgegnete ich. Ei, fuhr er fort, „im verflossenen Jahr erst vereinigte ich zwei Nachschwärme
auf dieselbe Weise und keine einzige Biene kam
dabei ums Leben."

So prahlte dieser Herr mit nichts! Der
Rauch kann Bienen in Furcht für einen Augenblick setzen; aber ihr Gegeneinanderwirken nicht
hemmen — dazu sind andere Mittel — dazu
Kenntnisse erfoderlich, die ihm noch unbekannt
waren. Der Anfänger hüte sich vor solchen Künstlern! Meine Freunde, welchen ich meine Lehre
praktisch zu zeigen Gelegenheit hatte, wissen, wie
vorsichtig ich bei jeder Vereinigung zu Werke gehe,
sie wissen aber auch, daß nie Feindseligkeiten
Statt hatten. Siehe meine Lehre vom Vereinigen.

§. 3.
Warnung für Anfänger gleich Anfangs zu groß anzulegen.

Den zweiten Fehler machen Anfänger der
Bienenzucht dadurch, daß sie (die nämlich Vermögen dazu haben) die Sache gleich zu groß anfangen wollen. Es wird ein schönes Bienenhaus
gebaut, entweder mit schön abgehobelten Bret-

tern und Vorhängeladen sehr fleißig zugemacht und prächtig angestrichen, oder es wird zugemauert oder zugebalstert, übertüncht und ebenfalls mit Vorhängeladen versehen. Es werden Futterteller gedreht, Futterkasten angebracht, künstliche Schieber von Eisen= oder Kupferblech verfertigt, hölzerne und stöherne Bienenwohnungen gemacht, so daß eine solche Anlage mehrere hundert Gulden kostet. — Nun wird eine ziemliche Anzahl Bienenstöcke gekauft, hineingebracht und in Gedanken schon berechnet, wie viel eine solche Anlage jährlich abwerfen soll.

Man hat Bücher gelesen; aber es fehlt noch an Selbstübung, an praktischer Erfahrung und in einigen Jahren steht der schöne Stand noch voll Geräthschaften, aber die Bienen?!

Nun da heißt es gewöhnlich: unsere Gegend ist nicht vortheilhaft für Bienen! Man benutze sie vernünftig und nach Erfahrung, und man wird nicht selten finden, daß sie gut ist, wenn nur Wiesen, Getraidebau und Waldungen von den Bienen benutzt werden können.

Ein Beispiel wird das Gesagte bestätigen. Ein Pfarrer in der Rheingegend hatte außer der Stadt eine sehr schöne Baumschule, man rieth ihm Bienen zu halten und er kaufte sich 1802 etliche junge Schwärme. Der damalige prächtige Sommer stellte ihm den Gewinn, der aus einer großen Bienenanlage gezogen werden könnte, so reizend vor, daß er sich im Herbste entschloß, ohne vorher sich Raths zu erholen, einen Bienenstand mit 36 Stöcken und allen Geräthschaften von seinem Hrn. Collegen, der blind geworden und dem Tode nahe war, zu kaufen. Er läßt den Stand abbrechen, baut ihn in der Baumschule noch einmal so groß, so daß er bei 200 Stöcke darin aufstellen konnte, auf, und als ich 1803 im März zufällig nach Deutz kam, wollte der Hr. Pastor noch 28 Stöcke in der dortigen Abtei, die aufgehoben werden sollte, kaufen. Ich rieth ihm davon ab, indem ich zu ihm sagte: „Sie haben jetzt schon zu viel Stöcke gekauft, um den Anfang damit zu machen. Wer ohne Kenntnisse zu geschwind reich werden will, wird arm. Mit zu wenig anfangen und mit zu viel eine unbekannte Sache unternehmen, ist beides nicht gut, doch das Erste noch immer besser als das Letzte, weil nicht so viel riskirt wird." Er folgte meinem Rathe jetzt und kaufte die 28 Stöcke nicht.

Seine Anzahl bestand nun aus 46 Stöcken. Im Frühjahr 1805 hatte er noch 11 erbärmliche Stöcke; er ließ mir keine Ruhe, bis ich mit ihm in Compagnie trat. Ich that das endlich, und setzte 6 von meinen Stöcken, die mehr als seine 11 werth waren, dazu.

Ich hätte trotz aller Hindernisse, die das ganz allein im Felde gelegene und von einem dummen Gärtner bewohnte Haus darbot, die Zucht wieder empor gebracht; doch der Pfarrer wollte jährlich seine Interessen ärnten, ohne Rücksicht, ob das in den ersten Jahren möglich sey oder nicht. Alle Vorstellungen von meiner Seite, daß man vorerst wieder in die Höhe kommen müsse, ehe man vom ganzen Capital die Interessen gewinnen könne, wollten nicht fruchten, und so trennten wir uns wieder 1807.

Ich ließ unsere Stöcke durch einen Dritten theilen, um aller Mißdeutung auszuweichen. 1809 hatte der Hr. Pastor noch 2 oder 3 Stöcke, die er an M. und A. verkaufte, vermuthlich, um nicht den Namen zu haben, daß seine ganze Zucht zu Grunde gegangen sey.

So ging diesem Manne ein schönes Capital ein, das besser geleitet, oder Anfangs geringer angefangen, nicht geschehen wäre; und es hieß: unsere Gegend muß nicht zur Bienenzucht geeignet seyn.

Man hüte sich vor ähnlichen Fehlern und werde erst Hänschen, ehe man Hans werden will! Ich habe nichts gegen schöne Stände einzuwenden; nur halte man stets die Mutter Natur im Auge. Einfach, wie sie wirkt, soll gewirkt werden. Das Capital soll in den Bienen und nicht im Bienenhause liegen; dann richtig geleitet, wirft es reichliche Interessen ab, belohnt unsere Mühe und vergrößert das Vergnügen des Bienenvaters.

§. 4.

Warnung für Anfänger, nie eher Stöcke zu verkaufen, bis sie zu einer gewissen Anzahl gekommen sind.

Den dritten Fehler begehen Anfänger dadurch, daß sie, sobald sie etliche Stöcke haben,

B

auch schon wieder verkaufen wollen; es ist im Werragrund sogar zum Aberglauben geworden: denn, so sagt man, wer nicht verkauft, hat kein Glück damit. Die besten Stöcke gehen nun fort und mit den schlechten soll nun wieder gewonnen werden. Dieß heißt zweckwidrig gehandelt. Erst suche man eine gewisse Anzahl Stöcke zu gewinnen und man behält auch gute Stöcke zu Zuzucht.

§. 5.
Warnung für Anfänger vor dem zu frühen Untersetzen.

Den vierten Fehler machen Anfänger durchs Aufhöhen (Untersetzen). — Hier muß ich den Werragrund, auch die umliegende Gegend, vorzüglich rügen. Nicht nur der Anfänger, sondern die, welche lange Jahre Bienen hielten, begehen diesen sehr wichtigen Fehler. Man untersetzt zu spät und zu früh. — Zu spät, weil man erst Schwärme oder junge Bienenstöcke haben will. Man läßt lieber die alten Stöcke bis Anfangs August oder bis zu Bartholomäi vorliegen, ehe man untersetzt. Die Volks- und Drohnenmasse zehrt den Stock auf und nicht selten muß es sein Untergang werden.

Ich habe seit den 6 Wochen, die ich mich in Barchfeld aufhielte, bei 200 junge Stöcke gemacht. Sie haben so thätig, so fleißig gearbeitet, daß ich selbst über die Gegend erstaune. Was könnte in dieser Gegend die Bienenzucht werden bei richtigen Grundsätzen!

Was könnte sie werden, wenn von Seiten der Regierung gesorgt würde, daß die Haide in den großen Waldungen für Bienen gehörig benutzt werden könnte!

Eine einzige Anlage von der Herzogl. Meiningischen Regierung, unweit des Jägerhauses, auf dem Bleß genannt, würde den wichtigen Nutzen zeigen, den eine solche Anlage für die umliegende Gegend schaffen könnte; die Regierung selbst würde dabei viel gewinnen: denn sie könnte von jedem Bienenstock, der in eine solche Anlage gebracht und aufgestellt würde, 10 Kr. Standsgeld heben, und es würde nicht fehlen, daß jährlich 5 bis 600 Stöcke von der umliegenden Gegend dahin gebracht würden: diese könnten jährlich einige hundert Centner Honig und vieles Wachs sammeln zum großen Nutzen der Menschs

B 2

heit, ohne allen Schaden zum Wohle der Gegend sammeln.

Ein Reichthum, den die Natur darbietet und es wird nicht darauf geachtet; die Luft und das Ungeziefer verzehrt ihn, ohne daß dem großen Schöpfer Dank dafür gesagt wird.

Doch, vielleicht bin ich der Erste, der darauf aufmerksam macht! Vielleicht dringt mein Vorschlag bis zu den Thronen und wird gehört! Ich hätte dann meinem Vaterlande und euch, ihr Bienenfreunde, einen Dienst geleistet, der mein Andenken bei euch nie auslöschen würde!

Der würdige Cantor Kümpel in Frauenbreitungen zeigte mir die schönen Haidefluren der genannten Waldungen, ihm sey auch von euch Dank gesagt, ihr Bienenwirthe.

Ich wende mich nun nach diesem Umwege wieder zum vierten Fehler, den ich einige Augenblicke verlassen zu haben schien.

Ich habe während meines Hierseyns den Bienenfreunden gezeigt, wie man die Bienen theilen und sie in seiner Gewalt haben kann;

das zu späte Untersetzen fällt daher bei dieser Behandlung weg, um so mehr muß ich aber vor dem zu frühen Untersetzen warnen; denn hier legen sich sogar die Weiber mit ins Spiel, und wem ist nicht bekannt, was die für Gutes und Böses in der Welt schon gestiftet haben? Ja, sagt die Frau: Gevatter Görge hat seine Bienen schon untersetzt — und die unsrigen stehen noch so da! Du machst sie faul, und wir bekommen im Herbste keinen Honig! Setze doch jeden einen tüchtigen großen Kasten unter, damit sie recht fleißig seyn! denn der Honig schmeckt ja gut im Kaffee und in den Eisenkuchen. Setze ja unter, lieber Mann! — Und wenn der Stock zwei Schwärme gegeben hat; so kann man doch kaum 14 Tage abwarten; man setzt ihm einen viereckigen Holzkasten unter, der so viel innern Raum hält, als sein Korb, und der Schwarm, sobald er nur sein Flugloch unten besetzt, erhält auch einen ähnlichen Kasten, er mag voll gebaut haben oder nicht, er mag schwer oder noch leicht seyn.

Lieben Freunde! Ich gebe euch hier eine Hauptregel an, die weder euch noch euern Weibern einen Tropfen Honig schaden, hingegen oft

mehrere Pfunde nutzen wird: merkt sie euch sorgfältig und vergeßt sie nie!

Doch ich habe es ja mit dem Anfänger hier
zu thun, ihm will ich also diese Regel fest ein-
prägen, er glaube meiner Erfahrung, bis er
selbst Erfahrung gesammelt hat.

Hat der Stock geschwärmt, oder ist ein
Schwarm von ihm abgetrieben worden: so ist
seine alte fruchtbare Mutter bei ihm nicht mehr
vorhanden; er baut nun erst, wenn er noch volkstark ist, nach 28 Tagen wieder: es hilft also
kein frühes Untersetzen, es schadet sogar; denn
will er einen Nachschwarm (Afterschwarm) geben, so hindert ihn das frühe Untersetzen nicht
daran — es ist auch für den Bienenhalter kein
Schade dabei; wenn es nur frühe geschieht, und
der Nachschwarm in keine zu große Wohnung
gefaßt wird. Man sehe die Lehre vom Schwärmen nach.

Der Stock, der geschwärmt hat, braucht
seine so nöthige Wärme, theils seiner eingesetzten
Brut wegen, die noch von der alten Mutter her-

rührt und mit dem 21ſten Tage erſt alle ausge⸗
laufen iſt, theils zum früheren Fruchtbarwerden
der jungen Mutter. Dieſe Wärme wird ihm
durchs Unterſetzen, zumal eines ſo großen Kaſtens,
entzogen: dieß iſt oft größerer Schade, als man⸗
cher glauben ſollte. Ferner iſt das Auf⸗ und
Abſteigen der Bienen bei ihren täglichen Arbeiten,
wenn ſie erſt den großen Kaſten paſſiren müſſen,
ehe ſie zu ihrem Bau kommen, zu berechnen, und
das Beſetzen aller Fluglöcher, um ſich gegen die
Anfälle der Näſcher zu ſchützen, die einen ſolchen
Stock immer lieber beſuchen, als einen Unge⸗
ſchwärmten oder einen Schwarm in Anſchlag zu
nehmen. Und das frühe Unterſetzen eines ſolchen
Kaſtens ſollte noch kein Schade ſeyn? Man denke
nur der Sache nach, ſo wird man mir Glauben
beimeſſen.

Der wichtigſte Punkt des frühen Unterſetzens
eines geſchwärmten Mutterſtocks kommt aber
jetzt: Die junge Mutter fliegt bei einem Mut⸗
terſtocke den 20ſten oder 21ſten Tag nach dem
Verluſte der alten Mutter zur Begattung aus, —
ſie kann ſich nun durch die vielen Fluglöcher leicht
irren, geht zum Nachbar, und dieſer bringt ſie

um: oder man unterſetzt gerade in der Periode
des Ausfliegens, nämlich am 21, 22ſten, 23ſten
und 24ſten Tage nach dem Abgeben des erſten
Schwarms, — die Mutter war nun vielleicht
ſchon ein- oder etlichemal ausgeflogen, — ſie
war ihres Flugs nun ſchon gewiß und merkte
den Standort beim heutigen Ausflug nicht mehr.
Bei der Zurückkunft wurde ſie nun einer ſolchen
Veränderung gewahr, ſie ſtutzt, geht zurück,
nimmt einen neuen Zirkel; allein ſie glaubt nicht,
daß das ihre Wohnung ſey, und kommt in dieſem Falle ganz ſicher um! Was habe ich nun mit
dem zu frühen Unterſetzen bewirkt? Den Stock
mutterlos gemacht und ihn, wenn nicht geholfen
wird, ruinirt; der Stock ſelbſt kann ſich nicht
mehr helfen, und man ſieht es ſeinem Fluge, wenn
er noch ſtark an Volke iſt, in den erſten 14 Tagen, nachdem er die Mutter verlor, nicht einmal
an. Nur dann erſt, wenn die Bienen auf der
Drohnenbrut liegen, die ſie ſogleich, nachdem ſie
ihre Mutter verloren haben, in Menge einſetzen,
merkt man, daß ihr Arbeitseifer nicht mehr der
iſt, der er ſonſt war, dann ſagt man gewöhnlich:
dem Stocke fehlt was, es iſt nicht recht mit ihm,
er thut nicht gut! Iſt das nicht Schade, wenn

man sich durch eigne Schuld (durch das zu frühe
Untersetzen) um seine Stöcke bringt?

Vielen habe ich während meines Hierseyns
wieder geholfen, das ist meinen Freunden be;
kannt. Wer meine praktische Anwendung nicht
mit angesehen hat, der lese die Beschreibung vom
Ausfluge einer jungen Mutter fleißig durch und
suche es sich anwendbar zu machen.

Der Anfänger hüte sich nur, sage ich ihm
noch einmal, einen abgeschwärmten Stock vor
dem 28sten Tage nach dem Schwärmen zu unter;
setzen; er warte nur getrost, bis er sich wieder
vorlegt: dann ist es Zeit, ihn zu untersetzen, denn
er hat wieder Raum nöthig; aber ja nicht zu viel
auf einmal — nicht zu große, sondern kleine
Kasten untergesetzt — das ist besser — ist zweck;
mäßig!

Nun will ich mit meinem Anfänger noch
einen Fehler durchgehen, der hier sehr häufig
begangen wird.

§. 6.

Warnung für den Anfänger, seine Bienen sicher und nicht jeder Diebeshand auszustellen.

Nirgend sind die Bienen theurer, als im Werragrund, und nirgends achtet man so wenig auf sie — man stellt den Bienenstock nämlich auf einen Stein — setzt ihm einen erbärmlichen Strohhut auf und schreit und lärmt, nun fast überall über Diebstahl und Bienenstehlerei. Man sagt ja sonst: Gelegenheit macht Diebe! Warum gilt das hier nicht? Sollen die Bienen mehr Recht haben als andere Thiere?

Die Gans kommt bei Nacht in einen Stall, das Huhn in ein Hühnerhaus und unser Bienenvolk soll mit seinem kleinen Häuschen, das jeder starke Mann, der nur will, forttragen kann, allein im Freien stehen bleiben und jeder Gefahr ausgestellt seyn! Nicht doch, lieber Freund, sonst jagst du das Schaaf mit Fleiß dem Wolf in seine Klauen!

Vom Anfang kann sich ein junger Bienenwirth sehr leicht vor Stehlen hüten, ohne große Kosten auf einen Stand zu verwenden.

Man suche in seinem Garten oder in seinem
Hofe, an seinem Hause oder an seiner Scheuer,
sich ein freies Plätzchen aus, das gegen Süden
besser aber gegen Südosten liegt, lege eine Schwelle,
so lang als man will auf die Erde, vier Fuß von
dem Gebäude entfernt; setze auf diese Schwelle
3 aufstehende Pfosten, einen vorne, einen hinten,
und einen in die Mitte; lege auf diese 3 Pfosten
oben wieder eine Schwelle, auf diese, und die
Vorderseite des Gebäudes kommt ein Dach von
Ziegel oder Stroh zu liegen, das den Regen
abführt; in der Mitte der aufstehenden Pfosten
macht man, nach Umständen, noch etliche Riegel
durch; vorne werden, inwendig der obersten und
untersten Schwelle, starke Latten, jede einen Schuh
weit von der andern mit Holzschrauben fest ge=
schraubt. An einer Seite ganz mit Bretern,
auf der andern Seite auch: nur daß man zugleich
eine Thür, die man verschließen kann, da anbringt,
zugemacht, nun setze man seine Bienen auf Steine,
oder mache sich eine Bank, nach Gefallen, gleich
viel: genug, ohne zu brechen kann man nun doch
nicht Bienenstöcke so ganz leicht stehlen.

Dieß ist nur ein Wink; jeder kann sich leicht

ein folches Bienenhaus machen, oder machen laſſen, und nach Gefallen ändern und zuſetzen, was er will, nur daß die Stöcke nicht ſo leicht geſtohlen werden können, und die Strohhüte nicht mehr gebraucht werden.

Noch ſicherer kann der Anfänger, der noch wenige Bienenſtöcke hat, ſie vor Dieben ſchützen, wenn er ſie in ſeinem Wohnhauſe, nach Süden oder Südoſten hin, im zweiten Stockwerke auf= ſtellen kann. In der Rheingegend trifft man das ſchon ſehr häufig an, nur wird noch der große Fehler dabei begangen, daß man für jeden Stock ein eigenes Loch durch die Wand bohrt, das nicht größer, als eine Fauſt groß iſt: der Bienenſtock wird nun inwendig davor geſtellt und die Bienen müſſen nun ihren Flug durch die Wand nehmen. Das zu kleine Loch iſt aber das Fehlerhafte bei der Sache; denn ſtehen in einem ſolchen Wohn= hauſe nur 6 bis 10 Bienenſtöcke, neben einander; ſo irren ſich die Bienen zu leicht; und beim Aus= fluge einer jungen Mutter ſteht man zu ſehr in Gefahr, ſie zu verlieren und der Stock wird mutterlos.

Man richte die Sache so ein, daß die Bie=
nen bei Sommertagen ihre ganze Wohnung sehen
können, bringe Vorhängeladen an, die man nach
Gefallen aufziehen und niederlaffen kann, in diese
Abschlagladen schneide man da, wo die Flug=
löcher der Stöcke sind vier Zoll große Quadrat=
löcher; damit, wenn man sie niederläßt und zu
macht, zum Beispiel im Herbst, Winter und
Frühjahr, die Bienen durch diese Löcher aus= und
einfliegen können. Sobald nun die Nahrung
anfängt; macht man die Laden auf und läßt sie
den Sommer hindurch, so lange die Bienen ar=
beiten können, offen, damit sie ihre Körbe sehen
und sich nicht so leicht verirren.

In einer Zeitschrift wurde voriges Jahr sehr
viel von Diebstahl geredet und das Stehlen, heißt
es dort, sey ein Haupthinderniß, daß die Bienen=
zucht nicht sey was sie seyn könnte.

Ich lobe die gute Absicht des Verfaffers;
aber erste Pflicht und Schuldigkeit ist es, das
Seine zu verwahren! Welche Wirkung sollte
aber eine Bienen=Affecuranz, nach jener Angabe,
wohl hervorbringen? Nach meiner Einsicht eine

sehr schlechte! Der Herr Verfasser sagt: „der „Erfahrung zufolge, treiben alle Bienendiebe „auch zugleich Bienenzucht, um ihre Räubereien „desto leichter verbergen zu können."

Was soll nun eine Affecuranz für Wirkung haben?

Dem Dieb es noch gemächlicher, noch leichter zu machen?!

Der Dieb sagt der Affecuranzgesellschaft nur, meine Stöcke sind mir gestohlen! Die Gesellschaft soll aus 20, aus 40 Theilnehmern bestehen: so hat er ohne einen Tritt zu thun — ohne sich der geringsten Gefahr auszusetzen 19 oder 39 Theile gewonnen; wenn er seine eignen Bienen stiehlt! Die Gesellschaft kann ja nicht ohne Beweise sagen: du selbst bist der Dieb! Und welche Nachlässigkeiten würden sich durch eine solche Anstalt mehr einschleichen? Ich mag sie nicht nennen!

Betriebsamkeit [mit den nöthigen Kenntnissen und Erfahrungen verbunden, Bewahrung seines Eigenthums, sichern weit mehr und der Schutz einer gerechten Policei steht ja noch immer zur Seite. Wer affecurirt dem Kaufmann

feine Waare? wer dem Landmann feine Früchte
— fein Vieh? Anfänger! wir wollen nun zu
einem andern Diebstahl übergehen und auch die-
fen abhandeln.

§. 7.

Sicheres Mittel, wie sich der Anfänger eines andern
Diebstahls, vor Räuberei der Bienen selbst,
hüten soll.

Anfänger! So wie es unter den Menschen
Diebe giebt, die uns das Unsere zu rauben su-
chen: so ist es auch unter den Thieren, unter den
Insecten.

Auch die Bienen suchen einander zu bestehlen,
zu berauben! Die Menschen sollten immer den
Satz vor Augen halten, den Moses schon seinen
Zeitgenossen gab, den Religion und Policei noch
täglich giebt — Du sollst nicht stehlen — nicht
begehren deines Bruders Gut!

Die Biene hingegen kennt dieß Verbot nicht,
ihr feiner Geruch leitet ihre Begierde, die nie
satt wird, denn vom Morgen bis am Abend
im Felde gearbeitet, giebt es immer welche, die
durch den starken Honiggeruch verleitet, bei an-

dern Stöcken sich einschleichen, ihren Magen füllen, um ihre Wohnung damit zu bereichern;
dieß geschieht nun einzeln, man nennt sie Näscher
und ihrer werden täglich von der Wache, die jede
Bienencolonie ausstellt, hingerichtet. Dieß Na-
schen dauert beinahe den ganzen Sommer hindurch fort, und scheint ganz in der Natur der
Bienen zu liegen, daß jeder Stock fleißig und zugleich wachsam seyn solle.

Am schlimmsten ist es aber damit im Herbste
oder im Frühjahr, wenn die Nahrung im Felde
aufgehört oder noch nicht angefangen hat; dann
suchen diese Näscher oder Spurbienen bei allen
Stöcken nach und finden sie einen mutterlosen
oder sonst am Volke zu schwachen Stock: so wird
er endlich überwältigt und wenn nicht gestört
wird, rein ausgeleert; dann heißt es eine Räuberei, oder man sagt: es sind Heerbienen im Orte.
Gewöhnlich sind es starke Stöcke, man läuft zum
Amtmann, holt Befehl, und der Mann wird genöthigt seine guten Stöcke wegzuschicken, ohne
zu untersuchen, wer schuld daran war. Hier heißt
es recht: Gelegenheit macht Diebe! In den mehresten Fällen ist der an der Sache schuld, dessen

Bienen beraubt werden; denn er gab auf irgend eine Art Gelegenheit dazu, und er verdient eher gestraft zu werden, wie sein Nachbar. Er ließ vielleicht einen mutterlosen Stock stehen, oder seine Stöcke sind zu volkschwach, und können den Anfällen, die andere gute Stöcke in nahrungsloser Zeit auf sie machen, nicht widerstehen und müssen unterliegen. Nun kennt man entweder selnen gemachten Fehler gar nicht, oder, man will ihn nicht kennen; man wird böse und greift sogar zu ganz unerlaubten Mitteln — man fängt das Volk auf und verbrennt es. — Noch mehr: man setzt Honig mit Bierhefe vermischt hin, und freuet sich recht sehr, wenn man sieht und hört, daß man recht viel Unheil damit gestiftet hat. O! daß vernünftige Wesen so handeln können!

Ich muß so gar gestehen, daß ich mich sehr gewundert habe, daß man nicht noch mehr über Räuberei im Werragrund geklagt hat; indem ich im Juny noch über 20 Stöcke gefunden habe, die vom Frühjahr her mutterlos waren, und alle hatten noch Honigvorrath, und doch wäre, ohne meine Hilfe, aus keinem etwas geworden.

C

Wie sehr es daher in dieser, für die Bienen; zucht so herrlichen Gegend an praktischen Kennt; nissen gefehlt habe, ersieht man schon aus dem Gesagten. Hieher paßt folgende Geschichte, um zu zeigen, daß auch seltene Fälle eintreten können, die ganz von der Regel abweichen. — Der Geübte muß sich dennoch gleich zu helfen wissen — Der aber, welchen Erfahrung fehlt, steht und staunt!

Am 15. Julius trieb ich Herrn R. in B. noch 5 Schwärme ab; am 17. Julius Morgens sah ich nach, und fand alles sehr gut, 15 Stöcke wett; eiferten gleichsam im Fleiße. Ich ging nach Barch; feld und von da Nachmittags nach F. — Ich erhielt daselbst einen Brief von A. in B. folgen; den Inhalts: „Lieber Freund, können Sie sich „nicht diesen Abend noch hieher begeben? meine „6 Stöcke liegen so vor, sind so unruhig, daß „ich fürchte morgen sind sie todt! Mein Nachbar „R. hat einen, der herüber fliegt, und meine „so unruhig macht; es ist der schwere, den „Sie gestern gewogen haben — nicht weiß ich „mir zu helfen."   A.

Ich lachte, und ging blos deswegen mit dem

Boten, weil ich glaubte, einer der jungen Schwärme
möchte durch irgend eine Unruhe seine Wohnung
verlassen haben, zu den 6 Stöcken des Hn. A.
geflogen seyn, und ich könnte vielleicht die Mut‐
ter noch retten. Als ich dahin kam, fing es eben
zu dämmern an. — Der Hofstand war voll Neu‐
gieriger, doch keiner wußte zu rathen. — Ich
ging in den Garten des Hn. R. Meine Blicke
waren gleich auf die Schwärme gerichtet; doch
sie waren alle noch sehr gut. Ich ging zu dem
schweren Stock, da zeigte sich das Uebel in seiner
ganzen Größe! Es war in der Lindenblüthe; die
Bienen hatten an diesem Tage viel darin gear‐
beitet, und einen ähnlichen Geruch erhalten! Die
Spurbienen des schweren Stocks hatten Nachmit‐
tags die 6 Stöcke des Hn. A. besucht, wurden
über ihn Meister und hatten ihn bis zum Abend
12 bis 14 Pfund leichter gemacht.

Wie nun Rath? rief jeder. Einige ließen das
Wort: Bierhefe, schon laut werden.

Ich sagte ihnen: wenn ich euer Richter wäre,
so wollte ich euch bebierhefen nach der Art! —
Welcher vernünftige Mensch kann nur solche Ge‐
danken wagen? Alle schwiegen!

C 3

Ich sagte hierauf: da muß man die Quelle verstopfen, wo sie nicht mehr fließen soll, sie stopfen ohne Schaden des einen, ohne Schaden des andern; was geschehen ist, läßt sich nicht mehr abändern, aber morgen soll das Uebel gehoben seyn! Gehoben seyn? und wie? fragten sie alle: — Es ist mir eine Kleinigkeit! Kleinigkeit? hieß es, — dann — doch sie hatten sich schon überzeugt, daß ich das Insect kenne — daß ich die Bienen in meiner Gewalt habe — und — sie schwiegen.

Als es nun ganz dunkel war, ging ich zu Hn. R., nahm den beraubten Stock, und unter den 14 übrigen den Stärksten, diesen Letztern setzte ich auf den Kopf, das heißt verkehrt, und den Beraubten drauf; so, daß sich Rosen und Bienen berührten.

Hier staunte nun wieder alles! — Die eine Mutter? — wird die nicht getödtet? — So hieß es — Soll's auch wohl gut gehn?

Laßt mich sorgen, sagte ich — und — und alles schwieg —

Am andern Morgen war Herr R, schon an meinem Bette, als es 4 Uhr schlug, mit der Bemerkung: „die Räuber sind schon wieder da!" ich erwiederte: wir haben noch Zeit; doch ich stehe auf! — Ich ging zu ihm, fand das Gesagte zwar wahr; allein, da auf dem Platze, wo der Stock gestanden, jetzt keiner stand, so fanden die Räuber nichts; sie versuchten zwar rechts und links ihr Heil, allein sie wurden übel empfangen.

Mittlerweile machte ich etwas Honig warm — ungefähr 2 Löffel voll, schüttete einen Löffel voll Waffer, und eben so viel Brandtwein zu. Nun nahm ich beide aufeinander gesetzte Stöcke von einander, begoß die Bienen dieser beiden Stöcke mit dieser Süßigkeit — und setzte sie wieder, wie zuvor auf einander, band ein Handtuch darum, damit keine Biene heraus kommen konnte. — So blieben sie noch 2 Stunden zugebunden stehen. Nach Verlauf dieser Zeit, setzte ich den beraubten auf des andern, und diesen auf des beraubten Stelle. Der Stock, der auf des beraubten Stelle kam, wurde in den ersten Augenblicken wüthend angefallen, doch der Brandtweingeruch schreckte sie so ab, daß der Räuber nicht über so

71

getödtet wurden. — Der Brandtweinsgeruch
machte zugleich, daß die Bienen der beiden
versetzten Stöcke sich einander nichts zu Leide
thaten — und so war mit einem Male Ruhe
und Ordnung hergestellt. Was würde ohne meine
Hülfe aus dieser Geschichte, was aus beiden Nach-
barn geworden seyn?

Verderben — und — Streit und Zank!
Der Anfänger könnte hier fragen: warum ich den
Honig mit Brandewein vermischt nicht am Abend
schon gebraucht habe?

Hier liegen zwei wichtige Ursachen zum Grunde.
— Die erste ist: die Bienen beider Stöcke würden, wenn ich sie am Abend damit begossen hätte,
zu sehr durch einander gelaufen seyn, und hätten
wenigstens eine Mutter umgebracht oder sie verfolgt. Hier kann wieder die Frage Statt finden:
warum thaten sie am Morgen der Mutter nichts?
Sie blieben ja doch noch zwei Stunden auf einander stehen? Antwort: weil sie zugebunden
waren; viele Bienen suchten den Ausgang umsonst — es entstand eine allgemeine Unruhe, die
aber ja nicht zu einem außerordentlichen Brausen

und Lärmen ausarten darf, sonst steht man in
Gefahr, alles Volk auf ein Mal zu ersticken und
der Schade wäre noch größer! Man darf am
heißen Mittage dieß Mittel gar nicht bei starken Stöcken gebrauchen, sondern am Morgen,
wenn's noch kühl ist! Auch da muß man noch
öfters hinzugehen und horchen; denn sobald Lärm
entsteht, müssen sie aufgemacht und an Ort und
Stelle gebracht werden.

Die zweite Ursache, warum ich die Bienen
beider Stöcke erst am Morgen begoß, ist: der
Brandtweinsgeruch theilt sich durchs Auflecken
der Bienen beiden Stöcken mit, und nach dem
Aufmachen fliegen die Bienen gleich, und ehe
sich der Geruch verliert, sind sie schon einig und
fliegen und arbeiten ohne Unruhe fort. Dieß ist,
wenn man es am Abend thun wollte, nicht immer der Fall.

Nur die Bemerkung lasse man nie aus den
Augen: Bienen mit alten Müttern lassen sich mit
ähnlichen vereinigen. Bienen mit jungen Müttern, die aber fruchtbar seyn müssen, mit solchen
die auch junge fruchtbare Mütter haben ebenfalls.

Bienen mit einer jungen, und Bienen mit einer
alten Mutter wähle man nicht dazu: denn es
entsteht, wenn sich auch die Bienen ruhig dulden,
am Mittage oder erst am Nachmittage noch ein
Streit, bloß der Verschiedenheit der Mütter wegen, und schlägt nicht selten übel aus. —

Man sehe die Lehre vom Vereinigen nach.

Wie schwer aber bei allen Menschen alte
Vorurtheile und falsche Begriffe auszurotten sind,
selbst beim praktischen Zeigen des Guten und
Ueberzeugen vom Schlechten, davon gab Hr. Gut
in B. kürzlich noch ein so auffallendes Beispiel,
daß ich mich darüber ärgern mußte. Hrn. Gut
machte ich um die nämliche Zeit, wie andern Freunden in B., 4 Schwärme. Da dies nun am Abend
geschah, so besuchte ich am folgenden Tage seinen
Stand noch einmal, um zu sehen, ob die Gleichheit
im Volke richtig sey. Es war an diesem Tage sehr
warmes, sogar schwüles Wetter. — Seine Stöcke
waren der brennenden Sonnenhitze zu sehr ausgesetzt; ich machte ihn darauf aufmerksam, indem ich sagte: neue Schwärme könnten dadurch
sehr leicht verleitet werden wieder auszuziehen,

und es sey besser, sie — wenigstens in den ersten
Tagen — mit etwas zu bedecken.

Ob Hr. Gut nun nicht drauf achtete, oder
ob er es nicht recht glaubte: genug gegen 3 Uhr
kam er gelaufen und rief: „ein Schwarm ist so
„unruhig, ich weiß nicht was ihm fehlt; kommen
„sie doch mit." Ich ging und fand, daß er ausgezogen und wieder zurück geflogen war. — Seine
Mutter hatte sich verloren und ich vermuthete,
daß sie auf einen Mutterstock gefallen sey, wo-
bei kein Schade war. — Ich that nun das Volk
zu einem andern Schwarm, der etwas zu klein
ausgefallen war und sagte: dabei ist kein Schade.
Nach 3 Wochen untersuchte ich seine Mutterstöcke
und fand, daß einer einen Afterschwarm gegeben,
den Hr. Gut aber nicht bemerkt hatte, und der
wahrscheinlich die Reise nach den Wäldern gemacht haben mochte.

Der Mutterstock, der sehr altes Ras und
darin sogar viele Motten, oder wie man hier sagt,
Ratten hatte, war mutterlos geworden. — Ihm
mußte geholfen werden, und zwar nicht nur mit
einer Mutter, sondern auch mit Volk; und das

durfte nicht auf einmal geschehen. — Ich gab
ihm also erst eine Mutter, und nach 8 Tagen
durchs Verstellen auch Volk, und ihm war ge=
holfen. Als ich nach einiger Zeit wieder in B.
war, kam Hr. G. gelaufen und klagte: einer sei=
ner Schwärme fliege nicht so stark, wie die an=
dern, und habe auch nicht so viel gebaut. Da
nun, als ich zu ihm kam, ein Schwarm sehr gut
war, und das Verstellen angewedet werden konnte:
so that ich es, in der Meinung, dadurch beide
Stöcke gleich und gut zu machen. Sie waren auch
8 Tage lang fleißig geflogen. Nach eben so viel
Tagen besuchte ich Hrn. Gut abermals und fand
wieder einen sehr großen Unterschied. Der eine
Schwarm lag vor, und der andere sah wieder aus
wie zuvor. Ich untersuchte nun seinen Bau, und
fand, daß er mutterlos war. — Seine zu alte Mut=
ter war von den Bienen getödtet und eine junge
erbrütet worden, diese war beim Ausfluge verlo=
ren gegangen und hatte ihn in diese Lage versetzt.

Ich wollte ihm nun eine vor 3 Wochen frucht=
bar gewordene junge Mutter von einem Mutter=
stocke geben; allein wie ich diesen dazu nehmen woll=
te, war er mir zu leicht und die Wahl fiel auf den

guten Schwarm. Ich setzte am Abend beide,
den Mutterlosen und guten Schwarm auf die
Art, wie ich es dem Anfänger schon bei der Raub-
geschichte der Bienen von A. und R. erzählt
habe, auf einander. Am folgenden Morgen sah
ich, daß sich während der Nacht sehr viele Bienen in den mutterlosen Stock gezogen hatten. —
Ich trieb daher den guten Schwarm blos deswegen aus, um jenem zu einer Mutter zu verhel-
fen. Als ich ihn so weit ausgetrieben hatte, daß
ich die Mutter zu haben glaubte, so fand ich, —
was glaubt der Leser wohl? — daß auch dieser
Schwarm seine zu alte Mutter abgeschafft und
sich zwei junge erbrütet hatte, die beide regelmäßig
ausgelaufen waren! Hier konnte nun nicht geschehen was geschehen sollte, sonst hätte ich dem
Schlechten geholfen und den Guten verdorben!
Der Abtreibling wurde also ohne weiteres auf den
guten Schwarm, nach dem ich ihm erst den Stopfen ausgezogen hatte, gestellt und Bienen und
Mutter zogen wieder ein.

Es könnte hier jemand sagen: daß, da doch
zwei Mütter regelmäßig ausgelaufen gewesen,
ich beiden hätte helfen können; allein die eine war

nicht mehr vorhanden — war schon getödtet, ehe ich die Operation machte. Am folgenden Tage hatte Hr. R. einen Mutterstock, in welchem mehrere junge Mütter riefen, ich nahm davon eine und setzte sie dem mutterlosen des Herrn Gut zu. Da sich aber an dem Tage schon viele Näscher bei ihm einschlichen: so machte ich ihm ein Flugloch ganz zu und das andere klein. Hr. Gut traf mich nach einigen Tagen auf dem S—b. und klagte mir sogleich, daß er am folgenden Tage nachgesehen, und unter mehreren getödteten Räubern auch die gegebene Mutter leblos gefunden habe.

„Nun, sagte er, nun ist's aus! — Ich bringe meine Stöcke weg! — fange die Räuber auf und verbrenne sie — oder setze Hefe — und thue andern was mir wiederfahren ist.‟

Ich mußte in der That alles anwenden, um ihn von seinem Vorhaben abzubringen. Immer kam er auf den eingebildeten Gedanken zurück, man könne durch Füttern die Bienen zu Räubern machen. So unrichtig auch dieser Satz ist, so gibt es doch bis jetzt noch Kenner der Bienen-

zucht, die ihm huldigen! Man laſſe doch ſo arm=
ſelige Begriffe fahren! Kein Menſch in der Welt
iſt im Stande Bienen zu Räubern zu füttern.
In ihrem Geruch liegt der Grund dazu. — Ge=
legenheit — durch Unwiſſenheit oder durch Nach=
läſſigkeit, gemachte Gelegenheit, führt ihn aus.
— Gelegenheit macht Diebe! rufe ich noch ein=
mal allen zu, die ſich noch nicht, wie ich, voll=
kommen davon überzeugt haben — und ereignet
ſich eine, ohne unſer Verſchulden, wie bei A.
und R. in B: ſo hebe man das Uebel vernünftig,
ohne Andern ſchaden zu wollen! Das Uebel das
Hn. Gut traf, rührte wahrlich nicht von Raubbie=
nen (Heerbienen) her; denn ich habe mich genau
nach allen erkundigt — ſeine Bienen hatten in
3, 4 Jahren hinter einander nicht geſchwärmt —
die jungen Schwärme arbeiteten in ihrer neuen
Wohnung nach Kräften. Der Inſtinkt der Ar=
beiter will nun auch, daß die Brut in dem neuen
Roſenbau mit dem Bauen gleichen Schritt halte;
— kann das nun eine zu alt gewordene Mutter
nicht mehr — hat ſich ihre Fähigkeit zur Eierlage
zu ſehr vermindert: ſo iſt es ſehr natürlich, daß
die Bienen, in einem neuen Wabenbau, weit
lieber und weit ſchneller den Weg der Vernich=

tung mit ihr beginnen als in einem alten vollge=
bauten Korbe. — In letzterem hängen die Bienen
selbst der Begattung mehr nach — legen, wenn
die Mutter zu wenig legt, mehr Drohneneier und
pfropfen das alte Gebäude damit voll. Im neuen
Bau aber läßt das ihre Thätigkeit nicht zu; und
doch ist der Trieb zur Vermehrung stärker, als
im alten Bau. Daher geschieht das Nämliche
sehr leicht und öfterer als man glaubt!

Mit Schaden ist ein solches Verfahren immer
verbunden: doch größer und wichtiger wird der
Schade, wenn die junge Mutter verloren geht
und der Schwarm mutterlos wird! Das einzige
sichere Gegenmittel ist: zu sorgen, daß im Herbste
die zu altwerdenden Mütter abgeschafft und junge
ihre Stelle ersetzen! Jeder merke darauf und
glaube meiner Erfahrung so lange, bis er sich
selbst überzeugt hat!

Ein Fall, der aber nur den Nichtkenner
treffen kann, ist mir vom Gegentheil bekannt.
Hier ist er: Kommt ein Schwarm mit einer jun=
gen vorjährigen Mutter, er sey abgetrieben oder
freiwillig, in eine leere Wohnung, und wird die

Witterung nach 14 Tagen anhaltend schlecht, kön=
uen die Arbeiter nicht sammlen, nicht fortbauen,
was sie angefangen haben: so tritt das Gegen=
theil ein. — Die Witterung von außen und der
Trieb von innen kommen in Collision; dann kann
eine fruchtbare junge Mutter in die Lage kommen
getödtet zu werden, weil den Arbeitern von außen
versagt ist — was sie gerne verrichteten. — Der
Erfahrne bewahrt sich bebaute Honigkörbe auf,
setzt seine Schwärme darein und hat dieses Uebel
nicht zu fürchten! Gewöhnlich geschieht solches
im Monat Juni — im Julius hat man den Fall
fast gar nicht zu fürchten, wenn auch Schwärme
in leere Wohnungen gethan werden.

Ich gehe nun endlich mit dem Anfänger zum
Herbste. Dieser erscheint für Bienen im Monat
September. Ist nun das Jahr gut gewesen, so will
man nun ärnten, und hier geht man wieder ganz
grausam mit den armen Bienen um. Mit Rauch,
daß sie ersticken möchten, will man sie nun auf ein=
mal aus ihren großen viereckigen Untersatz in die
Höhe jagen. Geschähe dieses nach und nach;
so ging es noch an; obschon die ganze Sache seh=
lerhaft ist. — Durch den zu starken Rauch auf

einmal gemacht, ſetzen ſich die Bienen, um ihm
geſchwinde zu entgehen, in die vier Ecken des
Kaſtens veſt — häufig genug ſitzt da auch die
Mutter. Der Kaſten wird nun abgeſchnitten, und
nachdem dieß geſchehen, noch ein Theil aus dem
Korbe unten weggeſchnitten, damit man den Bienen ja nicht zu viel laſſe. Iſt die Mutter nun
mit abgeſchnitten worden: ſo kommt ſie ſelten
mit dem Leben davon! Was iſt nun das ganze
geſammte Volk ohne Mutter? Wenn das auch
nun nicht geſchieht: ſo wird doch das Bienenvolk
aus ſeinem Neſte verjagt und muß ſein Lager im
Honig nehmen. Tritt nun frühe ſchlechtes Wetter,
oder gar Kälte ein: ſo hat es ein erbärmliches Lager, und kann nicht geſund, nicht munter bleiben.
Lieber oben aufgeſetzt, und man bekommt eben ſo
viel Honig, ohne Schaden der Bienen.

Zweiter Abschnitt.

Von den Magazin-Bienenstöcken, in Vergleichung mit Stülpstöcken oder gewölbten Körben.

§. 8.

Von den Bienenkörben überhaupt..

Seitdem die Magazin-Bienenzucht bekannt ist, wetteifert man gleichsam, sie bekannter, allgemeiner und so vortheilhaft als möglich zu schildern. Es ist wahr, Bienenstöcke (Bienenkörbe), die aus mehreren einzelnen Kränzen (Untersätzen) zusammengesetzt sind und die durchs Zusammensetzen der einzelnen Theile ein bald größeres bald kleineres Ganze bilden, nachdem viel oder wenig einzelne Theile dazu gebraucht werden und es die Gegend, Jahreszeit und die

D

größere oder kleinere Volksmenge erfordert, haben große Vorzüge vor den Stülpstöcken, welche ein Ganzes für sich allein ausmachen; zumal in der niederrheinischen Gegend, wo der so genannte Bienenkorb noch dazu ohne besondern Deckel ist, d. h. Deckel und Korb sind untheilbar, sind ein Ganzes. In andern Gegenden, als in Sachsen und im Werragrund, sind zwar die gewöhnlichen Körbe auch untheilbar, aber Korb und Deckel sind nicht mit einander verbunden, so daß man den Deckel abnehmen kann, wenn man will. Dieß ist schon ein großer Vorzug, den jene Körbe vor den unsrigen haben; nur Schade, daß dort wie hier die Körbe viel zu groß, vorzüglich aber viel zu weit gemacht werden.

§. 9.
Vom sächsischen ganzen Bienenkorbe.

Der sächsische gewöhnliche ganze Bienenkorb hat unten einen zwei Zoll hohen hölzernen Reif, den Siebreifen ähnlich — nur nicht so hoch wie diese. Diesen Reif verfertigt der Korbmacher zuerst, bohrt oben Löcher durch, und näht den ersten Strohring — am besten durch ein Ochsenhorn, zu $1\frac{1}{4}$ Zoll dick, formirt — mit

Schienen von Saalweide, Haselholz oder Linden-
schalen daran vest; nun wird ein zweiter Strohring von gleicher Dicke auf den ersten genäht —
ein dritter auf den zweiten und so fort, bis der
Korb eine Höhe von ¾ Ellen oder 15 bis 18
Zoll erreicht hat. Demnächst wird ein Strohdeckel von gleich dicken Strohringen verfertigt —
und auf den Korb mit 4 hölzernen Nägeln vest
gemacht — (Sobald ich eiserne Nägel empfahl,
so fand man sie allgemein bequemer und schick-
licher dazu.) — Unten sind diese Körbe gewöhnlich nur 8 bis 9 Zoll, oben hingegen 15 bis
18 Zoll weit.

Die Ursache eines so fehlerhaften Verhält-
nisses ist in dieser Gegend der Hang zum Beschneiden. Diese verderbliche Gewohnheit des
Beschneidens von oben ist zwar nicht mehr so
häufig im Gebrauche als vor 30 Jahren: allein
es giebt doch noch Menschen, die den Herbst
nicht erwarten können, sondern sogar glauben,
sie brächten sich und ihren Bienenstöcken Vortheile, wenn sie Ende July von oben beschnitten
— sie reißen den Deckel ab, jagen mit einer
Lunte, aus Werg und Wermuth verfertigt und

D 2

angezündet, die Bienen zurück, und schneiden so
viel Honig als sie habhaft werden können oben
weg. Mörderisch und mit einer wahren Sauerei
verbunden, geht dieses Geschäft ab. Beim Durchschneiden der Rosen kommen erstens viele Bienen um, zweitens wird auch oft viel Brut verdorben, drittens fließt der warme Honig so über
die Bienen her, daß sich viele beschmieren und
umkommen. Man gewinnt einige Pfund Honig und ruinirt die besten Stöcke, im falschen
Glauben, die Bienen dadurch fleißiger zu machen. Die Mutter selbst läuft Gefahr bei solchen
Tumult umzukommen.

Aus diesem Grunde hat man bis jetzt nur
noch ein Kreuz in jedem Stocke beibehalten, und
zwar etliche Finger hoch über den Reif angebracht. Zwar kann, wenn der Stock vollgebaut
ist, keine Rose leicht ausfallen, weil er oben
weit und unten enge ist; aber eben so wahr
ist es, daß einem jungen Schwarme, so lange
er noch nicht voll gebaut hat, bei der geringsten Bewegung des Korbes leicht Rosen abfallen, weil oben der Korb zu weit ist und keine
Kreuzhölzer angebracht sind. Daß der Deckel

oben abgenommen werden kann, ist ein Vortheil, den diese Art Körbe mit den Magazin-
körben gemein haben, nur müßten sie wie diese
auch unten und oben gleich weit seyn. Die rechte
Weite von oben bis unten ist 12 Zoll. Das
Zuweitseyn oben ist im Winter am allerschäd-
lichsten, weil die Bienen zu kalt sitzen. Das Zu-
engseyn unten hat das Unangehme, daß die Bienen in solchen Körben beim Abtreiben sich zu
leicht vestsetzen und nicht gut weichen wollen. —
Bei voller Honigtracht haben sie unten nicht Raum
für die tägliche Tracht und das Brutgeschäft leidet an solchen Tagen sehr.

Der hölzerne Reif fällt weg, so bald man
Sorge trägt, seine Bienen durch Dächer vor Regen und Schnee zu schützen, und die elenden
Strohhüte abzuschaffen, die Bienen und Körben
nachtheilig und verderblich sind.

Durch den hölzernen Reif werden die Körbe
auch zu theuer, denn sie kosten 40 bis 50 kr.
und könnten doch sehr gut für 24 bis 30 kr.
zweckmäßig verfertigt werden.

§. 10.

Vom rheinischen ganzen Bienenkorbe.

Einfach, wohlfeil, und doch in mancher Hinsicht nützlich, erscheint der gewöhnliche Bienenkorb am Rhein, in Braband und Holland. Der Korbmacher fängt dort oben an, umnäht sich zuerst das Stopfenloch; dann näht er einen 1¼ zolligen Strohring an den andern, macht oben eine kleine Wölbung von 7 bis 8 Zoll Weite, verfolgt nun diese Erweiterung allmählich bis er unten 13 bis 14 Zoll im Lichten hat. Die Höhe wird auch 15 bis 16 Zoll gemacht. Die Strohringe (das Stroh wird naß verarbeitet, weil die Ringe vester und schöner werden als von trockenem Stroh) werden durch ein Horn formirt und 1¼ Zoll dick gemacht. Die Schienen werden dort von den Grasbeerranken verfertigt und sind sehr stark und dauerhaft. Diese Körbe kosten jeder 15 Stüber oder 6 Groschen.

Daß diese Körbe im Winter für Bienen sehr vortheilhaft sind, ist unstreitig: denn die Wärme ist oben mehr konzentrirt, der Honig bleibt mehr flüssig, als in weiten Stöcken; der Brodem, der sich bei strenger Kälte oben in Tropfen ansetzt,

fällt nicht, wie bei weiten Körben, auf Roß und
Bienen, sondern läuft von der kleinen Wölbung
geführt, an der Seite ungestört herunter; es ent=
steht höchst selten Schimmel, und die Bienen blei=
ben darin sehr gesund, wenn man bei plötzlichem
Thauwetter die Stöcke gehörig lüftet.

Der junge Schwarm baut im Sommer auch
nicht so leicht auf einer Seite herunter, wie bei
oben weiten Körben; sondern er nimmt den gan=
zen Bau auf einmal vor.

§. 11.

Von den Kreuzhölzern, die bei jedem Bienenkorbe
nöthig sind.

Kreuzhölzer werden gewöhnlich 6 in jedem
Korbe angebracht; damit die Bienen ihr Gewürke
gehörig bevestigen können; nur müssen sie ganz
dünne und rund, nicht platt seyn — nicht platt,
man merke sich das wohl: — denn ich habe die=
sen großen Fehler im Werragrund auch kürzlich
noch sehr häufig angetroffen — ich habe münd=
lich dafür gewarnet, und wiederhole diese War=
nung hier mit Fleiß.

Die Erfahrung beweist, wie oft ein kleiner
Umstand Schuld ist, daß so mancher schöne

Stock in den strengen Wintermonaten ganz,
oder doch zum Theil eingeht! Kommt z. B.
ein plattes Kreuzholz, das nur einen Finger
breit ist, zufällig durch den Bau der Bienen zwischen zwei Honigkuchen, in die Mitte des Korbes zu stehen; so nimmt es den ganzen leeren
Raum beider Tafeln in die Quere ein, und sperrt
den Auf- und Abgang der Bienen zwischen diesen Honigkuchen. Sie suchen bei Sommertagen
dieß Hinderniß dadurch unschädlich zu machen,
daß sie von beiden Seiten kleine Löcher durch die
Rosen beißen, und sich dadurch gleichsam selbst
Umwege bahnen. Bekanntlich sitzt das ganze
Bienenvolk im Herbste unter dem Honig in einem
Neste in stehenden Stöcken beisammen; es rückt
immer stufenweis höher; kommen sie nun vor ein
solches Holz, das ihnen den Aufgang sperrt, grade
bei strenger Kälte zu sitzen; so bleiben diese Bienen davor sitzen, während sich die, welche zwischen
andern Kuchen sitzen, langsam fortbewegen; dauert
nun diese strenge Kälte 3—4 Tage lang fort; so
verhungern sie. — Sitzt nun die Mutter gerade
auch zwischen den zwei Kuchen unter dem Holz,
so geht auch sie zu Grunde und der Stock ist ganz
dahin! Der Fall soll auch nicht gerade so schlimm

seyn, die Mutter soll anders sitzen und mit auf=
steigen; so verlieren wir doch eine große Menge
Volks auf einmal durch unsere Schuld, und
dieser starke Abgang kann uns um den Stock brin=
gen, sollte es auch erst im Frühjahr seyn!

§. 12.

Wie weit die Körbe seyn müssen, wenn sie für Bienen
zweckmäßig seyn sollen.

Die ganzen Körbe sowohl, als die einzelnen
Theile der Magazine, sollen nach der Meinung
der mehresten Bienen=Schriftsteller, nicht über
12 Zoll weit seyn. Meine eigene Erfahrung
stimmt damit zusammen. Ist die Wohnung wei=
ter, so kann schon ein mittelmäßiges Volk sie nicht
gehörig besetzen, zumal im Frühjahr, wo noch
der Grad der Wärme fehlt, den sie dazu nöthig
haben. Sie besetzen einen kleinen Theil des Kor=
bes, und lassen das übrige Gebäude unbesetzt,
so daß manchmal, ehe man sich's versieht, die
Motten die von den Bienen nicht besetzte
Waben einnehmen, sie verderben, und den Bie=
nen den Untergang zuziehen. (Dieß gilt auch
im Sommer, wenn sich ein Stock stark abge=
schwärmt hat.) Es ist ferner der Honig in den un=

besetzten Waben im Frühjahr so hart, daß ihn die Bienen nicht genießen können: sie suchen ihn jedoch einzeln auf, zernagen die Wachsdeckel, saugen das noch Flüssiggebliebene heraus, und lassen das Uebrige als unnütz auf's Standbret fallen, welches fast immer die erste Veranlassung zur Frühlings-Räuberei giebt. Denn so bald die ersten Frühlingstage kommen, suchen die fleißigen Bienen, sowohl ihre Wohnung als auch ihr Stand- bret von allem Unrathe zu säubern: sie tragen nicht nur ihre Todten, sondern auch alles Gemöll aus ihrer Wohnung. Unter diesem befinden sich dann auch die Körnchen des ausgeworfenen Ho- nigs, die dem Farinzucker ganz ähnlich sehen. Diese lassen sie vor dem Stande fallen, die Sonne erwärmt sie, sie werden flüssig sind und die Bie- nen suchen sie begierig aufzulecken; und wem ist unbekannt, daß, wenn die Biene einmal etwas gefunden hat, sie an dem Orte, wo sie es fand, sehr emsig nach mehrerem sucht? Sie wagt sich sogar an die Stöcke, bemüht sich verstohlener Weise einzudringen, und gelingt ihr Versuch einmal, so kommen nun schon mehrere mit ihr; sind diese auch glücklich, so ist der Grund zur Räu- berei gelegt und die zu weite Wohnung war die

erſte Urſache davon. Ein vortreffliches Mittel,
dieſe Räuberei. gänzlich zu verhüten (aber unter
dem ausdrücklichen Vorbehalt, daß keine mutter⸗
loſen Stöcke geduldet werden), will ich hier ange⸗
ben. Man laſſe, ſo bald die Frühlings⸗Reini⸗
gung geſchehen (dieß dauert ein und auch manch⸗
mal zwei Tage), die Bienen nun ſo lange in der
Mitte des Stocks, und nicht auf dem Standbrete
oder unten ausfliegen, bis die Frühnahrung an⸗
fängt; ſo wird alle Frühjahrsräuberei ganz ohne
Mühe verhütet, und Ruhe und Einigkeit unter
den Bienen ſeyn!

§. 13.

Magazinwohnungen ſind vorzüglich im Frühjahr und
Herbſte nützlicher und bequemer als einfache Körbe.

Bei engen Wohnungen, vorzüglich aber Ma⸗
gazinwohnungen, hat man die Bienen mehr in
ſeiner Gewalt, als bei einfachen und dazu wei⸗
ten Körben, zumal wenn ſie wie bisher behan⸗
delt werden. Man kann ſie im Frühjahr mit
leichter Mühe, ſo kurz als möglich, zuſammen⸗
drängen, indem man die Strohkränze, oder wie
man auch ſagt, Höchſel *) (Unterſätze) mit den

*) In jedes Höchſel müſſen zwei runde, dünne Stäb⸗
chen geſtochen werden, und zwar ſo, daß die Bie⸗

leeren Waben unten so weit wegschneidet, als
der Stock seiner Güte, wie auch seines Volks
wegen missen kann und der nöthigen Wärme we=
gen entbehren muß. Hier will ich vor einen schon
sehr eingeschlichenen Fehler warnen, nämlich:
man setzt sie leicht zu kurz, d. h. man drängt die
Bienen in zwei Höchsel (Untersätze) zusammen; hat
der Stock nun noch hinreichend Honig, so hat er
zu wenig leeren Bau, und die Vermehrung leidet
nun bis zur Frühnahrung zu sehr dabei. Ist fer=
ner die Frühnahrung nicht sehr günstig; so wird
ein leerer Untersatz, den man giebt, nicht ganz
ausgebaut, oder doch mit Schaden; weil zu viel
Honig dazu verwendet wird, und der Stock bleibt
nun zu leicht! Man kann ferner im Herbste seinen
Stöcken den Ueberfluß an Honig und Wachs mit
leichter Mühe oben abnehmen, und das ohne
allen Schaden der Bienen und was der Vor=
theile mehr sind. Viele Bienenwirthe lassen sich
durch Begierde verleiten, das Magazin in zwei
Kränzchen zurückzujagen und nehmen ihm nun zu
viel ab. — Es muß eigentlich ein Magazin den
Winter hindurch 3 bis 5 Zoll hohe, und 12 Zoll weite

nen jede Wabe daran befestigen könen, damit keine
sinken kann.

vollgebaute Kränzchen behalten, zumal wenn man ihm im Herbste Volk zusetzen kann. Eine sehr nützliche Lehre muß ich hier anführen, nämlich: kann das Magazin, das ich nie höher als auf 4 Kränzchen kommen lasse, ein Kränzchen entbehren, so schneide ich, sey es auch noch in der Aernte, erst eins oben ab, ehe ich wieder eins untersetze, wohl verstanden: das Magazin muß aber nicht allein vollgebaut, sondern auch 40 Pfund schwer seyn. Da ich jetzt nun kein Magazin mehr beschmiere, nämlich die Ritzen, die durchs Aufeinandersetzen zweier Kränze entstehen, sondern jeden Kranz erst naß mache, ehe ich ihn untersetze, welches macht, daß sie sich, wenn sie gut gemacht worden, sehr vest auf einander sitzen; so kann man, wenn ein Gehülfe mit einem Meisel das obere Kränzchen nur ein wenig lüftet, in einem Augenblick die Drathsaite durchziehen, und einen Deckel auflegen, den man auch vorher erst naß gemacht hat; nun legt man eine Stein- oder eine Eisenplatte drüber; so legt sich auch der Deckel sehr vest auf. Sollten in dem abgeschnittenen Kränzchen einige Bienen seyn, was doch, wenn das Abschneiden des Morgens geschwind geschieht, selten ist; so klopfe man sie heraus, wenn man sich erst durch die Unruhe der Bienen überzeugt hat, daß nicht die Mutter dabey sey, was ebenfalls wieder eine höchst seltene Sache ist. Das Honigausmachen sehe man an seinem Orte nach.

Der wichtigste aller Vortheile, den Magazine vor den ganzen Körben haben, ist der: man kann einem Kranzmagazin, das, wie gesagt, aus drei Kränzen bestehen muß, den obersten Kranz im Herbste abschneiden, und ihn nun so wieder aufsetzen, daß die Waben oder Rosen gegen einander laufen, d. h. man setzt das obere Flugloch auf die Seite; so laufen die Rosen oben gegen Osten und Westen und unten gegen Süden und Norden. Die Ritzen, die da entstehen können, müssen aber verstrichen werden, weil sich diese bebauten und herum gesetzten Kränze selten so vest aufeinander setzen lassen, als leere Kränze, die naß gemacht und beschwert worden waren.

Dieß Abschneiden und wieder Aufsetzen bietet uns im kommenden Sommer Gelegenheit dar, den obersten Kranz dieses Magazins mit einem Meisel, den ich nur oben dazwischen stecke, ganz bichte, ohne Schnitt oder andere Umstände, abzuheben; zwar haben die Bienen die Rosen wieder angeheftet, doch sie brechen leicht ab, und es geht dabei weder eine Biene noch Brut verloren. Man kann dieses Kränzchen nun zu einem jungen Schwarm, oder Abtreibling gebrauchen und leistet diesem wesentliche Dienste; zumal wenn man seine Schwärme frühe macht, was jeden Bienenhalter obliegen muß.

Einige wollen lieber Strohkränze von 12 Zoll Weite und 5 bis 6 Zoll Höhe, als aus Holz verfertigte, viereckigte Kästchen von 11 Zoll Weite und 5 Zoll Höhe (alles im Lichten genommen) haben, andere ziehen die hölzernen Wohnungen den strohernen vor. Beide haben ihre Gründe. Diese sagen: stroherne sind wärmer im Winter; jene sagen: der Kälte läßt sich wohl abhelfen; hölzerne sind aber reiner, sitzen fester auf einander, und man hat nicht so viel Schmierens nöthig, als bei den strohernen.

§. 14.

Strohmagazine, wie sie gemacht und für Bienen nützlich zubereitet werden.

Am schönsten, dauerhaftesten und nützlichsten sah ich diese Strohkränze von einem N.

auf der Urbenbach am Rhein verfertigen. Dieser Mann hat sich in dieser Arbeit eine seltene Geschicklichkeit erworben und macht jetzt sein ganzes Geschäft daraus, das ihn und seine Familie reichlich nährt. Er macht sich 12 Zoll weite Reife von Weiden, Haselstauden u. s. w.; so bald er solcher 30 bis 40 Stück fertig hat, werden sie über einen rund abgedrehten, 12 Zoll dicken, und in der Mitte durchgesägten Holzbloch gestreift. In den Sägeschnitt werden unten und oben zwei Holzkeile gesteckt, und mit einem Hammer so viel angetrieben, als es die übergestreiften Reife leiden können. Auf diesem Holze werden sie nun trocken, und einer so schön rund wie der andere. Die Nähschienen verfertigt er aus Grasbeerranken und dünnen Korbweiden.

Er nimmt nun nasses Roggenstroh, legt es 1¼ Zoll dick um einen Reif, und umwindet es mit Schienen sehr vest — dieß ist also der erste Strohring. Da wo die beiden Enden des Strohs zusammenstoßen, fährt er nun mit einem Ende fort, und näht einen zweiten Strohring an den ersten vest. — Hierauf nimmt er das andere Ende und näht einen halben Ring an den zweiten, erst

greift nun das erste Ende wieder und macht da=
mit den dritten Strohring fertig. Schön, veſt,
wohlfeil und doch ſehr dauerhaft ſind dieſe Ma=
gazinkränze; ſie koſten 9 kr. im Durchſchnitt. —
Die Deckel werden wie überall ohne Reife, aber
viel dicker von Stroh gemacht und koſten auch
9 Kreuzer. .

§. 15.

Holzmagazinwohnungen, wie ſie gut verfertigt werden
und zu gebrauchen ſind.

Ich werde nie mehr Bienen, die im Winter
ſtehen bleiben ſollen, in Holzmagazinen aufſtellen.
In der erſten Auflage wollte ich nicht gerade=
zu widerſprechen; ich wußte zwar ſchon damals
keine Urſache, die mich davon abgehalten hätte,
allein überzeugendere Beweiſe nöthigen mich
jetzt die Wahrheit ganz beſtimmt zu bekennen.
Die Bienen bauen bei Sommertagen gern ins
Holz; ich hatte ſogar überzeugende Beiſpiele,
daß Schwärme, die aus Holzmagazinen kamen,
durchaus in keinem Strohmagazin halten woll=
ten, und die, ſobald ich ein Holzmagazin nur von
ferne ſehen ließ, von ſelbſt einzogen und mun=
ter und froh arbeiteten. — Ein Beweis, daß
unſer Bienenvolk gewiß nicht ungerne im Holz

E

wohnt und arbeitsam darin ist. Gewohnheit kann man es nicht nennen, denn das Gegentheil müßte sich sonst auch ereignet haben, daß sie sich träg gezeigt hätten; allein nie hatte ich den Fall, daß ein Schwarm, der aus einem Strohkorbe kam, nicht in einer Holzwohnung hätte arbeiten wollen. Dieß ist eine Wahrheit, die ich nicht übergehen darf, wenn ich nicht Eigensinn verrathen will.

Jetzt werde ich meine übrige Beobachtungen eben so treu erzählen und der Leser urtheile, ob ich recht habe, wenn ich sagte: im Winter lasse ich keine Bienen in Holzwohnungen stehen.

Die hölzernen Kästchen (Untersätze) müssen, wenn sie der Sonne ausgesetzt sind und nicht reißen sollen, aus eichenen oder pappelweidenen Bretern von 1½ Zoll Stärke verfertigt werden; sie müssen auf einer Seite ganz glatt, auf der andern mit einem Zahnhobel abgehobelt und zu jedem Kästchen vier Stücke abgeschnitten werden, die, wenn sie mit Schwalbenschwänzen gut zusammengefügt sind, ein Viereck bilden, das 5 Zoll Höhe und 11 Zoll Weite hat. Die glatt gehobelte Seite kommt

auswendig, und die durch den Zahnhobel rauh
gewordene Seite inwendig, damit die Bienen
desto bequemer an dem Holz auf= und absteigen
können. Die auswendige Seite wird nun erst
mit gekochtem Leinöl und nachher mit gut ge=
riebener Oelfarbe angestrichen. Andere wollen
auch noch Gesimse angebracht wissen; ich habe
aber diese Quaal längst abgeschafft. So gut und
dauerhaft nun diese Kästchen zu seyn scheinen: so
darf man sich doch nicht wundern, wenn die ent=
gegengesetzten Wirkungen der Sonnenwärme
von außen und die inwendige Feuchtigkeit, die
durch die stete Ausdünstung der Bienen veranlaßt
wird, machen, daß sie reißen (bersten) oder sich
ziehen (werfen), wenn es auch erst nach einigen
Jahren geschieht. Die von Tannenholz verfer=
tigten Kästchen halten sich am wenigsten gut und
sind deswegen gar nicht anzurathen. Nun hat
man noch seine liebe Last mit den Deckeln! Von
Stroh lassen sich Deckel, weil sie viereckigt seyn
müssen, nicht gut und auch nicht schön verferti=
gen. Von Holz werfen sie sich, wenn sie auch
doppelt, und dem Holz nach entgegengesetzt,
auf einander geleimt, gemacht werden oder
mit Hirnleisten versehen sind! Ich versuchte

deswegen Eisenplatten aufzulegen; doch der Rost,
den die inwendige Nässe daran hervorbringt, verdirbt das Ros und macht, daß es schwarz und
schimmlich wird, und verderben muß. Daß Beste,
was ich endlich fand, waren dünne Steinplat-
ten; diese halten sich am schönsten.

Der zweite Fehler der hölzernen Wohnungen ist, daß sie im Winter zu kalt sind. Man
wird mir hier einwenden: was fangen denn die
Bienen in Polen und Rußland an, da sie doch fast
alle in Holz wohnen? Ich antworte: der im
Winter dick gewordene Saft und die grüne
Schale noch lebendiger Bäume schützt vor Kälte,
und die Klotzbeuten, wie stark von Holz werden
nicht diese gemacht?

Der dritte und wichtigste Fehler ist der, daß
das trockene Holz bei Wintertagen alle Ausdünstung der Bienen oben auffängt und in Tropfen
auf Bienen und Ros herabfallen läßt. Der
Strohkorb hat dieß Uebel nicht halb so stark;
das Stroh zieht zwar inwendig sehr viel Feuchtigkeit an sich, aber die äußerliche Luft trocknet sie auf diese Weise immer wieder aus.

Das Holz kann das nicht, sondern es muß alles
wieder abfallen laſſen. Die Glasſcheiben, die
man noch daran anzubringen vorſchreibt, iſt —
ich rede aus Erfahrung — wahre Tändeley!
Zum Vergnügen will ich ſie gelten laſſen; Nutzen
weiß ich nicht dabei zu finden.

Nun kann man mir einwenden: der Kälte we=
gen könnte man ja die Bienen in hölzernen Woh=
nungen in Gewölbe ſetzen. Dieſe hat aber nicht
jeder Bienenwirth, und bei vielen Stöcken iſt es
auch zu mühſam und zu umſtändlich. Die Bienen=
häuſer zumachen, oder mit Strohmatten behän=
gen, hilft bei Strohkörben, bei Holzmagazinen
aber nicht genug.

§. 16.

Warum man die Magazinwohnungen nicht überall
den einfachen Körben vorzieht?

Woher mag es doch wohl kommen, daß bei
allen den geprieſenen Vortheilen, welche Maga=
zinwohnungen wirklich vor den Stülpſtöcken ha=
ben, der Landmann doch, nach wie vor, bei ſeinen
Stülpſtöcken oder gewölbten ganzen Körben
bleibt? Wahr iſt es, wenn man ſagt, er gebe

sich nicht gerne mit Neuerungen ab und er sey
nun einmal der Körbe gewohnt. Aber eben so wahr
ist es auch, daß der Landmann das Einfache liebt
und es dem, was ihm beschwerlicher scheint, vor;
zieht. Ich weiß sehr wohl, daß bei der jetzigen
Magazinbehandlung das zu Künstliche wegfällt;
ich weiß aber eben sowohl, daß die vielen Theile
eines Ganzen ihm mehr Mühe verursachen, als
Mancher an seinem Schreibpulte glauben mag.
Wie wäre es sonst möglich, daß noch ein einfacher
Korb existirte? Man bedenke doch nur, wie oft
und wiederholt die Magazinkörbe empfohlen, wie
sehr sie gepriesen wurden, und dann, wie ver;
ächtlich man die Korb-Bienenzucht machte! Auch
findet sich nun fast überall ein Bienenbesitzer, der
Magazinwohnungen hat, so daß man sie genug;
sam kennt, und in jeder Gegend kennen lernen
kann, und doch will sie nicht die Oberhand gewinnen, nicht allgemein werden! — Man hat
schon oben gesehen, daß ich den Werth der Ma;
gazin-Körbe zu schätzen weiß; man wird es mir
aber auch nicht verargen, wenn ich einem jeden
das Seine lasse, und sowohl für den Magazin;
als Stülpstockwärter schreibe. Nur muß man
auch zu jedem Stülpstocke noch etliche Höchsel

haben, die man unterſetzen kann. Dieß iſt auch
den mehreſten Landleuten nicht unbekannt.

Hieher paßt eine ſehr wichtige Entdeckung,
die hoffentlich jedem Korbbienenwirth eben ſo
willkommen ſeyn wird, als ſie gemächlich, nützlich und einfach iſt.

Der größeſte Fehler, den die Korbbienenzucht
noch hatte, war, daß wenn ein Stock einmal,
manchmal zweimal aufgehöht und nun zu ſchwer
wurde, man ihm entweder ſeinen ganzen Vorrath laſſen oder denſelben ausbrechen mußte. In
guten Jahren iſt dieſer Fehler nicht ſo groß als
in mittelmäßigen Jahren: denn da bricht der
Korbbienenwirth ſehr gern ſchwere Stöcke aus,
theils um viel Honig zu ärnten, theils um ſeine
übrigen Stöcke im Volke zu verſtärken. In
mittelmäßigen Jahren aber hilft er ſich zwar
auch, aber mit Mühe! Der Magazin-Bienen-
freund darf nicht glauben, daß der erfah-
rene Stülpſtockwärter ſich nicht zu helfen wiſſe:
Wahrlich, auch er hat Erfahrung! Ge-
ſetzt er hätte drei Stöcke, woren er zwei über
Winter ſtehen laſſen wollte. Einer ſoll 40

Pfund schwer seyn und die zwei andern jeder 20
Pfund; so jagt er das Volk von dem starken
Stocke zu den zwei schwachen, nach Art der
regelmäßigen Verstärkung zur Vereinigung. Nun
bricht er den starken Stock aus, macht aber den
Honig nicht heraus und giebt ihn den schwachen
etwa zum Futter dar! Nein, auch er weiß sich
weit besser zu helfen, als der Magazinwärter
glaubt. Er bricht den Stock aus, setzt einen
jeden, der zwei schwachen, am Abend auf den
Kopf, jagt die Bienen mit Tabacksrauch zurück,
legt von den ausgebrochenen Rosen so viel in
jeden der schwachen Stöcke auf jene Rosen kreuz-
weis, bis jeder 30 Pfund wiegt: so bleiben
sie nun stehen (man legt auch wohl auf jeden
ein Bret) bis am Morgen, wo dann die Bienen
alle eingelegten Rosen an die ihrigen im Korbe
vestgebaut haben. Nun werden beide Stöcke herum gesetzt und die eingelegten und vestgebauten
Rosen fallen nicht mehr herab. Die Bienen zehren von diesem eingelegten Honig den Winter hindurch eben so gut, als hätten sie Honig, Wachs
und Blumenstaub selbst eingetragen.

Im Frühjahr nimmt er diese Rosen nach

Gefallen, bald früher, bald später, unten weg;
seine zwei Stöcke sind durch den starken geret=
tet, und er hat noch Honig übrig und auch
sein ganzes Volk erhalten. Hier dürfte Man=
cher meynen: der Bienenwirth hätte sich auch
anders helfen können, wenn er den 40 Pfund
schweren Stock allein hätte stehen lassen, die zwei
schwachen Stöcke aber zusammengesetzt, und so
wäre die Sache auch gut gewesen! Nicht immer,
mein Freund! Das Zusammensetzen geschieht
nämlich so: Man setzt den einen schwachen Stock
von 20 Pfund am Gewicht auf den Kopf, den
andern schwachen darauf, so wiegen sie zusam=
men nun auch 40 Pfund. Dies wäre schwer
genug; allein der Honig steht nicht beisammen
und die Bienen laufen, so bald es kalt wird, zu
einander: nun haben sie, wenn der Winter lange
dauert, nicht Nahrung genug in dem einen
Korbe, ob sie schon auf einander stehen, kön=
nen sie doch wenigstens nicht zum Honig kom=
men und müssen sterben. Auch trifft es sich, zu=
mal wenn die Körbe beide nicht voll gebaut sind
und die Bienen nicht zusammen laufen, daß eine
Parthie oberwärts, die andere unterwärts zehrt,
und alle beide sterben, ehe der Winter vorüber

ist. Da ist dann die vorbeschriebene Art unstreis
tig sicherer und besser. Nun zu dem gesagten
Mittel selbst, welches blos in Aufsetzen statt Unters
setzen besteht. Gesetzt ich hätte Stöcke zu Ans
fang August, oder nachdem die Gegend ist, noch
etwas früher, die ihre Winternahrung schon häts
ten, sich vorlegten, und dadurch zu erkennen gäs
ben, daß es ihnen an Raum mangele: so gehe ich
weit sicherer, wenn ich oben die Stopfen ausziehe,
die freilich alle zum wenigsten 2 bis 3 Zoll dick seyn
sollten, stülpe über jedes Stopfenloch einen Blus
mentopf, von mittler Größe; so werden sich die
Bienen nicht mehr vorlegen, sondern sich darein
ziehen; sie bauen aber nie eher darin an, bis sie
keinen Raum mehr in ihren Stöcken selbst haben,
mithin werden auf diese Art die Bienen gar
nicht zum überflüssigen Bauen verleitet, und tras
gen nur ihren Ueberfluß oben hin. Ist der Blus
mentopf voll, so legt sich das Volk wieder vor
und zeigt aufs Neue an, daß ihnen Platz fehle;
man hebt also den vollgebauten Topf ab und setzt
einen leeren auf die Stelle. Damit fährt man
nun so lange fort als es Nahrung giebt. Die
Stöcke werden nun nicht zu schwer und halten
immer ihre Brutnester vom Honig rein, übers

füllen also ihre Körbe nicht und verbauen sich
auch nicht. Ich ärnte auf diese Weise mehr und
auch reineren Honig, indem selten Blumenstaub
in den vollen Töpfen anzutreffen ist. — Andere
Behälter können auch dazu gebraucht werden,
nur dürfen sie nie zu groß aber auch nie zu klein
seyn, so daß nur 6 Pfund Honig hinein gebaut
werden können, ist die wahre Größe. Nehme ich
nun am Abend einen vollen Topf ab und es
sind noch etliche Bienen darin, so lege ich ihn
nahe an den Stock und die Bienen ziehen sich
während der Nacht noch alle heraus und lassen
mir den Honig.

Hier ist also kein Aufhöhen mehr nöthig,
kein Ueberschwerwerden der Fall; wir haben
die Bienen in unserer Gewalt und können einen
leichten Stock im Frühjahr, wenn es nöthig
seyn sollte, damit sicher füttern und Schwärmer
damit aufhelfen. — Kurz ich werde Stülpstöcke
nie mehr anders behandeln.

Dritter Abschnitt.

Vom starken Vermehren der Stöcke, und welche Folgen daraus entstehen.

Die Stülpwärter ließen bisher ihre Stöcke
schwärmen so oft sie wollten, ja sie legten es oft
absichtlich genug darauf an, jährlich recht viele
Schwärme zu bekommen. Nie werde ich mehr
gegen das viele Schwärmen etwas sagen; frühe
nur und auf die rechte Weise behandelt, erhalte ich mehr Vögel und auch den höchsten Ertrag. — Eine vernünftige Erfahrung muß diesem Satz das Wort reden. Hier nur ein Beispiel: 1817 traf ich zufällig einen Landmann,
er heißt Hope und wohnt auf der Höhe bei So-
lingen. Ja, sagte er, im Herbste seine Bienen
stark im Volke machen, sie im nächsten Sommer frühe abtreiben, diese Abtreiblinge in be-

baute, 20 Pfund schwere Honigkörbe setzen, das bringt den höchsten Ertrag. 1816, fuhr er fort, war es für die Bienen so schlecht, daß ich von 6 Stöcken nur einen einzigen stehen ließ. Ich, hätte zur Noth zwei können stehen lassen; allein ich wollte von meinem angenommenen Grundsatze, bebaute Fässer zu verwahren, nicht abgehen. Ich wählte den Besten und doch wog er nur 18 Pfund; nun brach ich zwei andere ein und setzte ihm das wenige Honig, das sie hatten, nebst ihren Bienen zu, und steigerte sie auf 32 Pfund. Die übrigen drei Stöcke mußte ich tödten, weil ich sie nicht ernähren konnte; die Fässer hob ich aber sorgfältig auf. Dieß Frühjahr waren die Stöcke umher ganz erbärmlich schlecht, und meiner legte sich im Mai schon vor. — Ich trieb nun den ersten Schwarm von ihm ab und nach 14 Tagen auch 2 Nachschwärme, that die 3 Schwärme in die 3 bebauten Fässer, — zum Glück wurde keiner mutterlos — und ich war nun ohne Sorge. Im Julius schwärmten meine 4 Stöcke nach und nach und es wurden ihrer zehen. In der Haide mußte ich, wegen häuslichen Umständen neun Stöcke austreiben und einbrechen; ich erhielt 220 Pfund

Honig und 13 Pfund Wachs von ihnen, und die
Bienen bauten mir nun in den letzten Tagen
der Haideblüthe wieder Körbe zum Aufbewahren.
Ich löste also einige Stüber mehr als 30 Rthlr.
aus diesem einzigen Stocke. Das Jahr, vorzüglich der Herbst, von 1817 war in der Rheingegend sehr gut, aber ohne starke regelmäßige Vermehrung, doch absolut unmöglich einen großen
Ertrag zu gewinnen! Es ist auch sehr natürlich: denn in der Mitte August konnten nun
260000 Arbeiter täglich wirken, wo bei einer
schwachen und späten Vermehrung kaum 80000
zu Felde ziehen konnten. Viel Schwärme ist nie
Schade, aber nur nicht zu spät.

Es läßt sich auch in der Rheingegend ent-
schuldigen. Denn ist hier die Honigärnte zu
Ende, so kommen aus den Haidegegenden Leute,
kaufen die jungen Schwärme, die ihr Winterfutter nicht haben sammlen können, auf, und
bezahlen sie nicht selten sehr theuer. Der Besitzer hat daher in mittelmäßigen Jahren doch
noch immer seinen Nutzen dabei. Aber nun kommen auch schlechte Jahre; Jahre, unter denen sich das 1804te und auch das 1816te aus-

züglich auszeichnete, wo die Stöcke vorliegen und
doch nicht wegen Mangel an 'Nahrung schwärmen können; und kommen dann endlich im July
noch welche, so ist Alt und Jung verloren: denn
jeder Schwarm, der nicht zu Ende Mai oder
doch höchstens bis halben Juni fällt, ist sowohl dem Mutterstocke als auch dessen Besitzer
nachtheilig, weil der Mutterstock nicht Zeit hat,
sich vor der Honigärnte zu erholen. Zudem bleiben, wann sich nämlich die Haide nicht gut an-
sieht, auch die Käufer aus. Ist nun die Aernte
nicht vorzüglich ergiebig, so weiß man keinen
andern Rath, als daß man ein Schwefelpflaster
unterlegt und ihrem Daseyn ein Ende macht.
So ungerecht und grausam dieses Verfahren
auch ist, und so sehr man dagegen arbeiten muß,
daß es unterlassen werde, so ist es doch noch ver-
zeihlicher, als das Verfahren anderer, die, ohne
ihre Stöcke im Herbste gehörig zu prüfen, sie
gleichgültig stehen lassen und wohl dabei sagen:
was nicht durchkommt, stirbt! Davon abgese-
hen, daß es abscheulich ist, wenn Jemand
seine Bienen aus Nachlässigkeit Hungers sterben
läßt, so geht auch noch das, was beim Tödten
im Herbste gewonnen werden könnte, für ihn und

andere verloren. Noch muß ich bemerken, daß
man nicht selten am Rhein vom halben Mai bis
halben Juny für die jungen Schwärme eine sehr
traurige Witterung hat. Sehr oft muß man sie
füttern, wenn man sie erhalten will, und anstatt
unsere Mühe und Kosten nachher zu belohnen,
ziehen sie bei der ersten günstigen Witterung aus,
und hinterlassen uns nichts, als die leere Woh=
nung. Dieß Uebel hat der gar nicht zu fürchten,
der hinreichend bebaute Fässer aufbewahrt, und
seine Schwärme (Abtreiblinge) darein setzt, sonst
ist's und bleibt's eine unvollkommene Bienen=
zucht, so lange sie ohne aufbewahrte Körbe betrie=
ben wird.

§. 18.
Vom Einschränken der Vermehrung.

Es traten Männer auf und lehrten uns
die Bienen schonender zu behandeln; man erfand
die Magazinwohnungen und zeigte, wie man
ohne die Bienen schwärmen zu lassen und ohne
sie zu tödten, doch jährlich Honig und Wachs
ärnten könne. Nun ging man aber auf der an=
dern Seite auch wieder zu weit; man schränkte
nämlich die Vermehrung zu sehr ein. Jetzt indeß
ist man auch davon schon abgewichen, und will

nun, daß nur die Hälfte, oder gar nur der dritte
Theil der Stöcke, die man besitzt, sich durch
Schwärme oder Ableger vermehren sollen; die
übrigen sollen beisammen bleiben, und gemein‹
schaftlich für sich und uns sammlen, deßwegen
vergrößert man ihre Wohnungen nach und nach
verhältnißmäßig durch's Untersetzen leerer Höchsel.
Auf diese Weise glaubt man den größten Nutzen
von den Bienen zu erhalten. Ich habe das starke
Vermehren sowohl, als das sehr sparsame,
lange und sorgfältig betrieben und gefunden,
daß wenn das Vermehren der Bienenstöcke
frühe geschieht und die jungen Schwärme zur
rechten Zeit in Honigkörbe gebracht werden, in
jedem Jahre den höchsten Ertrag bringt; zumal
wenn der Bienenwirth Sorge trägt, daß er keine
mutterlosen Stöcke über die Zeit stehen lasse, son‹
dern daß, wenn ihn der Fall trifft, er bei Zeiten
hilft. — Wie einem mutterlosen Stock zu jeder
Zeit sicher zu helfen sey, werde ich an seinem Orte
zeigen. Ich behaupte gegen obigen Satz, daß
sich jeder gute Bienenstock jährlich zu seinem und
unserm Vortheil vermehren müsse. So ungereimt
auch einige diesen Grundsatze beim ersten Anblick
finden mögen, so bin ich doch vollkommen über‹

F

zeugt, daß nur auf diesem Wege der größte Nutzen von den Bienen zu erhalten sey. Man wird dieß auch in der Folge besser einsehen als jetzt, vorzüglich wenn man sich erst praktische Erfahrungen erworben hat und sie gehörig benutzt.

Vierter Abschnitt.

§. 19.

Von dem Nichtvermehren seiner Bienenstöcke.

Man zählt uns die Vortheile, die ein Stock, dessen Volk man durch's Aufhöhen gleichsam zwingt beisammen zu bleiben, einbringen könnte, fast in jeder Bienenschrift auf, ohne auch nur zu bemerken, daß es wider den Naturtrieb der Bienen gehandelt sey, und doch ist nichts gewissers, als dieses. Sehr oft, je nachdem der Jahrgang ist, kommt der Nutzen nicht dabei heraus, den man uns vormalt. Es entspringen hier sowohl, wie bei der Schwarmsucht ohne bebaute und gut conservirte Honigkörbe, üble Folgen, die dem fleißigen Beobachter der Bienen nicht unbekannt bleiben können. Man sagt, in schlechten Jahren behalte ich gute Stånder, wenn ich meine Stöcke nicht schwärmen lasse, sondern sie von Zeit zu Zeit auf: höhe, und in mittelmäßigen geben sie Ausbeute. Wahrlich sie wird nicht weit her seyn diese Aus: beute! sie ist gezwungen und wider den Vermeh: rungstrieb der Bienen. Ein Schwarm zur rechten Zeit gemacht und auf die rechte Weise behandelt, gibt auch in dem schlechtesten Jahre einen eben so guten Stånder und in mittelmäßigen gibt auch er schon Ausbeute; davon haben mich die Jahre 1804 und 1816 vollkommen überzeugt. Der Mutterstock hingegen leistet mir in jedem Jahre, was nur ein Stock leisten kann, der nicht schwärmt, folglich beisammen bleibt. Dieß ist nicht geprahlt, nein! ich habe es erfahren, und das oft genug, um überzeugend davon reden zu können. Er benutzt seinen Honigvorrath zur Bienenbrut und verschwendet ihn nicht unnütz zu überflüssiger Drohnenbrut. So wahr ich dieses schreibe, so gewiß ist es, daß der Stock, der im May zwei, sogar drei Schwärme lieferte, zu Anfangs Au: gust wieder stark und gut dastehen kann, wenn nämlich seine junge Mutter zur rechten Zeit frucht: bar wird, und den Stock kein Honigmangel

F 2

drückte. Rosen, Honigvorrath und viele junge
Schwärme, aber frühe, freiwillig oder gezwun=
gen ist gleich viel, bringt den höchsten Ertrag.

§. 20.

Von den unvermeidlichen Folgen, die aus dem Nicht=
vermehren entspringen.

Wie kann das Nichtvermehren der Stöcke
wider den Naturtrieb der Bienen seyn? wird
Mancher fragen, wenn er das oben Gesagte liest.
Ich antworte: alles hat seine Zeit, auch das
Untersetzen oder Aufhöhen hat seine Zeit, wo es
den Bienen angemessen ist, wie wir nachher sehen
werden. Schon lange hat man eingesehen, daß
ein Stock, der einen jungen Wabenbau hat, zur
Zucht besser sey, als ein Stock der zu alte schwarze
Waben hat; deßwegen hat man mit Recht
die vortreflichen Magazinwohnungen empfohlen;
durch sie kann der Wabenbau am leichtesten und
zweckmäßigsten verjüngt werden; allein auch sie
waren es, wodurch man die Bienen gleichsam
zwang, ihren Trieben zuwider beisammen zu blei=
ben, wodurch ein Fehler entsteht, der noch nie
genug beherziget wurde. Es sind nämlich in je=
dem guten Stocke eine Mutter, Bienen, und in

warmen Sommermonaten auch Drohnen, Thrä=
nen oder Brutbienen. Die Mutter ist die Haupt=
person in einer Bienen=Republik; durch sie wird
der Stock erhalten und die Bienen fortgepflanzt.
Aber auch sie wird zu alt und muß verjüngt oder
durch eine junge ersetzt werden. Dazu gab der
Trieb zur Fortpflanzung seines Gleichen, den der
Schöpfer allen Thieren einflößte, Gelegenheit.
Der Stock schwärmt, die alte Mutter muß aus=
ziehen, und einer jungen Platz machen. Aergern
muß ich mich, wenn ich Bienenväter treffe, welche
sich brüsten etwas im Bienenfache leisten zu kön=
nen und noch nicht einmal wissen, ob die alte
oder eine junge Mutter mit dem ersten Schwarme
geht. Einige sind noch so unerfahren, daß sie
glauben, wenn der Vorschwarm abgehe: so seyen
zwey Mütter im Stocke vorhanden. — Vest
und unwiderruflich ist der Satz: daß nie zwey
fruchtbare Mütter in einem Stocke vorhanden
seyn können, und ob der Vorschwarm eine frucht=
bare oder unfruchtbare Mutter bei sich habe, da=
von kann sich ja Jeder in der ersten Stunde nach
dem Einfassen überzeugen, wenn er ihn in der
leeren Wohnung auf einen Bogen schwarzes Pa=
pier, auf eine Schiefertafel oder schwarzes Brett

stellt. Findet er Eyer, so ist die alte fruchtbare Mutter vorhanden; findet er nach einer Stunde keine
Eyer, so zeigt es an, daß eine noch nicht fruchtbare
Mutter bei dem Schwarm ist, und in dem Fall
heißt er ein unvollkommener Vorschwarm. Dann
ist es aber auch sicher und gewiß, daß keine fruchtbare Mutter im Mutterstocke vorhanden ist: sondern alle sind jung und noch unfruchtbar. Sind in
einem solchen Mutterstock endlich alle bis eine getödtet oder ausgejagt, dann tritt die Begattungs-
lust nach und nach ein. Man sehe die Begat-
tungslehre der jungen Mütter nach. Eben dieses
Schwärmen macht nun, daß manche zu alte Mutter umkommt; ihre Flügel können sie nicht mehr
tragen, sie fällt zu Boden, der Schwarm vermißt sie und geht zum Mutterstock zurück, bis junge
Mütter ausgelaufen sind, womit er aufs neue
auszieht. Weil aber die Bienen mehrere junge
Mütter zugleich erbrüten, so werden sie bei günstiger Witterung durch sie verleitet noch einmal,
ja noch 2 bis 3mal zu schwärmen, welches in unserm Clima, wenn man keine vorräthig bebaute
Honigkörbe hat, deßwegen verhütet werden muß,
weil in einem leeren Korbe eine gewisse Anzahl
Arbeiter nöthig ist, um in kurzer Zeit ihren Win-

tervorrath sammlen zu können. Eben deßwegen
wirft man auch gern 2 Nachschwärme, die klein
sind, zusammen; damit sie in einer leeren Wohnung etwas auszurichten im Stande sind. Bei Honigkörben können sie frühe klein seyn und werden
doch gut. Nur demjenigen, der den Werth einer
fruchtbaren Mutter im Sommer nicht kennt, und
auch nicht weiß, wie lange es dauert, ehe eine
junge Mutter fuchtbar wird, kann es gleichgültig
seyn, ob er eine fruchtbare Mutter verliert. Mir
ist es nicht gleichgültig, aber auch nicht einerlei,
ob ich im Herbste junge oder überjährige Mütter
zur Zucht stehen lasse. Durch das Nichtvermehren der Stöcke, welches durch das Aufhöhen er-
zwungen wird, werden jährlich Mütter zu alt;
die Bienen tödten sie zwar im Juny oder July,
wenn sie zu alt geworden und sich bei ihnen die
Fähigkeit zu einer starken Eyerlage nach und nach
verliert und erbrüten sich junge Mütter; allein
es geht nie ohne wesentlichen Nachtheil her,
weil in der beßten Jahreszeit das Brutgeschäft,
dadurch 4 Wochen lang unterbrochen wird. Ich
weiß übrigens mit völliger Gewißheit, daß das
Leben einer Mutter 2 bis 3 Jahre dauern kann, *)

*) Ich habe mich über Hn. Wursters Theorie wegen

auch daß sie so lange fruchtbar bleibt. Ausnahmen
gibt es freilich hier wie überall; ich lasse aber dem;
ungeachtet doch lieber jeden Herbst dießjährige als
überjährige Mütter zur Zuzucht stehen; denn es ist
nicht nur bei Bienen, sondern in der ganzen Na;
tur gegründet, daß alles, was jung ist, das ist
nach gehöriger Begattung, auch fruchtbarer und
besser zur Vermehrung als was älter oder schon
zu alt ist. Man wird mir hier einwenden: die
Bienen könnten ihre Mutter, aber nicht ihren Bau
verjüngen. Ganz recht! da sie aber solches im;
mer in der beßten Jahreszeit thun, so ist, wie
schon erinnert, großer Schaden dabei. Laßen
wir aber jährlich junge Mütter stehen, und thei;
len unsere guten Stöcke im May oder doch An;
fangs Juny und setzen die Schwärme zu rechter Zeit
in bebaute Honigkörbe, so werden wir höchst sel;
ten im Sommer eine fruchtbare Mutter verlieren,

des geschwinden Absterbens der Mütter sehr ver:
wundert; allein ich denke Hr. Strauß wird ihn
auch hierin auf andere Gedanken gebracht haben.
Es ist lächerlich, daß nach jener Angabe ein Stock
3 bis 4 fruchtbare Mütter in einem Sommer verlie:
ren könnte! Was sollte, wenn jener Satz gegrün:
det wäre, aus einem solchen Stocke, was aus der
Bienenzucht werden?

und uns vor aller Mutterlosigkeit im Sommer
schützen können, das aber derjenige nicht kann,
der das Vermehren der Stöcke durch's Aufhöhen
hindert; denn tödten die Bienen die alte Mutter,
so kann die junge, die sie gewählt haben, beim
Ausfluge zur Begattung verloren gehen, und
der Stock ist und bleibt mutterlos, zumal da man
bei einem solchen Stock gar nicht an so etwas denkt.
Wahrlich es hält schwer die Mutterlosigkeit eines
ungeschwärmten starken Magazins zur rechten Zeit
zu entdecken; denn erstens kann man ohne ge=
naue Untersuchung nicht wissen, wenn es seine
alte Mutter abgeschafft habe, zweitens bleibt sein
Flug durch die Menge seiner Vögel über 4
Wochen, nach dem wirklichen Verluste seiner ver=
lornen jungen Mutter, munter und schön. Aber
nun, wenn sich seine Vögel nach und nach ver=
loren haben, steht es wie ein armer Sünder da,
der an Leib und Seele krank ist, und nur der
Kenner kann es mit vieler Mühe vom gänzlichen
Untergang retten. Wer das nicht einsieht, dem
weiß ich keinen andern Rath zu geben, als daß
er es versuche, und dann unterwerfe ich mich gerne
seinem Urtheil.

§. 21.

Die Mutter kann für ein allzu starkes Volk nicht Eher
genug legen.

Durch das Nichtvermehren feiner guten
Stöcke entstehet eine zweite Unvollkommenheit,
die ebenfalls sehr schädlich ist. Diese besteht darin, daß für 30 bis 40 tausend Bienen eine Mutter nicht genug ist, zumal von May an bis zu
Ende Juni. Sie kann, wenn sie auch noch so
fruchtbar ist, nicht so viele Eher legen, als so
viele Bienen zur Befriedigung ihres Vermehrungs-
triebes brauchen können. Und da die Bienen,
wenn nur mäßige Nahrung zu finden ist, diesem
Triebe ungleich stärker nachhängen, als wenn volle
Nahrung da ist, womit sie sich Tag und Nacht
beschäftigen können; so suchen sie ihn zu befriedigen, und machen zu ihrem und auch unserm
Schaden eine weit größere Menge Drohnen, als
sie unter andern Verhältnissen thun, nämlich wenn
sie sich selbst zur rechten Zeit entweder freiwillig
theilen oder von dem Bienenhalter getheilt und
gehörig verforgt werden, so werden die Bienen
nie zu einer solchen Ausschweifung verleitet und
ihren mit Mühe gesammelten Vorrath verbrauchen
sie dann vernünftiger, als wenn er unnöthiger

Weise zu überflüſſiger Drohnenbrut verſchwen=
det wird: und ſie, wie oft geſchieht, wenn die
Witterung unvermuthet ſchlecht wird, in die
Nothwendigkeit verſetzt werden, die Bienenbrut
mit der Drohnenbrut zu zerſtören, um nicht ſelbſt
zu verhungern. Viele haben ſchon längſt einge=
ſehen, daß eine zu ſtarke Anzahl Drohnen in einem
Stocke immer eher ſchädlich als nützlich ſey; und
deßwegen ſchlug auch ſchon Hr. Ramdohr vor,
man ſollte die Drohnenbrut von Zeit zu Zeit aus=
ſchneiden, wo man ſie erreichen könnte. Theilen
wir unſere Stöcke nur zur rechten Zeit, ſo fällt
dieſe Vorſicht größtentheils weg; denn in dem
erſten Monate nach der Theilung machen ſie ge=
wiß ſehr wenig Drohnen, obgleich der Bienen
weit mehr erbrütet werden, als ſonſt geſchieht.
Ich darf nur Verſuche empfehlen; und man wird
ſich davon ſelbſt zur Genüge überzeugen können,
obgleich ein anderer Schriftſteller den ganz unge=
gründeten Satz aufſtellte, eine geringe Anzahl
Bienen mache nach Verhältniß mehr Drohnen,
als ein ſtarkes Volk! Ramdohr war zu ſeiner
Zeit ein ſehr geſchickter und praktiſcher Bienen=
wirth, das beweiſen noch jetzt ſeine Schriften;
allein er hatte ſich auch zu ſehr auf die damalige

Magazinbehandlung gelegt, auch er höhte zu früh
auf und wurde dadurch in die Lage versetzt, daß
er die überflüssige Drohnenbrut auszuschneiden
hatte. Es wird aber beim Ausschneiden das ver-
schwendete Futter nicht wieder ersetzt und man
steht weit besser, wenn man einem Uebel vorbeugt,
ehe es eingerissen ist, und das geschieht durch
eine zweckmäßige Vermehrung seiner Stöcke sicher
und gewiß.

Fünfter Abschnitt.

§. 22.

Von der Zeit, wo die Stöcke ihren Jahrgang anfangen und wie sie beschaffen seyn müssen, wenn sie zur
Zucht tauglich seyn sollen.

Ich will meine Behandlungsart erzählungs-
weise und zugleich praktisch bekannt machen; und,
damit ich nichts vergesse oder unbemerkt lassen
möge; so will ich einige Stöcke einen Jahrgang
nach meiner Behandlung machen lassen. Es läßt
sich dann leicht der Schluß auf 50, oder wie viel

ihrer seyn mögen, machen. Ein Stock fängt,
denke ich, seinen Jahrgang an, wenn die dieß=
jährige Aernte vollendet und er nun zu einem neuen
Jahrgange gehörig geprüft und darauf zubereitet
worden ist.

Ganz bestimmt läßt sich die Zeit nicht angeben,
weil in einigen Gegenden die Aernte frühe, in
andern hingegen spät fällt. Ja in derselben Ge=
gend kann sie früher oder später fallen, je nach=
dem die Sommerwitterung war; sie kann von
langer oder kurzer Dauer seyn, je nachdem die
Witterung günstig oder ungünstig ist. So dauerte
1800 die Aernte in der Rheingegend bis im Sep=
tember; in den Haidegegenden dauerte sie sogar
bis im October. Hingegen war sie im Sommer
1804 am Rhein schon Anfangs August, und in
den Haidegegenden Anfangs September zu Ende.

Ich will die Aernte für dießmal Anfangs
September zu Ende gehen lassen, und da den
Zeitpunkt festsetzen, wo meine Stöcke ihren Jahr=
gang anheben sollen. Es fragt sich zuerst, wie
muß ein Stock beschaffen seyn, wenn wir im fol=
genden Sommer Nutzen von ihm haben wollen?

Antwort: Er muß erstens junge, frische Waben haben, zweitens darf er weder zu schwer noch zu leicht seyn, drittens muß er volkreich seyn, und endlich viertens muß er eine dießjährige, junge fruchtbare Mutter haben. Diese vier Eigenschaften machen einen guten Ständer aus. Ich will einen jeden dieser vier Punkte besonders abhandeln.

§. 23.

Wie muß der Stock oder Ständer in Hinsicht seines Baues beschaffen seyn?

Ein Stock muß junge Waben haben, wenn er zur Zucht tauglich seyn soll, das heißt, sein Bau darf nicht über vier Sommer alt seyn, er darf nicht unnöthig vorgelegen haben, weil die Waben von der zu starken Ausdünstung ohne Zugluft, in einem Sommer so schwarz werden, als wären sie drey= bis vierjährige; er darf aber eben so wenig zu junge Waben haben, weil diese zu zart sind, als daß die Bienen im Winter warm genug dazwischen sitzen sollten. Es ist mir ein Stock, der vorjährige und dießjährige Waben zugleich hat, weit lieber zur Zucht, als ein Schwarm, der nur dießjährige Waben hat. Doch ist ein Unterschied zwischen einem frühen und

einem späten Schwarme zu machen; die Waben
des erstern sind schon tauglicher, sie haben bei
der längern Ausdünstung der Bienen und bei der
viel darin erzeugten Brut mehr Festigkeit erhalten; denn jede Biene läßt in der Zelle, worin
sie gebohren wurde, ihre Hülle beim Auslaufen
zurück. Späte Schwärme haben auch außerdem
selten Bienenbrod (Blumenstaub, Blumenmehl)
genug; die Bienen müssen deßwegen im Winter
mehr Honig zehren und können ihren Unrath nicht
so lange bei sich halten als Bienen, die mit dem
Einen sowohl als dem Andern versehen sind; sie
machen zu dem Ende, nach einem langen und kalten Winter, ihre ganze Wohnung unrein, welches
übel ist und vielen Bienen das Leben kostet; auch
entstehet wohl gar noch die Ruhr, die das Biß-
chen Volk vollends zu Grunde richtet. Wer sieht
hier nicht, daß es Pflicht sey, zu untersuchen
und zu prüfen, ehe man wählt! Die Magazinwärter sahen diesen Fehler schon lange ein, sie
veränderten und verbesserten die Körbe so lange,
bis sie ihren Zweck erreichten und den Stöcken
ohne viele Mühe und ohne Schaden ihren Bau
verjüngen konnten. Unter den Stülpstockwärtern
aber wählen oft genug noch jetzt die mehresten,

die untauglichſten Stöcke zu Ständern. Man
nimmt wohl Rückſicht auf einen zu alten Bau,
aber gar keine auf einen zu jungen, und doch
reicht der eine Fehler gleichſam dem andern die
Hand.

§. 24.

Wie muß der Vorrath beſchaffen ſeyn?

Ein Stock, der zur Zucht taugen ſoll, darf
weder zu ſchwer noch zu leicht ſeyn. Er iſt nach
meiner Behandlungsart zu ſchwer, wenn er über
30 Pfund inneres Gut hat, das heißt: Bienen,
Honig und Waben wiegen über 30 Pfund, und
zu leicht, wenn er unter 24 Pfund inneres Gut
hat. Der Honig kältet im Winter ſehr, wenn
nämlich die Proportion des Honigs nicht mit der
Volksmenge in ein richtiges Verhältniß gebracht
wird. Da blieb demnach dem Stülpſtockwärter,
weil ihm die Erfahrung ſagte, der mittelmäßige
Stock iſt zum Ständer der beſte, kein ander
Mittel übrig, die ſchweren Stöcke ſowohl, wie die
leichten, ohne alle Schonung zu tödten. — Man
iſt jetzt am Rhein von dieſer Mode oder Grau-
ſamkeit abgewichen, weil man einſehen gelernt hat, daß zwei bis drey im Herbſt zuſam-
mengeworfene Völker im Winter nicht mehr zeh-

ten als ein einziges, daß hingegen ein starkes Volk,
das unten leeren Raum genug hat, ruhig und munter durch den Winter kommt und im Frühjahr jeder Gefahr trotzt. Der Magazinwärter nannte das
grausam und unbarmherzig und er hatte recht;
denn ich kann dem Magazinstocke, der zu schwer
ist, seinen Ueberfluß oben abnehmen, und den Stock
als Ständer behalten. Wenn man aber fast in
jeder Schrift, die die Manzinwärter der Bienenzucht widmeten, über das Tödten loszieht, wenn
man sogar die Obrigkeit bewegen will, das Tödten zu verbieten, so dächte ich, müßte man auch
ein allgemein anwendbares Mittel angeben, das
der Stülpstockwärter, ohne daß man ihn mit
Gewalt zu einem Magazinwärter umschaffen
will, gebrauchen könne. Das Vereinigen im
Herbst ist das einzige sichere Mittel, wodurch das
Tödten der Bienen abgeschafft wird und ihr Leben
nützt im nächsten Frühjahr wieder ohne Kostenaufwand. Der Landmann liebt das Einfache, und
er wird sich nicht davon trennen, wenigstens die
mehresten nicht, und wenn noch einmal so viele
Abhandlungen geschrieben würden, als wirklich
da sind. Ich werde hier zeigen, wie ich meine

G

Magazine, was den Vorrath betrifft, zu tauglichen Ständern zubereite, und darthun, wie ich im July und August meine Stöcke in einfachen Körben zu guten Ständern einrichte. Sobald die Arnte geendiget ist, untersuche ich meine Magazinstöcke; dem Stocke, der 40 Pfund inneres Gut hat, nehme ich den Deckel oben ab, jage die Bienen mit Rauch zurück und schneide mit einem Messer, *) das auf beiden Seiten eine Schneide, auch eine gekrümmte Spitze hat und etwas über einen Schuh lang ist, ein Höchsel oben weg. Da nun ein solches Höchsel gewöhnlich 10 Pfund enthält, so habe ich dem Stocke seinen Ueberfluß in wenigen Minuten genommen, ohne ihm zu schaden. Ich lege dann den Deckel wieder auf, verstreiche die Ritzen, und so ist er fertig. Hat der Stock 35 — 39 Pfund, so mache ich es eben so, hat er mehr Ueberfluß, so daß er, wenn ich ihm 20 Pfund nehme, doch noch 24 Pfund behält, so treibe ich, wenn ich

---

*) Viele gebrauchen beim Abschneiden eine Drathsaite, die auf beiden Seiten einen Griff hat. Ich bin des Messers gewohnt und brauche es lieber; doch geht es mit einer Saite auch gut.

das erste Höchsel abgenommen habe, die Bienen wieder mit Rauch zurück und schneide auch das zweite Höchsel (Magazinkränzchen) ab, und verfahre wie oben. Ich muß nun auch die zu leichten Stöcke besorgen, obgleich bei einem mittelmäßigen Jahrgange nach meiner Behandlung nicht leicht ein Stock gefunden wird, der nicht sein Auskommen hätte. Der Stock, der unter 18 Pfund inneres Gut hat, wird gar nicht zur Fortzucht bestimmt, es sey denn, daß ein gänzliches Mißjahr es nöthig machte. Also dem, welcher 18—23 Pfund wiegt, wird ein solches Höchsel, wenn man den Deckel vorher erst abgenommen hat, oben aufgesetzt, der Deckel wieder aufgelegt und alle Ritzen verstrichen, so ist ihm geholfen. Ich gebe lieber 3 Pfund zu viel, als daß der Stock ein Pfund zu wenig haben sollte; weil ich weder im Herbste noch im Frühjahre gern füttere. Zwischen 24 und 33 Pfund ist freilich ein großer Unterschied; ich richte mich aber beim Verstärken im Volke darnach. Viele warten mit diesem Geschäfte bis im October oder November, weil man, sagen sie, dann abnehmen kann, ohne von den Bienen beunruhiget zu werden. Die Bienen sitzen im November freilich enger beisammen, als

am Ende August oder Anfangs September; allein
wenn ich dieses Geschäfft 2 bis 3 Stunden vor
Abend verrichte, so habe ich auch nichts zu fürchten. Wer bis im November warten will, der
warte! Ich thue es nie, weil der Honig gleich
nach der Aernte noch flüssig ist und sich weit
leichter und besser, ohne ihn am Feuer erwärmen
zu müssen, absondern läßt.

§. 25.

Vom Honigausmachen, ohne ihn am Feuer zu erwärmen.

Wer von seinen eignen Bienen Honig ausmachen kann, der hat nicht nöthig ihn zuvor
warm zu machen und erhält ihn doch ganz rein
und gut. Er muß aber Folgendes beobachten:
nämlich sobald die Aernte zu Ende ist, muß er
untersuchen, erstens welche Stöcke in den Winter
gestellt werden sollen, zweitens welche als bebaute
Körbe fürs nächste Jahr aufgehoben werden sollen,
und drittens, welche Stöcke er ausbrechen und
den Honig ausmachen will. Gesetzt, ich hätte
10 Stöcke die ich einbrechen und den Honig ärnten wollte: so setze ich sie gleich nach der Aernte
an einem Abend verkehrt und setze 10 Stöcke, die

für den Winter stehen bleiben sollen, darauf. Am
folgenden Morgen sind die Bienen einig, ich setze
die Stänter ab und mache nach und nach die
untersten Fässer von Bienen leer; dieß geschieht
durch Bovistdampf oder durch Rauch von leinenen
Lappen, wie ich an seinem Orte zeigen werde.
Ich sagte nach und nach; denn so wie ich einen
Korb von Bienen leer gemacht habe breche ich
die Honigrosen aus und stoße sie in einem hölzernen Gefäße so klein, bis sie einem Brei ähnlich
sind, schütte sie in einen aus Weide nicht zu dicht
geflochtenen Korb, den ich vorher über eine Wasch-
bütte (Zober), (die recht vest und dicht seyn muß,
damit der flüssige Honig nicht durchdringen kann)
auf zwei Latten so stelle, daß der Honig, der
durch den Korb fließt, in die Bütte fallen muß.
Die Bütte muß weiter seyn als der Korb, damit
nichts daneben fließen kann. Dieses Ausmachen
geht so geschwind, wenn der Honig noch natur-
warm ist; oder sobald man einen Korb von Bienen leer gemacht hat, so eilt man mit dem Einbrechen und Kleinstoßen, damit man den Honig
so warm, wie ihn die Bienen verließen, klein
macht und in den Korb bringt, daß dieser schon
durchgeflossen ist, ehe man andern klein gestoßen

hät. Der Korb muß so groß seyn, daß alle
Honigrosen der 10 Stöcke darein gehen. Man
läßt den Honig nun bis am folgenden Morgen
durchlaufen. Nun preßt man die Treber in einer
Schraubenpreße rein aus. Dieser ausgepreßte
Honig wird nicht so rein, als der ausgelaufene;
ich hebe ihn zum Gebrauche für mich auf,
weil er doch noch viel besser ist, als warm
ausgemachter Honig, obschon er nie so hell und
klar aussieht, als der von selbst durchgelaufene.
Einen Umstand muß ich aber noch bemerken.
Gleich nach der Honigärnte hört die Mutter ei;
nes jeden Bienenstocks auf zu legen; es steht aber
noch junge Brut von 3 Wochen lang in den Brut;
waben; will ich nun das Auslaufen der Brut
erst abwarten, so wird mir der Honig zum Aus;
laufen, ohne zu erwärmen, schon zu kalt und läuft
nicht geschwind und gut aus, deswegen verfahre
ich also: sobald ein Korb von Bienen leer ist,
ziehe ich mit einer Zange die Kreutzhölzer, die
ich beim Einstecken nicht ganz kurz am Korbe ab;
schneide, sondern einen halben Zoll vorstehen lasse,
heraus, stoße die Rosen auf einmal auf ein breites
Bret, schneide alle Brut aus und setze sie in

einen Unterſatz, ſetze einen Stänber drauf, ſo
wird ſie gerettet und ich erhalte den Honig rein.
Wollte ich mir dieſe Mühe nicht geben, und die
Brut mit unter den Honig ſtoßen, ſo verliere
ich nicht nur die Brut, ſondern der Honig wird
auch nicht ſo rein, zumal wenn man ihn nicht
an einem warmen Orte candiren läßt, wo er alles
leichte und unreine über ſich wirft und man es
nach drei vier Tagen abſchäumen kann. Am beſten und ſicherſten hält ſich der Honig, wenn man
ihn in ſteinerne oder irdene Töpfe bringt, ſobald er ausgelaufen iſt, und nachdem er 8 bis 10
Tage an einem warmen Orte geſtanden hat, ſetzt
man ihn an einen kühlen und trockenen Ort.
An einem feuchten Orte, als im Keller, hält ſich
kein Honig gut. In hölzernen Gefäßen auch nicht.
Außerdem werden bei warmen Sommertagen die
hölzernen Gefäße lech und der Honig, der durch
die Wärme fließend wird, dringt von allen Seiten durch. Bei großen ſteinernen oder irdenen
Töpfen hat man ſich im Winter, wenn es ſehr
kalt wird, auch in Acht zu nehmen, weil ſie ſehr
leicht ſpringen oder berſten, man muß ſie, um es
zu verhüten, bei ſtrenger Kälte wärmer ſetzen.
Der Honig friert zwar nie und doch ſpringen große

Töpfe, wenn sie der Kälte ausgesetzt stehen bleiben.
Was von den Töpfen abgeschäumt wird preßt
man auch noch einmal aus, und den erhaltenen
Honig bringt man zum ausgepreßten aus den
Trebern.

§. 26.

Vom Honigauslassen durchs Erwärmen.

Wer Honighandel treibt, der kauft auch sehr
oft rauhen Honig, (wie es am Rhein gebräuchlich
ist) d. h. Honig, der, so wie er aus den Bienenkörben kommt, mit Wachs und allem zusammen
gestoßen wird. Er wird spät ausgemacht und
kann nicht, ohne vorher erwärmt worden zu seyn,
rein gemacht werden. Auch derjenige, der von
seinen eigenen Bienen Honig spät ausmachen
will, ist in ähnlicher Lage.

Man setzt nämlich einen großen Kessel ans
Feuer; in diesen Kessel setzt man drei, vier, auch
fünf mit rauhen Honig angefüllte steinerne oder
irdene Töpfe, gießt nun so viel Wasser in den
Kessel als nöthig ist, um die mit Honig angefüllten Töpfe zu erwärmen und den Honig fließend
zu machen, ohne ihn, wie über direktem Feuer
oft geschieht, zu verbrennen. Ist nun der Honig

in den Töpfen fließend geworden, so hebt man die Töpfe aus dem Waffer und setzt wieder so viel andere darein, damit auch diese erwärmt werden. Die ausgehobenen Töpfe bleiben nun eine gute Stunde stehen, damit das weich gewordene Wachs erst wieder erkalte; nun wird, wie bei §. 25. gelehrt worden, ein Korb auf eine Bütte gestellt, eine Handhoch kurz geschnittenes Stroh darein gelegt und der in den Töpfen warm gewordene Honig darein geschüttet. Der Honig fließt nun wie der nicht warm gemachte ziemlich rein durch den Korb und die Trebern bleiben zurück; diese werden in einer Schraubenpreffe ausgepreßt, damit man auch den Rückstand erhalte.

Wer aber keine Schraubenpreffe hat, wodurch er Honig und Wachs rein machen kann, dem muß ich hier noch ein Mittel sagen, womit auch er sich helfen kann. Man läßt sich einen Sack in Form eines Zuckerhuts stricken und zwar von drei bis vierfach gezwirnten leinenen Barn oder auch von feinem Bindfaden. Er wird freilich etwas größer als ein Zuckerhut; allein die Form muß er doch haben und auch so vest als möglich gestrickt seyn. Diesen Sack füllt man mit dem

Rückstand aus dem Korbe an, bindet den Sack
zu und hängt ihn in der Stube, Küche oder sonst
einen bequemen Ort an einen Balken, so daß
er frei und zwei Fuß hoch über einer unterge=
stellten Bütte hängt; nun nehmen zwei gegen
einander stehende Männer zwei runde aber starke
Stöcke und streifen damit so lange von oben
nach unten, bis aller Honig ausgestreift ist und
der Treberkuchen hart und trocken wird.

Der Honig wird nun in solche Gefäße ge=
than und eben so aufbewahrt, wie ich §. 25. ge=
lehrt habe,

§. 27.

Vom Honigwasser, und wie man daraus Meth oder
einen guten Haustrank bereiten kann.

Hat man seinen Honig ausgemacht, so bleibt
in dem Rückstand, den man Treber nennt, nicht
nur noch Süßigkeit, sondern der eingetragene
Blumenstaub ist auch noch zurück; um beides
aufzulösen und zu gewinnen, wirft man ihn in
eine Bütte, gießt kochend Wasser darüber und
läßt es so lange stehen, bis es kalt geworden ist;
nun schüttet man es in den Korb, wodurch der
Honig gelaufen ist, und läßt das Wasser ablaufen;

man wirft die Treber noch einmal in die Bütte, gießt etwas kochend Waſſer darauf, rührt alles um und läßt auch dieſes Waſſer zu dem erſten laufen.

Iſt das geſchehen, ſo kocht man das erhalt tene Waſſer mit einer guten Portion Hopfen unt ter beſtändigen Abſchäumen ſo lange, bis es ein Hühnerey trägt: d. h. das eingeworfene Hühnerey darf nicht unterſinken, ſondern die Spitze deſſelt ben muß ſich einen halben Zoll groß über dem Waſſer ſehen laſſen, dann hat das gekochte Meth; waſſer ſeine gehörige Stärke. Der Hopfen wird beim Kochen in ein Säckchen gethan, damit das Abſchäumen unterhalten werden kann.

So bald das gekochte Waſſer milchwarm geworden iſt, wird es in ein Faß gefüllt und mit guten Hefen der geiſtigen Gährung unters worfen. Dieſe Gährung dauert gewöhnlich acht Tage lang: iſt ſie vollendet ſo bringt man noch eine gute Handvoll Hopfen, 1 Loth Näglein, 1 Loth Zimmet, 1 Loth Muscaten und 1 Loth Muscatenblüthen in ¼ Ohmfaß und ſpundet es zu, läßt es ſo ¼ Jahr im Keller ruhig liegen, dann

G

zapft man den Meth ab und bringt ihn in steinerne
Krüge oder Buteillen. Man darf sie aber nicht
voller machen, als man die Weinflaschen zu machen pflegt; zu dem müssen die Flaschen zwei Tage
lang, ehe man sie zustopft, stehen bleiben, sonst
springen sie kurz und klein. Man legt nun die
Flaschen, geich dem Wein, im Keller in Sand
und kann den Meth auf solche Weise 6 bis 7
Jahre lang halten und ist von ziemlicher Kraft
und Stärke.

§. 28.

Vom Essigbereiten aus dem Honigwasser.

So wie man aus dem Honigwasser einen
gesunden Haustrank bereiten kann: so kann man
es auch zu einem sehr guten, scharfen Essig be-
nützen. Die Zubereitung ist dieselbe, wie beim
Meth, doch darf beim Kochen und schäumen kein
Hopfen genommen werden, sondern zu ¼ Ohme
Wasser 1 Pfund Sauersenfkraut (Sauerampfer)
und so lange mit gekocht, bis das Wasser ein Ey
trägt. Es wird lauwarm in ein Faß gefüllt,
und mit Hefe erst der geistigen Gährung unterworfen. Nach der geistigen Gährung wird noch
½ Pf. Sauersenfkraut ins Faß gebracht, in eine

warme Stube oder sonst an einen warmen Ort gelegt, der Spunt zugemacht und oben an beiden Boden Löcher eines Zollstopfen (Korkstopfen) groß gebohrt, damit die Zugluft die sauere Gährung hervorbringe. Ist der Essig sauer geworden: so zapft man ihn auch auf Krüge und bringt ihn in Keller, wo man ihn sehr lange aufheben kann.

In früheren Zeiten benutzte ich auch das Honigwasser zu einem Bienenfutter. Ich kochte es nämlich so lange, bis ich einen Syrup erhielt, ihn aufbewahrte und im Frühjahr fütterte ich das mit; allein auch dieß ist und bleibt Schmierfutter, die Bienen fressen es nicht gern und es ist ihnen auch nicht nützlich, obschon es vom Honig herkommt. Zu Meth und Essig ist es am besten zu gebrauchen.

§. 29.
Vom Wachsauslassen oder Ausmachen.

Die Wachstrebern, die von aller Süssigkeit befreit sind, werden nun zu Wachs bereitet, wenn man sie mit genugsamen Wasser in einem Kessel kocht und durch einen gestrickten Beutel in einer Wachs= oder Schraubenpresse auspreßt, wenn man aber keine Presse hat, durch einen Sack

geſtreift, wie ich ihn §. 26. beſchrieben habe.
Man koche die Treber aber bei einem gelinden
Feuer und in genugſamen Waſſer, damit das
Wachs nicht verbrennt, was ihm immer ein
ſchlechtes Anſehen giebt. In die Bütte, worein
es beim Preſſen läuft, ſchüttet man vorher kal;
tes Waſſer, welches macht, daß das Wachs
darin nicht anklebt und dann nur mit Mühe los;
gearbeitet werden müßte.

Beim Auspreſſen iſt es ſehr gut, wenn man
gekochtes Waſſer zur Hand ſtehen hat; denn wird
der Sack kalt und das Wachs will nicht mehr
laufen, ſo darf man nur etliche Töpfe kochend Waſ;
ſer über den Sack hergießen, ſo preßt es ſich ſo
rein heraus, daß man gar nicht nöthig hat, es
zum zweitenmal zu kochen; weil nichts mehr da;
rin bleibt. —

Habe ich nun alles Wachs ausgepreßt: ſo
muß ich es erſt läutern, ehe es Kaufmannswaare
wird. Dieß geſchieht am leichteſten, wenn man
einen Keſſel Waſſer kocht, das ausgepreßte Wachs
in Töpfe thut, ſie darein ſtellt und es ſo langſam
ausgehen läßt. Iſt es ausgelaſſen, ſo hält einer

eine blecherne Seihe mit kleinen Löchern über
ein Geschirr, worin das Wachs erkalten und
sich zu einem Wachsboden formiren soll; ein
anderer schüttet nach und nach das geschmolzene
Wachs durch die Seihe, man rührt es in der
Seihe mit einem blechernen Löffel so lange um,
bis alles Wachs durchgelaufen ist und der Unrath,
der beim Pressen mit durch den Sack gepreßt
wurde, in der Seihe zurück bleibt. Man schäumt
es nun ab und läßt es kalt werden. Ist es kalt
geworden: so schabt man mit einem Messer auch
den untersten Unrath ab, so ist es ächte Waare.
Das Abgeschabte, den Schaum und was in der
Seihe zurück blieb, trocknet man und verwahrt
es bis zum nächsten Ausmachen auf.

§. 30.

Ein guter Ständer muß sehr volkreich seyn.

Die dritte Eigenschaft, die ein zur Zucht
tauglicher Stock haben muß, ist: er muß sehr
volkreich seyn. Dieser Satz wird bei weitem
nicht so sehr beherzigt, als er es sollte. Viele
sind zufrieden, wenn der Stock sein Auskommen
hat; sie sehen nicht nach, ob er auch Volk genug
habe, ja Mancher steht noch in dem Wahne, wo

wenig Volk ist, wird auch wenig gezehrt. Ich
läugne es nicht, daß ich sonst auch wohl so
dachte, und es wird auch wirklich bei einem mittelmäßigen Volke, das keine große und vorzüglich keine weite Wohnung hat, im Winter etwas
weniger gezehrt, als bei einem starken Volke;
dagegen schmilzt aber auch das Völkchen in
Zeit von 6 Monaten so zusammen, (weil viele
davon umkommen und kein wesentlicher Ersatz
Statt hat), daß es noch gut geht, wenn man
es im März halb so stark findet. Was habe ich
nun? Einen elenden Stock, der seine Wohnung,
wenn man sie auch viel verkleinert, nicht erwärmen kann. Haben wir nun eine nicht sehr warme
Witterung, so geht auch jetzt die Vermehrung
sehr langsam von statten, und der Stock muß
manchmal noch von seinem Wintervorrathe zehren oder gefüttert werden, wenn ein starkes
Volk schon einen Theil seiner Winterzehrung ersetzt hat. Es gibt Winter und Frühlinge, wo
ein schwaches Volk gut wird; aber wie viele?
Ich mag schwache Völker im Frühlinge vor meinen Augen nicht mehr sehen, weil man gar nichts
mit ihnen auszurichten im Stande ist. Es geht
damit gerade wie mit einem Armen, treffen bei

ihm auch Augenblicke ein, wo er was verdienen
könnte; so muß er sie dahin schwinden sehen, ohne
sie gehörig benutzen zu können, weil ihm die Mittel dazu fehlen. Nach schlechten Bienenjahren
taugen sie gar nichts, weil die Erfahrung uns lehrt,
daß auch immer ein schlechtes Frühjahr darauf
folgt, so war es nach 1804, so nach 1807 und
eben so nach 1816. Die Sommer werden hingegen gut, aber nicht für elende Stöcke. Magazine, die weder durch's Schwärmen noch Ablegen
geschwächt wurden, sollten im Volke viel stärker
seyn, als Stöcke, welche sich vermehrten, und
doch lehrt die Erfahrung, daß ein starker Stock,
der zur rechten Zeit zwei Drittel seiner Arbeiter
zu Schwärmen sammt seiner fruchtbaren Mutter
abgibt und regelmäßig zur bestimmten Zeit eine
junge fruchtbare Mutter erhält, wodurch sein
Honigvorrath geschont, nützlich angewandt und
nicht zur Drohnenbrut verschwendet wird, sich
im Herbste mit einem Stocke, der beisammen
blieb, messen kann; er gibt am Gewicht sowohl,
als an Volksmenge jenem nichts nach. Ich hatte
Beispiele genug, daß er ihn noch übertraf.
Dennoch verstärke ich meine Ständer jeden Herbst.
Nach den schlechtesten Jahrgängen, als 1804

H

und 1816, ist doch Verstärkung nöthig, wenn
man seine Zucht nicht vernachlässigen, sondern
befördern will. Es ist besser, zwei Stöcke zu=
sammen gesetzt, als schwache Stöcke haben!
Außer daß ein Stock durch irgend einen Zufall
viel Volk verlieren kann, bedenke man nur, wie
viel jeder Stock im July und August verliert.
Die Bienen sind da so auf's Sammeln erpicht,
daß sie keine Gefahr scheuen. Wind und Regen
raffen ihrer sehr viele weg. In Haidegegenden
thun die Spinnen, Hornissen u. s. w. vielen Scha=
den, viele verlieren ihr Leben, weil sich ihre Flü=
gel durch den starken Gebrauch zu sehr abnützen
und sie endlich nicht mehr zu tragen vermögen.
Am Ende setzt noch ein Stock den andern auf
die Probe, um ihm, wenn es möglich wäre, sei=
nen Vorrath zu rauben; hiedurch geht auch noch
viel Volk verloren. Und da der Trieb zur Fort=
pflanzung auch mit der Nahrung aufhört, so
werden wenige ersetzt. Der Unerfahrne meynt
wunder, wie stark seine Stöcke bei schwüler Wit=
terung wären; allein es ist nicht alles Gold,
was glänzt! Das Tödten der Bienen war mir
immer verhaßt: ich vereinigte einmal das Volk
von 2 Stöcken, die getödtet werden sollten, mit

einem Stocke, den ich zur Zucht bestimmt hatte.
Er hatte 28 Pfund innerrs Gut, und stand mit
seinem nächsten Nachbar in gleichem Range; beide
waren eben schwer und hatten auch eine gleiche
Volksmenge. Nach der Vereinigung war er
4½ Pfund schwerer geworden. Ich stutzte freilich
ein wenig; allein es war geschehen, und ich wollte
nun auch wissen, wie es ausfiel, doch setzte ich
ihm zur Vorsorge ein leeres Höchsel unter. Im
März fand ich zum Erstaunen, daß er in 5 Monaten nur 2¼ Pfund mehr gezehrt hatte, als
sein Nachbar. Und von da bis zur Baum- und
Rapsamenblüthe verlor er noch 2¼ Pfund mehr
am Gewicht. Als diese Blüthe aber geendigt
war, hatte er 25 Pfund mehr am Gewichte zu-
genommen, als jener. Dieses war mir ein Wink,
den ich nicht unbenutzt gelassen und immer gut
befunden habe. Vielleicht ist es auch für andere
ein Wink, und wird noch mehr benutzt! Man
kann das Vereinigen der Bienen im Herbst nicht
genug empfehlen, zumal wenn man auch Sorge
trägt, daß man bebaute Honigkörbe hinreichend
aufbewahrt und nach der Verstärkung unten
leeren Raum verschafft, damit im Winter keine
Unruhe entsteht; doch muß man auch die Gegend,

in der man wohnt, kennen lernen, vorzüglich
ob man gute Frühlings-Nahrung erwarten kann.
Wo viel wilde Stachelbeere, viel Saalweide,
Haidelbeere, wilde Kirschbäume und auch sonst
noch andere Obstbaumblüthe im Frühjahr von den
Bienen in der Nähe benutzt werden können, da
kann man nicht zu viel verstärken, da thun 3 bis
4 im Herbst zusammen geworfene Völker, im
Frühjahr Wunder. Ist auch die Witterung nicht
allen Blüthen günstig: so ist sie es doch einigen
und man sieht mit Erstaunen, wie bald verstärkte
Stöcke schwarmgerecht dastehen, uns Freude
machen und unsere Mühe lohnen. Bei schwachen
Stöcken hingegen geht die so schöne kraftvolle
Frühnahrung schlecht benutzt vorüber, nach ihr
tritt die drei Wochenlange nahrungslose Periode
ein und setzt solche Stöcke wieder so weit zurück,
daß man den ganzen Sommer seine Noth damit
hat. Es ist weder Vergnügen noch Gewinn dabei zu hoffen. Es ist der wahre Schlendrian,
der zum Verderben führt. Wo hingegen Verstärkung im Herbst, Aufsicht im Winter, bebaute
Körbe im Frühjahr zur Vermehrung, zum Vergnügen, zum höchsten Ertrag führen.

§. 31.

Ein Stock muß eine junge fruchtbare Mutter haben,
wenn er ein guter Ständer seyn soll.

Die vierte Eigenschaft war, daß ein Stock
eine dießjährige fruchtbare Mutter haben muß.
Wenn ich sagte, daß man den Stock gewöhnlich
seines Volks wegen nicht gehörig untersucht; so
muß ich es hier wegen der Mutter um so vielmehr
thun. Alle mir bekannte Schriftsteller erwähnen
hievon nur sehr wenig. Man sagt, ein Stock
müsse eine gesunde fruchtbare Mutter haben,
wenn er ein guter Ständer seyn soll. Gut,
kann sie aber nicht zu alt seyn, für den folgenden
Sommer nicht zu alt werden? Es ist zweckmäßig,
klug und einsichtsvoll gehandelt, wenn man jährlich junge Mütter zur Zucht aufstellt. Sollten
wir bei einem Bienenstock, wo sehr viel von einer
recht fruchtbaren Mutter abhängt, nicht darauf
sehen? Sollte der Satz: alles, was jung ist,
vermehrt sich stark, nicht auch hier unsere Aufmerksamkeit rege machen? Den ganzen folgenden
Sommer sehen wir an dieser gebrauchten Vorsicht
unsere Freude, denn nicht nur der Ständer oder
Mutterstock macht sich frühe gut und schön, sondern
der erste Schwarm thut, wenn er in einen gu-

ten Honigforb gebracht wird, Wunder. Man
ftrafe mich nicht Lügen, bis man Verfuche ge#
macht hat; ob fchon es jedem Nichtfenner fremd
vorfommen muß, wenn ich fage, daß in den
mehreften Jahren ein folcher Schwarm von felbft
ein und 2 mal wieder fchwärmt, mithin den Ho#
nigforb mehr als doppelt erfeßt. Es ift in den
mehreften Jahren nicht einmal möglich ihn durchs
Aufhöhen vom Schwärmen abzuhalten, weil fein
Trieb zur Vermehrung weit ftärfer ift, als der
Trieb eines faulen fich vorlegenden alten Stocks,
der fich durchs Aufhöhen leichter zwingen läßt.

Wir dürfen nur aufmerffam feyn, fo werden
wir fogleich einfehen, daß es nöthig ift, und daß
wir fo handeln müffen, wenn wir nicht den Trie#
ben der Bienen zuwider feyn, fondern fie be#
förbern wollen. O wie bedauerte ich oft den
Stülpftockwärter, weil er ohne beffer Wiffen, die
Stöcke zu Ständern wählte, die fich am wenig#
ften dazu fchickten. Man wählt gewöhnlich den
Vorfchwarm zum Ständer, diefer ift aber nicht
fo gut als der Mutterftock, deffen Gebäude erft
etwas über ein Jahr alt ift; zu dem kommt noch,
daß der Mutterftock eine junge, der Schwarm

aber eine alte Mutter hat. Sie kann ein Jahr
alt und noch gut, noch auf ihrem Beßten seyn;
sie kann aber auch 2 und 3 Jahre alt seyn; man
wählt sie dennoch, weil der Stock ein Schwarm
ist, und bringt die junge bessere Mutter um, weil
der Stock ein alter Stock ist. Dieses Verfahren
ist zweckwidrig, streitet wider Vernunft und Erfahrung und ist den Naturtrieben der Bienen zuwider. Daher kommt's, daß so mancher Stock
im Sommer nicht schwärmen will, wenn er schon
stark genug und die Witterung gut ist. Daher
kommt es, daß ein solcher Stock im folgenden
Herbste oft leichter und im Volke lschwächer ist,
als der, welcher einen oder zwey Schwärme zur
rechten Zeit gab. Daher kommt es, daß ein solcher Stock, ohne, daß er schwärmt, im folgenden Herbste mutterlos seyn kann, ja oft den
Herbst nicht erlebt. Ha! sagt dann der Rheinländer, du bist kein guter Baum, du trägst nicht
Früchte, man muß dich ausrotten, und bedenkt
nicht, daß er selbst schuld daran ist., er in
der Folge klüger handeln und junge statt alte
Mütter zur Zucht aufstellen müsse. Wer seine
Bienenstöcke noch dem blinden Ungefähr überläßt
und meiner Behandlung noch nicht folgt, dem

rathe ich doch aus guter Abſicht, daß er auf die=
ſen Satz merke; denn es iſt gewiß, der Stock,
der eine junge Mutter hat, ſchwärmt eher, als
ein Stock, der eine zu alte Mutter hat. Der
Magazinwärter ſagt: die Halbſchied oder der
dritte Theil meiner Stöcke ſoll ſich jährlich durch
Schwärme oder Ableger vermehren. Hier iſt
derſelbe Fehler herrſchend. Es iſt wider den
Naturtrieb der Bienen, wenn eine zweckmäßige
Vermehrung verhindert wird; denn die mehreſten
dieſer Stöcke tödten um die Schwärmzeit ihre
Mutter und machen ſich junge Mütter. Ich ver=
liere lieber um dieſe Zeit zwei Drittel Volk von
einem Stocke, als ſeine Mutter. Einige Stöcke,
bei denen die Vermehrung gehindert wird, tödten
zwar ihre Mutter nicht; allein ſie wird zu alt,
und kann eine junge nicht Eyer genug für ein
ſtarkes Volk legen, ſo kann es eine zu alte noch
weniger. Es kann alſo ohne andere Vorkehrun=
gen nicht fehlen, der Magazinwärter erhält jähr=
lich ſeine Portion mutterloſer Stöcke ſo gut, wie
der Stülpſtockwärter auch. Ein aufmerkſamer Be=
obachter hilft ihnen bei Zeiten, aber alles Helfens
ungeachtet iſt es beſſer, wenn man es verhüten
kann; und dieß geſchieht, wenn man im Herbſte

junge Mütter aufstellt und im Sommer eine
zweckmäßige Vermehrung annimmt.

Nach eines bekannten Schriftstellers neuer
Beobachtung sollte eine Königin oder Bienenmutter in 24 Stunden 1000 Eyer gelegt haben.
Wie es möglich ist, so etwas selbst zu glauben,
und in den Tag hinein zu schreiben, ist mir un-
begreiflich. Noch unüberlegter setzt er hinzu, er
wolle es mit Augenzeugen beweisen. Wozu habe
ich Augenzeugen nöthig, wenn ich die Wahrheit
sage? Ist einem andern nicht auch möglich zu
finden, was ich gefunden, ich beobachtet habe?
Und wenn er findet, daß ich nicht übertreibe,
wird er mir nicht ohne Augenzeugen Gerechtigkeit
widerfahren lassen? Ich habe in der ersten Ausgabe gesagt, daß es eine gesunde Königin bis
auf 500 in 24 Stunden bringen könne; aber
auch hinzugesetzt, daß das schon eine seltene Angabe sey und sie ist es auch; denn im Durchschnitt
kann man täglich nicht mehr wie 300 Eyer von
einer Bienenmutter annehmen. Man denke sich
nur, wenn jene Angabe von 1000 Eyern richtig
wäre, welche Vermehrung der Bienen in einem
Stocke statt haben würde?

Darin stimmen doch alle Bienenlehrer und die Erfahrung mit überein, daß ein Bienenstock seine Volksvermehrung nicht höher als auf 40,000 Vögel bringen kann. Ich will mich hier noch deutlicher machen. Man nehme zum Beispiel einen Vorschwarm, der ohne Korb 5 Pfund wiegt: so beträgt ,eine Volksmenge cirka 20,000 Vögel; man bringe ihn in einen schönen ausgebauten Honigkorb, lasse ihn 6 Wochenlang sich vermehren, so müßte er, nach jener Angabe in 6 Wochen zum wenigsten 38,000 und in 9 Wochen 56,000 flugbare Vögel haben und doch hätte ich für Mißgeburten und tägliches Sterben auch 6000 gerechnet.

Daß aber ein solcher Schwarm in 6 Wochen 25,000 und in 9 Wochen 30,000 Vögel stark seyn könne, ist wahr: aber auch richtiger berechnet. Jedes Uebertriebene fällt in die Augen und schlägt seinen eigenen Herrn. Hr. Strauß, der ist der praktischen Bienenzucht viel, sehr viel geleistet hat und in seinen Aufsätzen gründlich und belehrend ist, wird gewiß nie gefunden haben, daß eine Mutter in 24 Stunden 1000 Eyer legen könne. Ueberhaupt kannte jener Verfasser von den

Müttern und ihrer Eyerlage damals noch sehr wenig und wollte doch prahlen, ein eignes System aufstellen, das die Königinnen übermäßig legen und bald sterben ließe. Nach diesem System mußte ein Pösel, ein Lukas, ein Kaiser oft die Hechel paßiren, weil sie die Königinnen besser kannten und ihr Alter näher bestimmen konnten als er.

Sechster Abschnitt.

Von den Geschäften im September.

§. 32.

Vom Bestimmen der Stöcke für den Winter und für's nächste Jahr.

Gesetzt ich hätte 20 Stöcke: so wähle ich mir nur 6 zu Ständern, die zu einem ordentlichen Bau gehörige Schwere und junge dießjährige, fruchtbare Mütter haben. Zwölf Stöcke werden von Bienen leer gemacht, die Bienen mit den Ständern vereinigt und die Fässer gehörig aufbe- wahrt für künftige Schwärme. zwey Stöcke werden auch von Bienen leer gemacht, die Bienen mit den Ständern vereinigt und der Honig aus# gebrochen und ausgemacht. Man wird nicht be# greifen können, wie ich auf diese Weise im nächsten Sommer mehr und bessere Bienen erhalte, als wenn ich mehr Stöcke in den Winter stellte.

Und doch ist es so! ich erhalte auf diese Weise alle Bienen und doch wird mir im Winter der Honig nicht unnöthig verzehrt, sondern bleibt in den Fässern für künftige Schwärme stehen, wo er dann besser benutzt und zu meinem Vortheil verwendet wird. Die Bienen zehren nun in den 6 Körben, wenn ich ihnen unten leeren Raum genug gebe, sehr sparsam, bleiben gesund und munter, weil keine Witterung im Stande ist, sie zum starken Zehren zu verleiten. Die Bienen ha# ben auf solche Weise die nöthige Wärme, dünsten gehörig aus und leben sehr karg. Es wird ihnen im Winter kein Honig kalt, weil sie alle Rosen besetzt halten; es setzt sich nirgends Schimmel an, sondern alle Waben bleiben rein und gut.

Ich versichere jeden meiner Leser, daß ich durch eine solche Behandlung mehr Bienen durch

den Winter bringe (wenn ich nur für nöthige
Ruhe sorge), als wenn ich alle Stöcke stehen und
den gesammelten Honig auf eine unnöthige Art
verschwenden ließ. Man versuche es und man
wird mir glauben, wenn ich sage, daß ich im
nächsten Sommer von 6 solchen Stöcken und 12
Honigfässern die Zahl auf 40 bis 50 gute Stöcke
mit leichter Mühe bringen kann. Und gesetzt es
folgte ein schlechtes Jahr für Bienen, daß ich
mit der Vermehrung nicht so weit kommen könnte,
so erhalte ich doch gute Stöcke und gewiß auch
wieder Honigfässer genug für das folgende Jahr.
Nie wird Jemand geschwinder und sicherer mit
der Bienenzucht in die Höhe kommen als auf diesem Wege. Nie wird einer einen höhern Ertrag
ärnten und besser benutzen können, als auf dem
Wege der Verstärkung und starken Vermehrung
im Sommer, durch aufbewahrte Honigkörbe.

§. 33.

Vom Verstärken und Bekanntmachen der Bienen mit
einander.

Sind die Stöcke, die ich von Bienen leer
machen und als künftige Honigfässer aufheben
will, von Brut leer geworden (dieß ist 3 Wochen

nach geendigter Honigärnte der Fall und für die
Honigfässer sehr dienlich, weil, wenn man es
früher thun wollte, die noch darin befindliche
Brut absterben, stinkend und schimmlich werden
würde, was einem künftigen Schwarm nachtheilig ist) so vereinige ich die Bienen dieser Stöcke
mit den Ständern. Man kann es 1) durch Bovist
oder Blutschwamm, 2) durch Rauch von leinenen
Lappen bewerkstelligen. Um aber aller Feindseligkeit vorzubeugen, macht man die Bienen erst mit
einander bekannt, und dieß geschieht so: Ich
nehme am Abend jeden Stock, den ich von Bienen
leer machen will, setze ihn auf den Kopf, und
den Ständer, mit dem die Bienen vereinigt werden sollen, darauf, binde sie, wo sie auf einander
stehen, mit einem Tuche rund herum so veste zu,
daß keine Biene heraus kann. So lasse ich sie
im Bienenstande, oder wenn ich nicht Platz
darin habe, vor demselben stehen, bis ich am
folgenden Mittag zur Vereinigung schreite. Die
Bienen lernen sich auf solche Weise kennen, und
thun sich bei der Vereinigung nichts zu Leide,
was ohne diese Vorsicht nicht immer der Fall ist.
Man hat nicht nöthig besorgt zu seyn, daß die
untenstehende Mutter in der Zeit umgebracht

werde. Die Bienen, die bei einer Vereinigung im Sommer in Zeit von 2 Tagen eine Mutter umbringen, scheinen im Herbste nicht sonderlich darauf zu achten; denn ich habe oft mit Fleiß zwey Stöcke 3 bis 4 Wochen auf einander stehen lassen, und ungeachtet die Bienen aus der obersten Wohnung durch die unterste mußten, wenn sie fliegen wollten, so habe ich doch immer gefunden, daß beide Mütter so lange am Leben blieben, bis die Kälte die Bienen nöthigte zusammen zu laufen. Es thut aber auch nichts, wenn sie umgebracht würde; denn sie muß doch sterben, weil man sie nicht ohne Bienen erhalten kann; doch es geschieht im Herbst nie.

§. 34.

Vom Vereinigen der Bienen nach A. oder durch Bovistrauch.

Bovist oder Blutschwamm kann man in jeder Apotheke haben, man kann ihn aber im Herbst oder Frühjahr auch selbst suchen, oder suchen lassen. Auf Wiesen ist er oft häufig zu finden; er wächst gern auf einem sandigen Boden. Um Bienen damit zu betäuben, muß man ihn erst trocknen; dann als Zunder oder Schwamm

anzünden, ihn unter den Stock bringen, und den
Stock so vest zumachen, daß nirgends Rauch
heraus kann, so werden die Bienen in etlichen
Minuten, wie todt auf dem Boden liegen. Sie
erholen sich nach einer Viertelstunde wieder, und
es schadet ihnen nichts. Ich nehme sowohl bei stro=
hernen als hölzernen Wohnungen ein Höchsel, das
eben so weit, als die Wohnung seyn muß, mache
es auf ein Flugbrett vest, verstreiche jede Oeffnung,
die zwischen dem Brette und dem Höchsel statt ha=
ben könnte, so daß nirgends Rauch heraus kann:
hierauf nehme ich ein dünnes Stöckchen, das einer
Spanne lang seyn muß, mache an dem einen
Ende eine Spalte, und stecke einen, oder wenn
die Schwämme klein sind, auch 2 bis 3 zwischen
die Spalte, spitze das Hölzchen am andern Ende
zu und stecke es in das auf dem Brette stehende
Höchsel, so daß der Schwamm 3 Zoll von den
Waben sowohl, als auch vom Brette bleibt.
Jetzt mache ich einen der aufeinander gesetzten
Stöcke auf, jage die Bienen mit Tabacksrauch
zurück, zünde den Bovist in dem Höchsel an, und
setze, wenn ich zuvor den Ständer auf seine Stelle
gebracht habe, den untersten Stock so auf das
Höchsel oder Untersatz, daß der Boviststrauch zu

den Bienen aufsteigen kann, binde ein Tuch rund
herum, damit kein Rauch zwischen den Ritzen
heraus kommen kann. Die Bienen fangen, sobald sie über den angezündeten Schwamm zu
stehen kommen, an zu brausen, welches, wenn
der Schwamm gut ist, nicht über 3 bis 4 Minuten
dauert: dauert es länger, so wurde entweder der
Schwamm nicht gut angezündet und er erlosch
ehe Rauch genug da war, oder der Schwamm
war nicht trocken genug, oder taugt nichts. Man
hat daher nachzusehen, woran es liegt. Hört
man aber, daß es in dem Korbe nach und nach
ganz stille wird, so klopft man ein wenig, damit
alle Bienen aus den Waben herunter fallen; denn
die Mutter fällt immer sehr spät. Man wartet
lieber mit dem Aufmachen ein wenig zu lange,
als daß man es zu frühe thut, weil die Bienen
nur nach und nach fallen können. Finde ich beim
Aufmachen, daß alle Bienen rein ausgefallen sind,
so setze ich den Korb bei Seite, finde ich aber
etliche Waben, aus welchen die Bienen nicht gut
fallen konnten, weil sie zu nahe beisammen standen; so biege ich sie ein wenig von einander,
klopfe dann am Korbe, so fallen sie herunter.
Jetzt muß ich die Mutter aussuchen, und das ist

J

bei dem ganzen Geschäfte das schwerste für einen
Ungeübten; denn obgleich beinahe ein jeder Bienenwirth Gelegenheit hat, sie kennen zu lernen,
so ist es doch ein anderes, sie eben kennen, und
ein anderes, sie aus einem Haufen von 15, 20 ja
30 tausend Bienen auszusuchen. Sie ist beinahe
immer da zu finden, wo die Bienen am dicksten
auf einander liegen; sie liegt auch selten tief, sondern, weil sie spät fällt, ganz oben an, und ist
nur von einigen Bienen bedeckt. Man wendet
mit einer Feder oder sonst etwas, die zu oberst
liegenden Bienen um, so kann man sie leicht entdecken, weil sie viel länger ist, als eine Biene.
Nach Hrn. Wurster ist sie am Unterleibe röth-
lich braun. Andere sagen, sie sey am Unterleibe
gelb, goldgelb. Wer sie nicht kennt, der thut
am besten, wenn er sich von irgend einem Bienenfreunde eine zeigen läßt, welches besser ist
als die genaueste Beschreibung. Habe ich die
Mutter gefunden, so schütte ich die Bienen in
die Wohnung des Ständers. Ist der Ständer
voll Waben, so muß vorher ein leeres Höchsel
untergesetzt und der Korb verkehrt gestellt werden,
ehe man die Bienen darein schüttet, damit keine
abfallen können. Ich binde nun ein Tuch darüber

und laſſe ihn eine Stunde, zugebunden ſtehen.
Iſt dieſe verfloſſen, ſo ſtelle ich ihn an ſeinen
Ort, mache das Tuch da, wo das Flugloch iſt,
auf, und gebe den Bienen ihre Freiheit wieder.
So verfahre ich auch mit den andern Stöcken.
Hier iſt noch eine zweite Verfahrungsart. Ich
laſſe die Bienen des Stocks, den ich von Bienen
leer machen will, wenn ſie vorher mit den Bienen
des Stänbers durchs Zuſammenſetzen am Abend,
wie oben gelehrt worden, bekannt gemacht wor=
den ſind, mit Boviſtrauch fallen, ſchütte ſie in eine
leere Wohnung, binde ſie mit einem Tuche zu,
und ſetze den Korb verkehrt und laſſe ihn ſo 3 bis
4 Stunden lang ſtehen, bis die Bienen wieder
lebendig geworden ſind; nun ſchlage ich ſie ent=
weder auf ein Tuch, das ich vorher auf die Erde
legte; dieß geſchieht ſo: man ſetzt den Korb
herum, damit die Bienen ſich in demſelben ordent=
lich anhängen, bindet das Tuch los, ſetzt den
Korb mit den Bienen vor ſich auf das Tuch,
ſchlägt mit der Hand ziemlich hart oben auf den
Korb und hebt ihn ſogleich in die Höhe. Die
Bienen, die durch den Schlag herunter aufs Tuch
geſtürzt ſind, bringt man mit dem Tuch zum
Ständer und läßt ſie auch nach und nach einlau=

fen. Beim Einlaufen fängt man die Mutter und tödtet sie. Wer mit diesem Geschäft noch nicht genug bekannt ist, der thut besser, wenn er die Bienen so lange auf der Erde liegen läßt, bis er die Mutter gefunden hat, und dann erst bringt er sie zum Ständer.

Auch folgende Art ist leicht und anwendbar. Man setzt am Abend oder am folgenden Morgen die Bienen mit der leeren Wohnung neben den Ständer, diesen aber auf den Fluggewohnten Standort der Bienen in der leeren Wohnung. Ist nun die Witterung nicht rauh und kalt, so fangen die Bienen an zu fliegen und kehren bei der Rückkunft beim Ständer ein. Um sie zum Fliegen noch mehr zu reitzen, setze ich ein wenig Honig unter, lasse aber die Bienen nicht unten, sondern in der Mitte der Wohnung ausfliegen, damit keine Räuberei entsteht. Am Abend sehe ich nach, sind noch viele Bienen in der leeren Wohnung, so füttere ich wieder, und lasse sie noch einen Tag fliegen. Am Abend findet man dann gewöhnlich nur noch eine Faustdick Bienen in dem leeren Korbe, ich schütte sie auf ein Brett, tödte die Mutter und lasse die Bienen zu ihren

Kammeraden laufen. So kann man Bienen mit einander vereinigen, aber, wie gesagt, nur im Herbst; im Sommer darf man bei Bienen keinen Bovistrauch gebrauchen, weil sie beim vollen Honigmagen davon ersticken. Im Herbst aber werden sie nur betäubt und man kann ihn ohne Gefahr anwenden.

Doch muß es auch nicht zu spät geschehen, damit die Bienen nicht zu viel Unrath bei sich haben, den sie beim Wiederlebendigwerden fallen lassen und eine die andere damit beschmieren, wovon sie umkommen müssen, weil sie nicht mehr fliegen können.

§. 35.

Vom Vereinigen der Bienen nach B. oder durch Rauch von leinenen Lumpen.

Das Vereinigen der Bienen nach B. geht auch sehr gut; aber bei den rheinischen ganzen Bienenkörben ist es gar nicht anwendbar: da kann nur Bovist gebraucht werden, weil die Körbe keine Deckel haben, die man abnehmen kann. Bei Magazinen und sächsischen Körben ziehe ich diese Vereinigungsart jener vor. Die Bienen müssen aber wie bei A. auch erst mit einander be-

kannt, gemacht werden, damit sie sich beim Ver=
einigen nicht stechen. Ich brauche zur Vereinigung
nach B. einen hölzernen Kasten, der unten und
von allen Seiten zu ist, auch überall luftvest gear=
beitet seyn muß.

Oben ist er offen: er ist 2 bis 2½ Schuh
hoch und 12 Quadratzoll weit. In diesen Kasten
setze ich eine Kohlpfanne mit etlichen glühenden
Kohlen, auf welche ich eine Handvoll Lumpen
lege. Oben kommt ein Brett zu liegen, welches
so weit ausgeschnitten, als der Kasten weit ist,
und mit Drath so dicht geflochten seyn muß, daß
keine Biene durch kann. Auf dieses Brett setze
ich den Stock, den ich von Bienen leer machen
will, wenn ich vorher den Ständer, der auf
ihm stand, auf seine Stelle gebracht habe; lege
ein Tuch rund um den Korb, damit zwischen
dem Brette und dem Korbe kein Rauch heraus
kann, nehme, wenn es eine Magazinwohnung
ist, den Deckel oben ab, so ziehen sich die Bie=
nen um dem Rauch, der durch den Drath in alle
Waben dringt, zu entgehen, aus den Waben,
und setzen sich an die äußere Seite der Wohnung
an, ich setze eine leere Wohnung daneben, und

streiche mit einer Feder einen Klumpen Bienen daran: diese fangen sogleich ein freudiges
Gesumse an, wodurch die andern auch nach der
leeren Wohnung ziehen; streiche ich nun einen
Klumpen nach dem andern daran, so ist in Zeit
von etlichen Minuten keine einzige Biene mehr
in dem Korbe, ich setze ihn, wenn ich von außen
alle rein abgestrichen habe, weg, und trage die
Bienen mit der leeren Wohnung, sie mögen schon
darin seyn, oder noch von außen daran sitzen,
neben den Ständer. So verfahre ich auch mit
den andern. Am geschwindesten und schönsten
geht diese Vereinigungsart von Statten, wenn
man, nachdem man die Nacht hindurch die Bienen [mit einander hat bekannt werden lassen, am
Morgen die Ständer abhebt, sie auf die Flugbretter
oder fluggewohnte Stellen der Stöcke die man
von Bienen leer machen will stellt: die verkehrt-
stehenden Stöcke setzt man herum, reißt von allen
die Deckel ab und läßt sie nun noch zwei Stunden
stehen, damit die Bienen erst den Honig, der
durchs Abreißen der Deckel blos wurde, auflecken
und sich bei der Operation selbst nicht bei dem
Honig aufhalten oder sich beschmieren. Man
merke sich diesen Punkt sorgfältig.

Bei Stülpstöcken muß man, wenn man es so machen will, oben den Stopfen ausziehen, aber auch unten noch ein Flugloch lassen, damit die Bienen unten und oben zugleich auslaufen können; sonst wird der Rauch zu stark und den Bienen schädlich. Der Unerfahrne thut besser, wenn er die Bienen, die in Stülpstöcken sind, durch Bovist fallen läßt. Doch führt auch hier die Uebung immer weiter. Sind alle ausgetrieben, so schlage ich die Bienen aus den leeren Wohnungen neben die Stänver, so kehren sie da ein, wohin sie sollen; die Mütter werden getödtet, aber die Bienen thun sich nichts. Ich habe schon erinnert, daß es mit ganzen Körben ohne Deckel nicht so gut damit geht und daß es besser sey Bovistrauch dazu zu gebrauchen.

§. 36.

Ist es nöthig, im Herbst bebaute Honigkörbe ohne Bienen aufzubewahren?

Das Aufbewahren bebauter Honigkörbe ohne Bienen ist meines Wissens noch in keiner Schrift empfohlen worden und gleichwohl ist es von großer Wichtigkeit bei einer regelmäßigen Bienenzucht. Das sagte ich schon bei der ersten Ausgabe und

die Erfahrung hat mich überzeugt, daß, je
schöner und beffer diese Körbe find, je größer
wird der jährliche Ertrag. Je mehr man folcher
Honigförbe aufbewahrt, defto mehr wird der Honig
in Winter gefpart und defto früher und um fo
viel mehr kann die Vermehrung der Stöcke, im
nächften Sommer Statt haben. Wir haben als;
dann keine Honigfurrogate nöthig, wodurch fo
mancher Bogen befchrieben und womit Schaden
und Unheil in der deutfchen Bienenzucht anges
richtet wurde. Eine weife Sparfamkeit und Vors
rath für den Nothfall ift das Einzige, was uns
zum Ziele der Vollkommenheit führen kann. Die
Erfahrung fagt uns, daß im Thierreich alles,
was fammelt, auch zu gewiffen Zeiten davon
leben muß. Unfern Stöcken, die wir als Stäns
der auffellen, laffen wir fo viel, daß fie nicht
nur im Winter leben können, fondern daß fie
auch noch etwas für den Sommer behalten.

Aber nun kommt die Schwärmzeit, wo fie
fich nach dem Gefeß der Natur vermehren
follen. Sie find ftark genug, aber wie oft ift
nicht die Witterung fo befchaffen, daß faft keine
Nahrung für fie zu haben ift? Viele fchwärmen

dann nicht; hie und da schwärmt einer, der
Schwarm nimmt Vorrath auf 8 Tage mit; er
wird in eine leere Wohnung gebracht, er baut
von seinem mitgebrachten Vorrathe, wenn auch
schon die Witterung schlecht ist, wir füttern ihn
auch wohl, aber wie bald sehen wir, daß bei
fortdauernder schlechter Witterung, er aufhören
muß zu bauen und wegen des starken Verlustes,
den er schon in den ersten schlechten Tagen am
Volke erlitt, aufhören muß zu fliegen, sein Trieb
erschlafft und wir erhalten durch Mühe und Kosten,
wenns noch gut geht, einen elenden Schwarm,
der nicht den halben Werth hat, den er haben
könnte, wenn die Witterung gut gewesen, oder
wenn wir das auf eine andere Art zu ersetzen
gesucht hätten, was uns die Witterung jetzt versagt. Dieß geschieht durch gute Honigkörbe ohne
diese und ohne Verstärkung im Herbst wird nicht
die Hälfte von den Bienen gewonnen, was gewonnen werden kann. Man sagt, der Landmann
handele nur so, wie es seine Vorfahren thaten,
und doch sah ich schon vor 30 Jahren, daß Lands
leute die bebauten Körbe später Schwärme auf
den Nothfall aufbewahrten. Ich fand das zweckmäßig, wurde aber bald gewahr, daß es schwer

hielte, sie vor den Motten zu sichern; denn so=
bald es im Märi und April warme Tage geben,
so finden sie sich ein und überspinnen in Kurzem
alles Gewirke. Seit der ersten Ausgabe habe ich
gefunden, daß man mit dem Verstärken im Herbst
gleichen Schritt mit dem Aufbewahren bebauter
Körbe halten muß; weil man im Ganzen keine Mot=
ten zu fürchten hat, wenn man vom halben May
bis zu Ende desselben seine Stöcke theilen kann;
oder die bebauten Fässer müßten zu warm stehen,
und so wäre das Folgende noch immer anwendbar.
Rauch von Wermuth oder Wurmkraut tödtet zwar
die Motten; aber es ist im Großen immer sehr müh=
sam. Im Jahr 1804 fand ich endlich, daß eine Blau=
meise die beßten und sichersten Dienste dabei thut.
Dieß Vögelchen kann, weil es sehr klein ist, bei=
nahe zwischen alle Waben kommen und sucht die
Eyer oder jungen Motten zu seiner Nahrung
auf. Es kann 50, ja ich glaube 100 Schläuche *)
vor den Motten auf einem Zimmer sichern.
Die Unvollkommenheit, die noch statt hat, ist,
daß es auch Honig frißt, doch ist das nicht zu
rechnen. Ich will lieber 2 bis 3 Meisen halten,

---

*) So nennt man im Jülicher Lande die aufbewahr=
ten bebauten Körbe.

als vor den Motten unsicher seyn. Selten erscheint oft die Natur einem Manne, der sie nicht kennt; der Forscher aber sinnt ihr nach und findet Wahrheiten, die sonst verborgen geblieben wären.

So kann sich Jeder überzeugen, das ein Korb, im August bebaut und gehörig verwahrt, ein ganzes Jahr ohne Bienen stehen kann, ohne daß eine Motte darein kommt. Der Stock hingegen im Juny und July ausgebaut, steht kaum bis halben Juny nächstes Jahr; so ist er so von den Motten besponnen, daß man ihn kaum gebrauchen kann und dabei darf er doch nicht eher als Ende August von Bienen leer gemacht werden.

Die Ursache, die hier zum Grunde liegt, ist: die Arten Schmetterlinge, die die Eyer zu den Motten auf die männlichen Blumen der Pflanzen legen und die die Bienen beim Sammeln des Blumenstaubes, mit in ihre Wohnung tragen, sind nur im Juny und July da. Im August haben sie sich verloren: die Bienen sammeln auf der Haide keine dieser Eyer mit und daher können solche im August bebaute Körbe, gut zugebunden, ein ganzes Jahr ohne Bienen stehen, und es kommen keine Motten hinein. — Die im Juny und July bebauten hingegen, wenn sie Anfangs August von Bienen leer gemacht werden, sind in 8 bis 14 Tagen schon mit Motten so besetzt, daß sie unbrauchbar für's nächste Jahr sind.

Doch ist auch hier noch Rath, den wir befolgen können.

Gesetzt ich trieb Anfangs August Bienen aus einem Korbe und schickte sie nach der Haide; so darf ich einem andern guten Stock nur den Stopfen oben ausziehen, das von Bienen leer geworbne Faß oben aufsetzen und zuschmieren, so halten die Bienen das aufgesetzte Faß rein von allem Unrath. Dieß Verfahren ist auch vorzüglich bei spät mutterlos gewordenen Stöcken anwendbar; — sie werden eben so auf gute Stöcke, doch am Abend spät, gesetzt: die Fässer solcher Stöcke bleiben nicht nur gut, sondern das Volk, was noch darin ist, arbeitet fleißig und emsig mit fort. Die früh Mutterlosen werden durch Zusetzen anderer, vorzüglich fruchtbarer Mütter gerettet, die ganz späten durch dieses sichere Mittel.

§. 37.

Von der Vorsicht nach der Verstärkung.

So nöthig das Verstärken ist, so gut ist es, wenn man nach der Verstärkung dahin sieht, daß jeder Stock unten 2 Fingerdick leeren Raum behält. Ich setze, weil ich stark verstärke, jedem Stock ein leeres Höchsel unter, und das bleibt bis in's Frühjahr stehen. Man glaube meiner Erfahrung; denn ich weiß, daß ein starkes Volk im Winter ohne leeren Raum nicht ruhig ist. Es gibt Leute, die im Sommer ihre Stöcke vorliegen und sich vest bauen lassen, im Herbste werden sie nicht untersucht, bleiben so stehen und werden ruinirt. Andere lassen sie nicht vorliegen, sondern höhen sie auf, schneiden aber im Herbste, um des wenigen Honigs willen, die Höchsel ab und pfropfen gleichsam das Volk zusammen, es muß nun sein Lager zwischen den mit Honig angefüllten Waben nehmen, und kann nicht ruhig bleiben. Hier handelt der Werragründer besser, als der Rheinländer (wenn von Unerfahrnen die Rede ist.)

Der Werragründer schneidet unten die Waben drei Finger tief im Korbe weg und verschafft seinen Stöcken dadurch leeren Raum, der den

Bienen im Winter sehr vortheilhaft ist. — Der
Rheinländer schneidet unten dem Korbe gleich die
Rosen ab, und verursacht dadurch manchem
Stocke, daß seine Bienen im Winter ersticken,
weil sie nicht Luft genug hatten, und auch das
Flugloch, der Mäuse wegen, zu eng zugemacht
worden war. Luft und leerer Raum ist verstärk-
ten Stöcken im Winter durchaus nöthig, damit
die Bienen bei abwechselnder Witterung Ruhe
halten und gesund bleiben. Wer seinen Bienen
gut seyn und sie nicht zum starken Zehren reizen
will, der lasse ihnen unten so viel leeren Raum,
als es ihre Volksmenge erfordert.

Siebenter Abschnitt.

Von den Geschäften im October u. November.

§. 38.

Von der nöthigen Ruhe und den Feinden der Bienen.

So wie es kälter wird, zieht sich unser Bienenvolk zusammen, legt sich unter den Honig
und zehrt von seinem Vorrathe, wie alle Thiere,

welche sammeln. Es ruht von seiner Arbeit aus,
bis der Frühling es wieder zur Thätigkeit weckt.
Ihr Standort muß deßwegen ruhig und stille
seyn. Da aber die Mäuse ihnen sehr nachstellen,
so muß man auch diese abzuwehren suchen. Die
Spitz- oder Scheermäuse sind die gefährlichsten,
weil sie klein sind und bei sehr engen Fluglöchern
einschleichen können. Starken Stöcken thun sie
zwar jetzt keinen andern Schaden, als daß sie
solche beunruhigen. Doch das ist schon Schade,
vor dem man sich hüten und diese Gäste wegfan-
gen muß, weil sie sonst immer dreister werden.
Anfangs suchen sie nur den Abfall vom Flugbrette
auf, werden sie nicht gestört, so machen sie sich
an die untersten Waben, und so fort bis sie den
Stock ruinirt haben. Das Engermachen der
Fluglöcher muß bei Zeiten, aber mit Vorsicht geschehen. Man kann sie so niedrig machen, daß
nur eine Biene aus und ein kann; allein so breit
müssen sie immer seyn, daß zehen zugleich durch
können. Ich muß hier noch eines Vortheils erwähnen, die die Körbe im Werragrund gegen
die rheinländischen haben. Der Korb im Werragrund hat unten einen hölzernen Reif; das Flugloch ist in den Reif nicht hoch eingeschnitten und

es ist unmöglich, daß eine Maus sich einschleichen
kann. — Das unten Aus- und Einfliegenlassen
ist da deßwegen nicht so gefährlich, wie bei Magazinen oder rheinländischen Körben. Im Herbst
und Frühjahr ist, wie schon erinnert worden, das
Untenausfliegen, wegen Mäscherei, nicht anzurathen. Bei Magazinen und rheinischen Körben
lasse ich auch im Winter die Bienen nicht von
dem Standbrette, sondern etwas höher aus- und
einfliegen, weil sich auf diese Weise die schmale
Oeffnung nicht so leicht verstopft, als unten. Die
ganzen Körbe im Werragrund haben auch alle in
der Mitte noch ein Flugloch, wo die Bienen,
wenn sich ja das unterste verstopfen sollte, aus
und ein können und vor dem Ersticken gesichert
sind, wenn man nicht (wie ich erfahren habe,
daß man seine Stöcke im Winter ganz zuschneien
ließ und sie im Frühjahr alle todt fand) durch
Schnee beide Fluglöcher verstopfen läßt. Sobald
es anfängt zu schneien, hängt man Strohmatten
vor seine Stöcke, so kann dieser Fehler des Ver-
stopfens gar nicht Statt finden. Man nimmt sie
nur darum alle 8 Tage einige Augenblicke weg,
um nach den Mäusen zu sehen. Läßt man die
Mäuse erst schmecken, wie süß der Honig ist, so

K

sind sie so verwegen, daß sie die Fluglöcher selbst
größer machen, oder Löcher in Strohkörbe beißen,
um das zu erlangen, was wir vor ihnen sichern
wollen. Es leben oft 4 bis 5 in einem Korbe
friedlich beisammen; haben sie alles aufgezehrt,
so muß ein anderer daran, und so fort, bis die
Witterung oder ein Zufall es hemmt. Die an=
dern Stöcke leiden von dem Lärm, den die Mäuse
zuweilen machen, auch viel. Es ist ferner zum
Erstaunen, welche Verwüstung das Stehlen seit
einiger Zeit anrichtete.

Landleute wissen nicht, wie sie ihre Stöcke
sicher genug setzen sollen. Im Jahr 1804 ver=
kaufte hier einer Stöcke, die er erst stehlen wollte;
denn er stahl sie an einem Abend und am Morgen
durfte er sie drei Stunden weit entfernt liefern!
Er hat aber auch sein Quartier im Zuchthause
nehmen müssen!

Im Herbste sind, vorzüglich in diesen 2 Mo=
naten, der Specht und mehrere Meisenarten den
Bienen auch gefährlich: sie suchen beide die Bie=
nen, durchs Picken am Flugloch der Körbe her=
auszulocken und verzehren dann eine Biene nach

der andern, oder, beſſer geſagt ſie reißen jede
Biene, die ſie habhaft werden können, in der
Mitte durch, freſſen die Honigblaſe und das Ein-
geweide, und das übrige laſſen ſie als unnütz
fallen. Die Horniſſe thut das nämliche nur früher
zum Beiſpiel im Auguſt und September. Das
durch verliert mancher Stock ſchon im Herbſte
viel Volk. Es gibt noch mehrere Vögel die den
Bienen ſchädlich ſind. Vorzüglich der große
Storch und nach ihm die Nachtigall, und das
Rothkehlchen, doch ſind dieſe es mehr im Frühjahr und Sommer als ſpät im Herbſte. Ein aufmerkſamer Bienenwirth wird die übrigen Feinde
der Bienen leicht erkennen lernen, und ſie weg zu
räumen ſuchen, weil ſie ihm gleich einer Kröte
für ſeine Bienen ſehr gefährlich werden können.

Achter Abschnitt.

Von den Geschäften im December u. Januar.

---

§. 39.

Vom Vergraben, Einstellen und Schützen wider die
Kälte.

Ich habe das Vergraben und Einstellen sorg=
fältig betrieben, finde aber nunmehr, daß ver=
stärkte Stöcke sich im Freien gut hälten. Das
Vergraben hat das Unangenehme, daß man
trockene Erde oder Sand aufbewahren muß; auch
können nicht alle Stöcke mit gutem Erfolg einge=
graben werden. Sehr verstärkte Stöcke können
z. B. nie vergraben werden, weil das Volk zu
warm sitzen und die nöthige Luft fehlen würde,
wodurch die ihnen gehörige Ruhe nicht gehand=
habt, sondern gestört wird; was durchaus ver=
mieden werden muß. Das Einstellen ist weniger
mühsam, und wer wenig Stöcke hat, kann sie
ohne Gefahr in einem trockenen Keller oder in
eine dunkle Kammer, die im ersten Stockwerke ist,
ruhig stellen: doch nie eher, bis es zu frieren an=
fängt. Die Fluglöcher müssen aber offen seyn,
damit sich die Bienen bei einer Veränderung der

Luft nicht abmatten oder gar umkommen, auch muß man die Stöcke bei anhaltenden gelindem Wetter am Abend heraussetzen, zumal wenn sie lange eingestellt waren. Im Großen ist es mühsam, und viele Stöcke an einem verschlossenen Orte bleiben auch nicht so ruhig als wenige. Die Ausdünstung muß die Bienen da mehr reizen. Wer seine Stöcke stark und gut in den Winter bringt, hat, wenn sein Stand ruhig ist und Nachmittags nicht von der Sonne beschienen wird, nichts von der Kälte zu fürchten; denn 10 Grad Kälte kann ein starkes Volk aushalten; selbst 12 bis 15 Grad schadet nicht, wenn sie nicht über 3 Tage anhält, was doch sehr selten geschieht. Sollte eine strenge Kälte einmal anhaltend seyn, so darf man nur Strohmatten vor die Stöcke hängen, diese halten nicht nur, wenn sie dick gemacht sind, die zu strenge Kälte ab, sondern sie hindern auch die Sonne, daß sie die Bienen nicht zur Unzeit heraus locke, wo sie auf den Schnee fallen und umkommen würden. Ruhe ist am nöthigsten! Nur ein Sprung von einer Katze erschüttert oft viele Stöcke, die Bienen laufen auseinander und kommen um.

Ist der Standort der Bienen nahe an einer Straße, die gepflastert oder sonst sehr steinigt ist, so thut eine Handhoch Heu oder Stroh unter dem Flugbrette gute Dienste, weil dadurch die Bienen wenig von der Erschütterung fühlen, die vorbeifahrende, schwerbeladene Wagen verursachen. Dieß gilt vorzüglich in diesen zwei Monaten, weil jetzt die Kälte am gefährlichsten für Bienen ist, zumal wenn die Stöcke auf irgend eine Art beunruhigt werden.

Bei anhaltender strenger Kälte fand ich aber immer noch ein Uebel, das auch starke Stöcke traf, nämlich daß die unten sitzenden Bienen viel leiden müssen. Wenn man um diese Zeit unten leeren Raum genug besorgt und in der Mitte des Korbes, nicht unten, das Flugloch offen läßt; so fällt dieses Uebel auch weg.

Ich setzte jedem, wie ich gewohnt bin, nach der Aernte ein leeres Höchsel unter, verschmierte jede Oeffnung, umlegte jeden Stock von unten bis oben stark mit Heu, zog oben den Stopfen aus, und richtete ihn so ein, daß die Bienen oben fliegen mußten. Sie flogen so wenig, daß

mir bange wurde; allein wie schön fand ich diese
6 Stöcke im Frühjahr, ganz trocken und rein,
keine Todten und alles Volk sehr munter. Ich
werde es, so Gott will, mehr probiren. —

§. 40.

Vom Obenausfliegen das ganze Jahr hindurch.

Das Obenausfliegen versetzte mir und mei=
nem Compagnon Clasen im Winter 1811 einen
fürchterlichen Schlag; denn wir verloren durch
das Obenausfliegen so viel Bienenstöcke, daß sie
den Werth von 50 Thalern überstiegen; dieser
Verlust würde über 100 Thaler betragen haben,
wenn meine Hülfe noch um ein oder zwei Tage
verschoben worden wäre. Zu diesem Schaden
gab eine Schrift, die 1808 in D. erschien, An=
laß. Sie hatte für mich keinen Werth; doch
stellte der Verfasser darin das Ausfliegen der
Bienen das ganze Jahr hindurch durchs Stopfen=
loch oben am Korbe als etwas Neues, als eine
wichtige Entdeckung auf.

Ich dachte der Angabe nach, sie kam mir
nützlich vor; doch da ich schon aus Erfahrung
wußte, daß manche eingebildete nützliche Erfin=

dung, die sogleich ohne nähere Unterfuchung in einer Schrift ausposaunt wurde, oft heillofen Schaden anrichtete, fo beschloß ich 1809 es mit 2 Stöcken zu probiren. Diese hielten sich vortrefflich. 1810 machte ich den Versuch mit 4 und 1811 mit 8 Stöcken, und sie zeichneten sich vor andern aus. Sommer und Winter hals ten diese Stöcke ihr zwei Zoll großes Stopfens loch mit Volk besetzt, sogar die strengste Kälte treibt sie nicht vom Flugloch, wenn es, wie ges fagt, oben ist, weg. Dieser ganze Versuch im Kleinen war nun drei Jahre lang gut und nützs lich ausgefallen; — ich ahnete keinen Fehler, der sich ereignen könnte, und stellte im Herbst, 1811 24 fehr starke Stöcke zum Obenausstiegen auf. Ein früh gefallener Schnee machte die Strohmatten nöthig und alles ging gut bis im Januar 1812. In diesem Monat erhielt ich von meinem Freunde folgende Nachricht durch einen Expressen geschickt:

„Ungeachtet die Kälte fehr strenge ist, fo brechen die Bienen doch durch die Matten und fallen auf den Schnee; ich weiß nicht was ich anfangen foll.''

31. Ob ich gleich erſchrocken war über den Vor;
fall, machte ich mich doch, obſchon es 4 Stunden
weit entfernt war, noch an demſelben Tage
dahin auf.

Als ich ankam, fand ich, daß alle Au;
genblicke einzelne Bienen durch die vorgehängten
Matten brachen, auf den Schnee fielen und um;
kamen. — Ich konnte eher nichts anfangen, bis
am Abend. So wie es nun dunkel geworden
war, nahm ich die Matten weg. Aber welch ein
Anblick, welch ein Geruch zeigte ſich da! Faſt
alle Stöcke waren in gänzlicher Unruhe! Ich hob
geſchwind jeden Stock in die Höhe, und legte
einen Stein oder Stückchen Holz unter, damit
friſche Luft, obſchon ſie ſehr kalt war, eindrin;
gen konnte. So ließ ich die Stöcke ſtehen bis am
Morgen, wo ich, ſobald der Tag graute, wieder
dabei war. Die Bienen waren ruhig geworden,
aber es lagen mehr todte im Bienenſtande, als
noch lebendige in den Stöcken waren und der
abſcheuliche Geſtank hatte ſich auch nur halb ver;
breit. Man denke ſich das Gefühl, das mich
bei dieſem Anblick durchſtrömte! Doch wie ein
Blitz fuhr es durch meine Seele: rette — was

zu retten ist —. die Lebendigen! Sogleich setzte
ich alle Stöcke in den Keller, und diejenigen,
welche noch Unruhe äußerten, wurden unter andere gesetzt und damit vereinigt — und wir verloren 10 prächtige Ständer. — Sogar die Körbe
waren von dem Unrath der Bienen, den sie
darin hatten fallen lassen, zum Aufheben für
Schwärme untauglich geworden! Man urtheile
hieraus, wie unverzeihlich es ist, wenn ein Schriftsteller Dinge bekannt macht, die er selbst noch
nicht gehörig erprobt hat — welchen Schaden
man andern dadurch zufügen kann!

Der Schade wäre freilich nicht so groß geworden, wenn die Stöcke in meinem eigenen
Stande gestanden hätten: denn ich würde ihn
eher wahr genommen und gleich Hülfe geschafft
haben. Das konnte aber mein Freund noch nicht,
und nur der Zufall, daß er viele Bienen auf dem
Schnee liegen sah, rettete die übrigen Stöcke
vom gänzlichen Untergange.

Man könnte sagen: der Mann müsse doch
sehr unvorsichtig gewesen seyn! und könnte glauben: er hätte schon früher todte Bienen auf dem

Schnee erblicken müssen! — Das ist wahr; allein
fast in allen Waldgegenden suchen die Meisen
und ähnliche kleine Vögel, sobald eine Biene
auf den Schnee fällt, sie zu ihrer Nahrung auf;
daher war er es nicht eher gewahr worden.

Nun die Ursache dieser verderblichen Unruhe.
Sie war so natürlich' als schädlich. Der Ver-
faffer sagte nämlich: „weil das Flugloch in der
Krone des Stocks wäre und 2 Zoll groß sey, so
habe man nicht nöthig, einem starken Volke unten
leeren Raum zu geben; sondern man solle es nur
gut zuschmieren, damit keine Zugluft entstünde."

Sehr wahrscheinlich kam mir das Gesagte
vor: denn, dacht' ich, der Brodem zieht oben ab,
die Bienen sitzen warm und müssen sich schön
halten.

In den Wintern 1809 und 10 fand ich es
auch so; allein in dem Winter 11 mußten sie
frühe sitzen bleiben, der Unrath hatte sich schon
bei ihnen angehäuft, die strenge Kälte drängte
nun die Bienen oben am Flugloch so vest zusammen, daß keine frische Luft durchkonnte. Den

unterſten wurde es zu warm, während es die
am Loche fror; dadurch entſtand dieſe Unruhe,
und da bei der geringſten Unordnung die Bienen
ſich gleich ſatt freſſen und ihren Magen überla⸗
den, ſo können ſie endlich ihren Unrath nicht
mehr bei ſich behalten; viele brechen ſich durch
und kommen um: andere laſſen aus Noth ihren
Unrath im Korbe fallen; daher eine ſolche Zer⸗
ſtörung und ein ſolcher Geſtank! Gut iſt das
Ausfliegen von oben, wenn man ſeine Stöcke
das ganze Jahre auf ſeinem Stande ſtehen laſ⸗
ſen kann, und ſie nicht auf Nahrung auszu⸗
ſchicken braucht; — es entſteht nie eine Räube⸗
rei, weil die Bienen immer das Flugloch beſetzt
halten, aus demſelben Grunde kann ſich auch nie
eine Maus einſchleichen, nie die Brut kalt wer⸗
den u. ſ. w. Der junge Schwarm baut viel
ſchneller und wird viel ſchwerer als einer der
unten ausfliegt.

Der Hr. Verfaſſer, ſo wie jeder Andere,
merke ſich aber folgende mir theuer gewordene
Erfahrungen wohl: 1) Der Stock, der oben
ausfliegen ſoll, muß ſtark ſeyn; denn hält er
ſein Flugloch im Winter nicht beſetzt: ſo iſt er zu

schwach am Volke und erlebt das Frühjahr nicht.
2) Der starke Stock muß einen leeren Untersatz
im Herbst bekommen und unten vest zugeschmiert
werden: dann kann sich die Luft auch bei stren=
ger Kälte erneuern; es wird dem Volke weder
zu kalt, noch zu warm und es ist ruhig; es bleibt
alles trocken, setzt sich kein Schimmel an und
sind im Frühjahr wenig todte Bienen zu finden.
Es lebe der Verfasser troß meines Verlustes!

Neunter Abschnitt.
Von den Geschäften im Februar.

§. 41.
Vom Reinigen und was beim Ausfliegen zu beobach=
ten ist.

In diesem Monat schadet die Kälte starken
Stöcken nichts, weil die Luft am Tage so viel
erwärmt wird, daß sich die Bienen umwechseln
können. So lange aber noch Schnee liegt dürfen
die vorgehängten Strohmatten noch nicht weg
gethan werden, damit die Bienen nicht ausfliegen

auf den Schnee fallen und unnöthig umkommen;
es sey denn, daß die Bienen über 3 Monate
lang innegeseffen, der Schnee eine Decke (Kruste)
von der Sommerwärme am Tage und starkem
Frieren des Nachts erhalten hätte. Dann wird
diese Kruste, bei schönen Sonnenschein, oft so
warm, daß man den Bienen wohlthut, wenn
man die Matten weg nimmt und sich die Bienen
einige Stunden reinigen läßt — man merke aber
wohl nur in dem so eben beschriebenen Falle. —
Sobald der Wärmemeffer auf 7 bis 8 Grad
zu stehen kommt, fangen die Bienen an zu flie=
gen, ein Beweis, wie stark der Trieb bei ihnen
ist, sich ihres Unraths zu entledigen; denn 7 bis
8 Grad Wärme ohne Sonnenschein, ist für Bie=
nen viel zu kalt. Hier ist eine sehr wichtige Lehre
einzuschalten nöthig, die gewiß Befolgung ver=
dient. Sobald man nämlich sieht, daß die Bie=
nen sich reinigen wollen: so unterlege man jeden
Stock mit einem drei Finger dicken Hölzchen, da=
mit die Bienen desto geschwinder zur Reinigung
ausfliegen können und sich nicht am Flugloche
ihre Flügel durch den Unrath, den sie beim
Drängen fallen laffen, beschmieren und ohne
Noth umkommen. Deßwegen verliert man auch

gewöhnlich beim erſten Ausfluge ſehr viel; daher
iſt es gut, wenn man vor ſeinem Stande, ſo
lang er iſt, 3 bis 4 Schritte breit friſchen Pferde-
miſt ausbreitet. Liegt dieſer 8 Tage und einen
Schuh hoch, ſo rettet man viele Bienen, die
außerdem umgekommen wären. Weil vor dem
Stande bei der Reinigung und ſpäterhin die mehrſten Bienen niederfallen, und auf der kalten Erde
ohne Sonnenſchein umkommen. — Sobald ſich
meine Stöcke gereinigt haben, nehme ich die leeren Höchſel, wie auch allen Unrath vom Standbrette weg und ſehe nach, ob nicht eine Mutter
unter den Todten iſt. Seitdem ich angefangen
habe im Herbſt junge Mütter aufzuſtellen, habe
ich noch keine einzige im Frühjahr todt gefunden.
Kenner wiſſen, daß ſonſt ſelten ein Stand von
20 bis 30 Stöcken ganz frei davon blieb. Wird
die Witterung gegen das Ende dieſes Monats
warm, ſo unterſuche ich jeden Stock, und finde
ich einen, der ſein Flugbrett nicht beſetzt hat, ſo
verkürze ich ihn durch Wegnahme eines oder zweier
wabenleerer Höchſel, damit er ſein Flugbrett beſetzen kann. Dieß Verkürzen iſt ſehr gut, denn
die Bienen ſitzen wärmer und können ſich ſtärker
vermehren. Außerdem hat man auch gar keine

Räuberei zu fürchten. Ich habe seit 12 Jahren gefunden, daß erstens das Verkürzen besser und sicherer ist, wenn es vor der Frühlingsnahrung geschieht, sie falle nun im März oder April, und man die Bienen nicht unten oder auf dem Stand= brette ausfliegen läßt; so hat man auch keine Räuberei zu fürchten; zweitens muß das Ver= kürzen so geschehen, daß nicht zu viel leere Wa= ben weggenommen werden, weil sonst leicht Man= gel an Rosen zur Brut Statt finden könne, wel= ches im Frühjahr sehr schlimm und nachtheilig ist.

§. 42.

Von der Näscherei im Frühjahr, woraus oft eine Räuberei wird.

Der Geruch verleitet im Frühjahr, bei noch nahrungsloser Witterung, die Bienen in andere Stöcke einzuschleichen, ihren Magen zu füllen, und ihre Wohnung damit zu bereichern. Anfangs geschieht es auf demselben Stande, können sie aber da nichts ausrichten, so besuchen sie auch fremde Stände und spüren gleichsam alles aus. Finden nun diese Spurbienen einen mutterlosen oder einen am Volke schwachen Stock, so suchen sie sich satt zu fressen und bringen, wenn sie zum zweitenmal kommen, mehrere mit, die es eben so

machen. Wer nicht unten auf dem Standbrett,
sondern in der Mitte die Oeffnung zum Ausflug läßt, so lange im Frühjahr noch keine Nahrung ist, bei dem kommen diese Spurbienen nicht
zum zweitenmal wieder, sie werden, wenn nicht
Mutterlosigkeit eine Ausnahme macht, zum ersten-
mal so empfangen, daß sie es dabei bewenden
lassen. Werden sie aber nicht gestört, so wird
daraus eine Räuberei. Ein starker Stock hat
oft in Zeit von etlichen Stunden einen schwachen ausgeraubt. Das sicherste Mittel, alle Räuberei zu verhindern, ist: daß ein Jeder starke
Stöcke aufstellt, sie im Frühjahr nicht unten, sondern nach der Reinigung so lange in
der Mitte des Stocks ausfliegen läßt, bis
es Nahrung gibt, — auch vorzüglich weite
Körbe meidet. Kein Mensch in der Welt kann
Bienen auf's Rauben füttern, wie noch viele
glauben, sondern ihr Geruch und Gelegenheit ist
die Ursache. Sich durch Quacksalberei vor der
Räuberei schützen wollen, ist lächerlich. Auf
dreierlei Art kann man sich jedoch im Nothfall
helfen. Man kann 1) den Stock, der beraubt
wird, mit dem raubenden Stock verstellen, so
ist beiden geholfen; denn der Stock, der am Rau-

L

ben bleibt, wird uns wenig nützen, weil er täglich viel Volk verliert. Man kann 2) den Stock,
der beraubt wird, eine Stunde weit wegschicken,
(denn der Räuber ist nie — man glaube meiner
Erfahrung — schuld am Rauben und es geschieht
ihm ganz unrecht, wenn er um eines schlechten
Stocks willen verjagt werden soll. — Jeder Richter, der dazu Befehl ertheilt, handelt wider das
Naturgesetz der Bienen), so ist wieder geholfen.
Man kann 3) den Stock, der beraubt wird, am
Abend unten zuschmieren und ihm da ein Flugloch
einschneiden, wo sein Volk beisammen sitzt, wenn
es auch eine Handhoch geschehen muß. Auf diese
Weise müssen die Räuber durch das Volk, ehe
sie an den Honig kommen, und das laffen sie bleiben. Die Näscherei wird dauern, so lange als
es Bienen gibt; hat man aber starke Stöcke und
leidet keinen mutterlosen, so hat man nichts zu
fürchten. Ich bin in diesem §. etwas umständlich
gewesen, habe mehreres wiederholt erinnert, damit doch endlich das größte Verderben der Bienenzucht — die Frühlings Räuberei — gestört,
und von jedem Bienenwirth vermieden werden
könne.

§. 43.
Vom Verkürzen.

Das Verkürzen geschieht, damit die Bienen
im Frühjahr enger zusammen, folglich auch wärmer sitzen. Honigvorrath und Volksmenge müssen bestimmen, ob ich ein oder gar kein Höchsel
mit leeren Waben unten wegschneiden muß.
Beim Verkürzen muß es warm seyn, sollte es
auch erst im März geschehen können. Kann ich
einen Stülpstock nicht so viel verkürzen, als es
nöthig ist, so schneide ich lieber unten so viel
vom Korbe weg, als daß ich ihn, ohne vernünftig
verkürzt zu haben, stehen ließe. Auch wird der
Korb dadurch nicht verdorben, sondern für die
Zukunft bequemer und besser.

§. 44.
Vom Beschneiden.

Man sah schon lange ein, daß ein überflüssiger
Wabenbau den Bienen mehr schade, als nütze;
ferner daß alte, schwarze Waben nicht so gut
sind als junge, deßwegen wurde es zur Gewohnheit die Stöcke im Frühjahr zu beschneiden. Wem
nun seine Körbe lieber sind, als seine Bienen, der
beschneide sie, merke aber doch auf Folgendes:

L 2

Man beschneide doch ja nicht zu früh und nicht
zu stark, damit man seine Bienen, die der Wärme
im Frühjahr so sehr bedürfen, nicht der Kälte
aussetzt, und dadurch ihnen mehr schädlich, als
nützlich wird: denn so lange es noch kühl ist, hat
man noch keine Motten zu fürchten.

Man hat auch dahin' zu sehen, daß man
keine Brut verderbe. So unvollkommen dieses
Geschäft ist: so ist es doch noch besser, als wenn
man seine Stöcke stehen läßt, wie sie stehen. Sie
erhalten doch dadurch einige junge Waben, und
ihr Trieb erhält neue Nahrung, sie werden munterer und fleißiger, wenn die Frühnahrung gut
ist. Sparsam gehe man immer mit dem Beschneiden um, beim Juden gilts die Vorhaut, und
beim Bienen nicht viel mehr: denn wird zu viel
geschnitten, so ist es, wenigstens bei Bienen,
nicht gut.

§. 45.

Vom Aufbewahren abgeschnittener Waben.

Es ist den Bienen keine so ganz leichte Sache
Waben zu bauen, vorzüglich im Frühjahr; auch
im Herbst hat das zu viele Rosen bauen seine
Nachtheile, das beweiset die Erfahrung: denn ein

Stock, der zur Zeit der Honigärnte stark bauen muß, legt bei Weitem das nicht am Gewichte zu, als ein Stock, der wenig bauet. Deßwegen verwahre ich jedes Stückchen Waben, das noch jung ist, sorgfältig bis im July auf.

Zehnter Abschitt.
Von den Geschäften im März.

§. 46.

Vom Wasserholen und wie man daran einen mutterlosen Stock erkennen und zugleich seinen Bienen nützlich seyn kann.

Weil die Bienen jetzt viel Wasser brauchen, so setze ich ein plattes Geschirr vor den Stand und sorge, daß immer Wasser darin ist. Die Bienen gewöhnen sich daran und holen da ihr Wasser zur Brut. Man rettet dadurch nicht nur viele Bienen, die sonst umkommen, sondern man kann auch sehr leicht einen mutterlosen Stock erkennen. Ein Stock, dessen Bienen im Frühjahr kein Wasser holen, ist mutterlos oder er hat eine unfruchtbare Mutter. Außerdem brauchen

die Bienen zur Zeit einer ſtarken Honigtracht ſehr
viel Waſſer, um ihren Durſt zu ſtillen, ſucht man
nun, an einem ruhigen Orte, immer reines Waſ
ſer ſo ſtehen zu haben, daß die Bienen beim Holen
deſſelben nicht hinein fallen und erſaufen oder
erkalten, ſo rettet man ſehr vielen Bienen das
Leben, die ſonſt über dem Waſſerholen umkom
men, weil ſie oft an ganz unſichere Plätze fliegen
und von Menſchen und Vieh zertreten werden.
Bei fließendem Waſſer oder Brunnen kommen
ohne dieſe Vorkehrung auch viele um, weil ſie oft
ganz unvorſichtig ſitzen bleiben beim plötzlichen
Anſchwellen des Waſſers. In die Geſchirre,
worin man das Waſſer ausſtellt, wirft man Sand
und mit Moos bewachſene Steine, auf dieſe ſetzen
ſich die Bienen und ſaufen das Waſſer ein, ohne
daß ſie Gefahr laufen umzukommen. Finde ich
einen verdächtigen Stock, ſo überzeuge ich mich
von der Mutterloſigkeit auf die Art: ich ſetze am
Abend einen guten Stock auf den Kopf, einen
Schlauch darauf und binde ein Tuch darum, das
mit keine Biene heraus kommen kann. Die Bie
nen riechen den Honig und begeben ſich ſofort
darein. Nach einer Stunde hebe ich den Schlauch
ab, ſetze ihn verkehrt, den verdächtigen Stock

darauf, und verschließe jede Oeffnung. Ist der
Stock nach einer Stunde ruhig, so ist er nicht
mutterlos: ist er aber unruhig und dauert diese
Unruhe bis am Morgen fort, so ist er gewiß mutterlos. Anders verhält es sich, wenn der ver-
dächtige Stock eine unfruchtbare Mutter hat.
Die Unruhe hat zwar Anfangs auch Statt, sie
legt sich aber nach 2 bis 3 Stunden gewiß. Man
kann sich die Sache leicht erklären: denn die Bienen, die aus einem guten Stocke kommen, sind
an Brut gewöhnt. Da sie nun bei einem mutterlosen Stocke weder Brut noch Mutter finden,
so werden nicht nur sie, sondern die Bienen des
Stocks mit unruhig, und diese Unruhe dauert
lange. Finden die Bienen aber, die an Brut
gewöhnt sind, bei ihrer ersten Unruhe, daß die
Bienen im Stocke ruhig bleiben, so ist das für
sie ein Beweis, daß eine Mutter im Stocke ist,
und werden nach und nach ruhig. Waren der
Bienen im Schlauche viel, so dauert auch hier
die Unruhe lange; dann setzen sich aber die Bienen im Stocke vest um die Mutter, um sie zu
vertheidigen. Man kann, wenn man sein Ohr
an den Korb legt, das Geschnarr, das eine solche
Vertheidigung verursacht, deutlich hören.

Hat der Stock eine unfruchtbare Mutter,
so setze ich ihn zwar wieder auf seine Stelle: allein nach 2 bis 3 Wochen mache ich den Versuch
noch einmal, ist die Mutter (wenn es gute Witterung war) noch nicht fruchtbar, so wird sie es
schwerlich je, und man thut am beßten, wenn
man ihn als einen mutterlosen behandelt. So
lange lasse ich jetzt keinen Stock mit einer unfruchtbaren Mutter mehr stehen, weil nichts dabei
heraus kommt. Man darf aber einen solchen
Stock nie eher vereinigen, bis man ihn ausgetrieben und die Mutter getödtet hat, sonst läuft man
Gefahr, daß sich die Bienen stechen, oder daß
wohl gar die gute Mutter getödtet und die schlechte
behalten werde, und der Schade wäre noch größer.
Sich im Frühjahr mit einem mutterlosen Stocke
plagen, wäre Thorheit! Man kann ihm zwar leicht
zu einer Mutter helfen; aber das Fruchtbarwerden hält um diese Zeit sehr schwer. Ich weiß es
aus langer Erfahrung, und warne einem Jeden, sich
nicht damit abzugeben. Man thut am beßten,
wenn man einen mutterlosen Stock am Abend
unter den nächsten Nachbar stellt. Sind es zwei
gewölbte Körbe, so schicke ich sie am Morgen
eine halbe Stunde weg und lasse sie da, auf ein-

ander gesetzt, arbeiten. Ist aber einer in einer bedeckelten Wohnung, so mache ich den Deckel los, und setze den andern darauf, rücke sie auf die Halbschied und lasse sie fliegen. Es ist mir gleichviel, welcher oben zu stehen kommt. Selbst in unbedeckelten Wohnungen zieht man dem gesunden Stock den Stopfen aus und setzt am Abend den mutterlosen Stock darauf, schmiert ihn zu, damit alle Bienen, wenn sie fliegen wollen, durch den untersten Korb müssen. Daß ein starkes Volk im Frühjahr eine unfruchtbare Mutter haben kann, rührt daher; die alte Mutter ging mit Tode ab und es machte sich junge. Vor halben März wird aber selten eine Mutter, die im Frühjahr erbrütet wurde, fruchtbar. Schwache Stöcke scheinen auch unfruchtbare Mütter im Frühjahr zu haben; allein hier ist der Mangel an Wärme Schuld, daß keine Eyerlage Statt findet. Es ist also um volkschwache Stöcke, auch wenn man sie durch den Winter hat, immer noch mißlich!

§. 47.

Vom Nothfüttern.

Ich bin immer ein Feind vom Nothfüttern

gewesen, und habe Sorge getragen, daß ich es
sehr selten auszuüben nöthig hatte. Ein schlechter
Jahrgang kann es aber doch nöthig machen. Die
sicherste Art, reinen Honig zu füttern, ist die: man
nimmt für jeden Stock ein Glas, das einen hal=
ben Schoppen hält; dieses Glas fülle ich mit rei=
nem Honig an. Ist es ausgelaufener Honig, so
thut man wohl, wenn man ihn erst flüssig macht;
ist es aber ausgepreßter Honig, so ist es eben
nicht nöthig: denn dieser ist nie so hart und kör=
nicht, als der ausgelaufene. Es kommt über=
haupt darauf an, ob der eine warm und der an=
dere kalt kandirt. Warm setzt der Honig immer
mehr Körner an, als wenn er kalt kandirt; das
beweist die Erfahrung. Ist das Glas angefüllt,
so binde ich über die Oeffnung ein Stückchen Lei=
nentuch, das aber nicht dichte, sondern ganz los
gewebt seyn muß, damit die Bienen den Honig,
der, wenn man das Glas umdreht, auf das Tuch
zu liegen kommt, bequem durchsaugen können.
Ist die Oeffnung oben am Korbe, worin der
Stopfen steckt, nicht so weit, daß das Glas einen
halben Zoll hinein gesteckt werden kann, so schnei=
de ich so viel weg, bis es hinein geht. — Dieß
Wegschneiden ist nach genauern Versuchen auch

unnöthig geworden; man mag zerlaſſenen oder
Roſenhonig füttern wollen. Man macht ſich
einen Ring aus Lehm und Kuhdreck zwei Finger dick und einen guten Zoll weiter, als das
Geſchirr iſt, in welchem man eben Honig auf den
Stock ſetzen will; man legt den Ring noch naß
auf den Stock, zieht den Stopfen aus und drückt
nun das Geſchirr in den Ring. Auf dieſe Art
kann das Stopfenloch klein ſeyn und es können
doch ſo viele Bienen, als nöthig ſind, um den
Honig zu erwärmen, hinein kommen. — Nun
ſetze ich das Glas ſo hinein, daß das umgebundene
Tuch unten kommt, über das Glas ſtülpe ich einen
kleinen Blumentopf, damit ich nicht nöthig habe
den Korb, wo das Glas eingeſtellt iſt, zu ver-
ſchmieren. Die Bienen ſaugen den Honig durch
das Tuch, bis kein Tropfen mehr darin iſt. Wie
leicht iſt dieſe Art zu füttern, es mag kalt oder
warm ſeyn, ſo holen die Bienen, wenn ihre
Anzahl auch nicht ſtark iſt, doch den Honig heraus;
es beſchmiert ſich keine, ſie fliegen nicht ſtärker,
als Stöcke, die nicht gefüttert werden; kurz ſie
verhalten ſich ſo, als wenn ſie den Honig wirklich
in dem Stocke ſtehen hätten, und was das Schönſte
iſt: ſie zehren bei Weitem nicht ſo ſtark, als wenn

man unten füttert. Dem Verkürzen und dieser
Art zu füttern muß ich im Frühjahr 1805 die
Erhaltung vieler meiner Stöcke zuschreiben, die
ich sonst unmöglich hätte erhalten können. Wer
nahe bei einer Glashütte wohnt, der thut am
besten, wenn er sich Gläser dazu verfertigen läßt.
Sie sind meiner Meynung nach, am bequem-
sten, wenn oben an der Außenseite des Glases,
wo das Tuch umgebunden wird, ein dünner
Rand wär, damit das Tuch nicht sinken oder
weichen kann. Ferner müßte das Glas, so weit
es außer dem Korbe bleiben soll, einen Absatz
haben, der den Zwischenraum, der zwischen Glas
und Korb ist (so weit als nämlich das Glas in
den Korb geht), bedeckte, damit man nicht nöthig
habe einen Blumentopf überzudecken. Endlich
müßte das Glas unten, wo es sonst ganz ist, ein
Loch, von der Größe eines Korkstopfen, haben,
wodurch man, wenn die Bienen den Honig beinahe aufgezehrt hätten, andern zugießen könnte,
ohne das Glas selbst abnehmen zu dürfen. In
Dambach bei Schmalkalden traf ich im verflossenen
Sommer Bienenliebhaber an, die sich solche Gläser, grade wie ich sie beschrieben habe, hatten
verfertigen lassen und sich sehr wohl dabei be-

fanden. Rosenhonig geht aber über alles aus
dere Füttern. Wer dessen aufzuheben sucht,
und die Probe macht, wird mir recht geben;
wer aber das nicht will oder nicht kann, dem
muß ich noch sagen, daß das Glas, was man
dazu brauchen will, oben wo das Tuch aufliegt,
viel weiter seyn muß, als da, wo das Tuch mit
einem starken Faden rund um das Glas vest gebunden wird: denn nicht nur die Schwere des
Honigs, sondern auch die Luft, welche die Bienen beim Aussaugen des Honigs von außen
zwischen Tuch und Glas hinein ziehen, wenn es
auch noch so vest gebunden ist, machen, daß es
sehr rutscht. Ist aber das Glas da, wo das
Tuch aufliegt, viel weiter, als wo es umgebunden ist, so kann es nicht so viel weichen, daß
der Honig neben auslaufen kann. Ich weiß wohl,
daß Hr. Rath Andrä und Andere diese Fütte-
rungsart beschrieben haben, da ich aber schon
vor 12 Jahren die ersten Versuche damit machte,
und sie mir dieses Jahr wirklich gute Dienste lei-
stete, so mußte ich sie hier umständlich beschreiben. Tuch scheint mir zweckmäßiger als Papier
dazu zu seyn, weil die Bienen die Löcher im Papier leicht zu groß machen können. Seit 10 Jah-

ren füttere ich weder zerlaffenen Honig noch fonft
ein Honigfurrogat mehr. Macht ein Zufall Füt;
tern nöthig, fo geschieht es mit Rofenhonig;
aber immer von oben. Entweder ich feße einen
mit Honig bebauten Korb felbft oben über das
Stopfenloch, und laffe den Nothdürftigen fo
lange daraus zehren als er es bedarf, oder ich
fchneide einige Honigwaben heraus, feße fie in ei;
nen Blumentopf und ftülpe ihn über das Stopfen;
loch des Dürftigen. Auch ein im Herbft bebau;
ter Blumentopf ift dazu fehr gut.

§. 48.
Vom Aufhöhen.

Sobald die Nahrung im Frühjahr anfängt,
muß jeder gute Stock aufgehöhet werden. Die
Nahrung muß mir zeigen, wie viel ein Stock
aufgehöhet werden muß. In einigen waldigen
Gegenden, wo frühzeitig gute Nahrung ift, ver;
mehren fich die Bienen fehr ftark, und man hat
Beifpiele genug, daß Stöcke Ende März oder
Anfangs April fchon fchwärmen; aber felten wird
ein früher Schwarm ein guter Ständer, wenn
er nicht in ein bebautes Faß kommt. — Wer
djefe bebauten Körbe hinreichend aufbewahrt, hat

nie Urfache sich über frühe Schwärme zu beklas
gen: je früher je besser, das bringt den höchsten
Ertrag. Wer aber nicht bebaute Körbe verwahrt,
für den gilt das Folgende noch immer, ist noch
immer nützlich und gut: denn die Blüthe ist größs
tentheils dahin, ehe der Schwarm fällt. Wird nun
die Faulbaumblüthe nicht gut, so muß er darben bis
im July, weil in der Zwischenzeit keine Blüthe zu
finden ist, die ihm Nahrung genug geben kann;
Man füttert wohl; allein man hat bei allem
Füttern endlich nichts, als einen elenden, schlechs
ten Schwarm, dem ein schlechterer, der zu Ende
Juny fällt, noch vorkommt. Man sagt gewöhnlich,
der schlechte Stock thue in solchen nicht ganz schlechs
ten Gegenden besser gut, als ein starker, honigreis
cher Stock. Dieß kann bei der gewöhnlichen Bes
handlung zuweilen in solchen Gegenden geschehen:
denn der gute Stock wird nicht aufgehöht, und
schickt sich aus Mangel an Raum, zu früh zum
Schwärmen an. Schwärmt er, so werden die
Schwärme nichts nutz, wenn keine Honigkörbe
vorhanden sind; schwärmt er nicht, so tödtet er
seine Mutter, und ein schlechterer kann ihn leicht
übertreffen. Das Tödten der Mütter geschieht
denn doch selten vor Ende May oder vor Anfangs

Jino. Aber wahr bleibt es ewig, daß ohne Schläuche der mittelmäßige Stock, wenn man die Bienen machen läßt, was sie wollen, oft den stärkeren übertrifft. Doch an uns selbst liegt jedesmal die Schuld. Zudem kann er leicht mutterlos werden, und man hat gar nichts! Wird ein guter Stock aber, bei guter Weide, zweckmäßig aufgehöht, so sammelt er nicht nur reichlich, sondern er vermehrt sich auch sehr stark und wir können ihn im May theilen, wenn man aufbewahrte Körbe hat und sich nicht dem Zufall überlassen muß, und sich einen guten Schwarm versichern; auch bleibt auf diese Art der Mutterstock im beßten Zustande. Er gibt manchmal auch zwei Afterschwärme; diese gut behandelt, ist — man sage was man will — das Wahre in einer regelmäßigen Bienenzucht, die Krone des Ertrags.

Eilfter Abſchnitt.
Von den Geſchäften im April.

§. 49.

Vom Aufhöhen durch Höchſel, worin leere Waben ſind.

Bei ſchlechter Nahrung im Frühjahr darf
man aber keine leeren Unterſätze geben, weil ſonſt
die Stöcke das auf's Bauen verwenden, was
ſie gewinnen, und nachher Mangel leiden. Um
aber volkſtarken Stöcken zu helfen, ſetzt man
Höchſel, die frühe abgeſchnitten wurden, und
worin noch junge Waben ſind, oben auf den
Stock. Hat man aber keine ſolchen Höchſel mit
Waben, ſo ſetzt man ein leeres Höchſel oben auf
den Stock, wenn vorher der Stopfen ausgezogen worden, und ſo viel Waben hinein, als der
Regel nach darin ſtehen können, legt einen Deckel
auf und läßt nun der Natur ihren Lauf. Iſt die
Witterung honigreich, ſo werden die Roſen voll-
getragen. Es kommt nun freilich auf die Witterung an, ob die aufgeſetzten leeren Waben mit
Honig angefüllt werden oder nicht. Dieß Aufhöhen iſt in manchen Jahren von großem Nutzen
und verdient daher Aufmerkſamkeit.

M

§. 50.

Vom Verstellen volksschwacher Stöcke.

Es gibt der Umstände so viele, die bei aller
Vorsicht einen Stock so mitnehmen können, daß
er ohne unsere Hülfe ein schlechter Stock ist und
bleibt. Die schon über das Verstellen geschrieben
haben, sagen alle, man müsse damit warten,
bis Nahrung für die Bienen zu haben sey. Wie
aber, wenn es dem schwachen Stock zu lange
dauert, ehe Nahrung da ist? Sollte man denn
doch warten? Ich thue es nie mehr, sondern verfahre so: Ich nehme am Abend einen recht starken Stock, setze ihn, nachdem die Bienen vom
Standbrette aufgelaufen sind, verkehrt, einen
Schlauch darauf, und lasse ihn so eine gute Stunde
stehen. Es ziehen sich in der Zeit eine Menge
Bienen in den Schlauch, ich hebe ihn ab, setze
ihn verkehrt, und den schwachen Stock darauf,
binde ein Tuch darum, so kommt keine einzige
Biene um. Ist noch keine Nahrung zu haben, so
setze ich den starken, wie den schwachen, 3, 4 bis
5 Tage lang in eine dunkle Kammer, füttere sie
alle Abend, und wenn die Bienen am Fressen
sind, so wechsele ich die Teller.

Durch diesen Tausch lernen sich die Bienen kennen, daß sie sich beim Heraussetzen gar nichts thun. Auch hat das Einsetzen noch den Vortheil, daß die Mutter des schlechten Stocks in der Zeit fruchtbarer wird, so daß es den Bienen des starken Stocks beim Verstellen gar nicht zu fremd ist. Der starke Stock leidet auch nicht zu sehr, weil die Bienen nun ihren neuen Standort sorgfältiger merken, als wenn man sie ohne einzusetzen verstellt. Ist um diese Zeit wirklich Nahrung vorhanden, so setze ich, wenn ich verstellen muß, doch lieber beide einen Tag ein, und wechsele die Futterteller, als daß ich aufs Gerathewohl verstellen sollte. Wer es nachahmt, wird finden, daß ich recht habe. Bei einer gewöhnlichen Behandlung ist das vor 12 Jahren Gesagte noch jetzt anwendbar. Wer aber im Herbst verstärkt, wie ich, und alle Vorsicht im Winter braucht, hat im Frühjahr kein Verstellen nöthig. — Seit 8 Jahren habe ich im Frühjahr nicht mehr verstellt. Ich setze im Herbst meine Stöcke auf, und wenn ein Zufall einen Stock volkschwach gemacht hat, so plage ich mich nicht damit; sein Korb ist mir mehr werth als sein schwaches Volk. Ich setze ihn auf den nächsten guten Nachbar,

M 2

wenn ich vorher den Stopfen ausgezogen habe.
Das Volk bleibt; die Mutter aber wird getödtet,
und da ist kein Schaden, sondern vielmehr Nutzen
dabei. Hr. Wurster meynt, das Verstellen
müßte Nachmittags geschehen und er mag, ohne
Vorbereitung, nicht unrecht haben; allein die
Mutter, wovon er in seiner Anleitung §. 43 spricht,
war Schuld, daß die Bienen zusammen gewürgt
wurden. Es war eine junge unfruchtbare Mut=
ter, und traf Hr. Wurster nicht gerade einen
Stock, der auch eine junge Mutter besaß, oder
einen der nicht lange geschwärmt hatte, mit dem
er diesen verstellte, so erfolgte das Würgen, es
mochte das Verstellen des Morgens, Mittags
oder Abends geschehen. Es kann kein Stock ohne
Gefahr verstellt werden, dessen Mutter nicht über
14 Tage fruchtbar ist, selbst wenn man ihn am
Abend nach dem Verstellen wegschickt, kann es
fehlschlagen. Ich weiß es gewiß und will jeden
Gegeneinwurf beantworten. Nimmt man diese
Regel in Acht, so ist das beschriebene Verstellen
eine vortreffliche Sache bei der Bienenzucht.

§. 51.
Vom Verstärken volkschwacher Stöcke, ohne Verstellen.

Ich lasse, wie beim Verstellen, am Abend

Bienen in einen Schlauch, und aus diesem zum
schwachen Stock laufen, setze den Stock den Tag
über in eine dunkle Kammer, am Abend nehme
ich Bienen von einem andern starken Stocke auf
dieselbe Weise und bringe sie dazu. Am folgen=
den Morgen schicke ich diesen Stock eine halbe
Stunde weit zu einem Freunde, und lasse ihn da
arbeiten. Es versteht sich, daß er noch Vorrath
haben muß, oder daß er Nahrung finden und sich
selbst helfen kann, damit man deßwegen nicht
besorgt seyn darf. Scheuet man das Wegschicken
nicht, so hat diese Art der Verstärkung noch Vor=
zug vor dem Verstellen: denn der schwache Stock
wird stark und die zwei starken, wovon ich das
Volk nahm, fühlen es kaum. Bei gewöhnlicher
Behandlung kann ich noch jetzt nichts Besseres
lehren; es ist die sicherste der Verstärkungsarten
im Frühjahr, die auch nie fehlschlägt.

§. 52.

Von den Drohnen und ihrer Entstehung.

Man nimmt für gewiß an, daß die Droh=
neneyer von der Mutter gelegt werden. Herr
Riem und Andere haben gesehen, daß Eyer
von der Mutter in Drohnenzellen gelegt wurden.

:Auch ich habe mehrmals gesehen, daß die Mutter Eyer in Drohnenzellen legte, und doch kann
ich mich nicht überzeugen, daß die Mutter Drohneneyer lege. Regelmäßig kann sie es nie, und
wenn Jeder gegen mich aufträte. Einige sagen,
die Mutter habe einen doppelten Eyerstock; sie
lege aus dem einen Bienen- und aus dem andern Drohneneyer. Jedem seine Meynung in
Ehren, aber alle Beweise, die ich seit der ersten
Ausgabe sammelte, stimmen dahin: die Mutter
legt aus einem Eyerstock nur Bieneneyer, so lange
ihre erste Fruchtbarkeit dauert. Hr. Wurster
widerspricht diesem und sagt: die Bienenmutter
lege, gleich andern Thieren, aus einem Eyerstock
bald Bienen- bald Drohneneyer. Dieser Satz
gründet sich auf die gewöhnliche Ordnung im Thier-
reiche, ist aber nicht richtig berechnet. Bei vier-
füßigen Thieren z. B. wird nicht der Eyerstock, sondern das Ey oder die Knospe selbst durch den
männlichen Saamen befruchtet: denn der männ-
liche Saame bestimmt das Geschlecht. Anders
geht es bei Insecten; hier wird nicht die Frucht,
sondern der Eyerstock selbst befruchtet. Man
beobachte die Hummel, die Horniffe, die Wespe
und die Biene!

Bei den drei erſten Gattungen bleiben im
Winter nur Weibchen und keine Männchen am
Leben; ihre Eyerſtöcke ſind ſchon im Herbſt be;
fruchtet: denn ein einziges fruchtbares Weibchen
fängt im Frühjahr ihre Haushaltung ganz allein
an. Hier hat Hr. Wurſter recht. Dieß einzige
Weibchen legt aus dem vom vorigen Herbſt her
geſchwängerten Eyerſtock Eyer zu Männchen und
Weibchen. Sie ſind ein Mittelding zwiſchen
den Inſecten, der Biene und den übrigen Thie;
ren, weil hier der Eyerſtock und dort die Frucht
belebt wird. Bei den Horniſſen u. ſ. w. werden nur
Männchen und Weibchen angetroffen. Bei unſern
Bienenvolk hingegen haben wir vom May bis in
Herbſt, dem Geſetz der Natur nach, ein voll;
kommenes, oder beſſer, ein ausgebildetes,
mehrere Tauſend unvollkommene Weibchen, und
hundert Männchen oder Drohnen in einem Stocke
nöthig. Den Sommer hindurch werden die Eyer
zu den Drohnen von den Bienen und nicht von
der Mutter gelegt. Bei der Frühlingsnahrung
werden die erſten von ſolchen Bienen gelegt, die
vom vorigen Jahre her geſchwängert ſind. Theilt
man nun ſeine Stöcke zur rechten Zeit, ſo hört
das Drohneneyerlegen 4 bis 5 Wochen lang auf.

Beim Mutterstock wird, wenn ihm die Mutter genommen ist, der Trieb zu jungen Müttern herrschend; beim Schwarm der Trieb zu jungen Arbeitsbienen. Darüber vergessen die Bienen ihren eignen Begattungstrieb, und es wird kein Honig unnütz verschwendet, sondern zur Bienenbrut verwendet.

Ich hatte 1805 einen Stock, der in der Feldflur nicht schwer genug geworden war, nach der Haide geschickt, und beim Transport nach Hause hatte er aus Mangel an nöthiger Luft etwas gelitten. Ich setzte ihn aus Vorsicht in die schon erwähnte Kammer, damit keine Näscherei entstehe. Ich ließ ihn da 14 Tage stehen, und als ich ihn heraus setzte, fand ich, daß er beim Fahren seine Mutter verloren und sich in der Kammer junge erbrütet hatte. Ich achtete nicht darauf, den es war ohnehin schon eine in Bereitschaft, die er als ein guter Ständer haben sollte. Beim Vereinigen, denke ich, ist die oberste Mutter unfruchtbar, die Bienen werden sie umbringen und die fruchtbare ganz gewiß behalten, was zu einer andern Zeit auch geschehen wäre. Da es aber Herbst war und die fruchtbare Mutter

aufgehört hatte Eyer zu legen, so erkannten sie die
Bienen bei der Vereinigung, die durch Bovist ge-
schahe, nicht für eine fruchtbare an, brachten sie um
und behielten die unfruchtbare, die nun auch nicht
mehr fruchtbar werden konnte, weil keine Drohnen
mehr vorhanden waren.

Im Frühjahr 1804 wollte dieser schöne,
volkstarke Stock nicht gehörig arbeiten. Ich probirte ihn, ob er mutterlos sey, und fand, daß er
zwar eine Mutter hatte, ihm aber dennoch etwas
fehlen müsse, weil die Bienen, womit ich ihn
probirte, sehr lange lärmten, ehe sie sich zur
Ruhe begaben. Auf einmal fiel mir ein, was
es im Herbst für eine Bewandniß mit dem Stocke
hatte, und ich schloß sogleich, was auch der Fall
war, daß er die unfruchtbare Mutter müßte behalten haben. Ich trieb ihn aus und das Folgende wissen wir. — Hr. Wurster geht noch
weiter, und meynt, die Bienen machten sich beim
wirklichen Mangel einer Mutter, durch Vergrößerung der Zelle, eine Biene, die dadurch das Vermögen erhielt Eyer zu legen. — Dieß geht nicht
einmal in einem solchen Schächtelchen, noch viel
weniger in einem Stocke an, der regelmäßig mut-

terlos wird. Bei noch nicht zugedeckter Brut kann
es geschehen, daß durch die plötzliche Vergrößerung
der Zelle aus einer Made eine größere Biene wird.
Hier aber ist es ganz und gar unmöglich! Nach
3, höchstens 4 Tagen vom Ey an gerechnet, kann
der Wurm zu einer Mutter umgeschaffen werden:
nach dieser Zeit ist eine Verwandlung, Vergröße=
rung schlechterdings unmöglich. Es kann weder
eine Mutter noch größere Biene daraus werden.
Die Fähigkeit zu einer stärkern Eylage kann also
am fünften Tage ihr gar nicht mehr mitgetheilt
werden, die Zelle werde vergrößert oder nicht.
Was ich bei der ersten Ausgabe noch halb hin=
gehen ließ, dem muß ich hier widersprechen, weil
ich nun ganz sicher weiß, daß der angeführte
Satz nur eine Meynung und keine Gewißheit ist.
Hatte denn Hr. Wurster vergessen, was er selbst
ganz richtig sagt: „die Bienen würden beim
Mangel einer Mutter und nöthiger Brut durch
ihren Trieb verleitet, Mutterzellen um Drohnen=
würmer zu bauen, woraus weder eine Mutter
noch Biene entstehet, die Eyer legen kann, wel=
ches sie gewiß bei andern Umständen nicht thun
würden.“ Sollten sie nicht noch weit eher durch
diesen Trieb verleitet werden, eine Mutterzelle

um einen 9 bis 10tägigen Bienenwurm zu bauen?
Dürfen wir wohl glauben, daß die Mutterzelle
dem Drohnenwurm etwas nütze? Eben so wenig
wird sie einem 9 bis 10tägigen Bienenwurm nützen
können? Das abgerechnet: können die Bienen, die
mutterlos sind, nicht einmal einen 9 bis 10tägi=
gen Bienenwurm in ihrem Stocke finden, in den
mehresten Fällen haben sie keine Brut mehr, ge=
schweige Würmer. Wie wäre es ihnen nun mög=
lich, einer Biene das Vermögen zu ertheilen, Eyer
zu legen? Kurz, vom Ey an besitzen Bienen schon
das Vermögen Drohneneyer legen zu können:
durch die Begattung mit den Drohnen wird es
ausgeführt, ihre Anlagen werden gerührt und
dann erst zur wirklichen Eyerlage fähig gemacht.
So wie eine Mutter auf sehr lange Zeit befruch=
tet wird, so werden es auch die Bienen für ein
halb Jahr und darüber. Oft werden die Droh=
nen schon im August alle geschlachtet, und doch
legt die Mutter im Januar, Februar, März, April
und May Eyer zu Tausenden zur Fortpflanzung
der Bienen, ohne daß Drohnen da sind. Eben
so sind im April Bienen da, die die Eyerlage
fürs Drohnengeschlecht besorgen, ohne unmittel=
bar vorher einer Begattung nöthig zu haben.

Unstreitig werden auch Bienen durch die Begat:
tung für die kurze Dauer ihres Lebens für immer
fruchtbar, sonst müßte man im Frühjahr mutter:
lose Stöcke, die noch viel Volk haben, finden
können, die keine Drohnenbrut hätten, und das
ist nicht der Fall. Zum Glück ist es für die Bie:
nenzucht kein großer Schade, ob man glaubt, daß
die Mütter oder die Bienen die Drohneneyer legen.
So viel ist gewiß: theile ich meine Stöcke zur
rechten Zeit, so erhalte ich lange nicht so viel
Drohnen als wenn sie beisammen bleiben.

Anmerk. Wie man sich bei der Wahl seiner Stänber,
der jungen Mütter wegen, in Acht zu nehmen hat,
will ich meinen Lesern hier noch zeigen. Erstens eine
Mutter, die vor der Frühnahrung im Frühjahr
erbrütet und fruchtbar wird, erhält nie die Kraft,
die eine andere bekommt, die in oder kurz nach der
Frühnahrung fruchtbar wird. Zweitens eine im
August oder noch später fruchtbar gewordene auch
nicht. Die Ursache davon kann in nichts anders
als in der minder starken Kraft der Drohnen lie:
gen. Drittens die Mütter, die im May, Juny
und July am geschwindesten fruchtbar werden, sind
die beßten zur Zuzucht. Man merke sie sich, so
fällt im Herbst die Wahl zu einer guten Raffe
nicht schwer: denn bei Bienen, wie bei andern
Thieren, kommt auf einen guten Stamm oder

eine gute Art sehr viel an, und in nichts anderem
als in den angeführten Sätzen kann man die Ursache davon entdecken.

§. 53.

Von der Bestimmung der Drohnen.

Beinahe alle Bienenlehrer sagen: die Drohnen seyen die Männchen, die Mutter werde durch
die Begattung mit ihnen fruchtbar. Einige wollen
die Begattung mit angesehen haben, und sagen:
sie habe im Stocke Statt, als Hr. Riem und
andere mehr. Andere sagen: sie habe außer dem
Stocke Statt, als Hr. Eirich. — Hr. Ramdohr bezweifelt sogar die Mannheit der Drohnen und hält sie für Sclaven. Auch er hat seine
Gründe! Er sagt: im ganzen Thierreich zeichne
sich die Mannheit aus, und hier sollte sie unten
anstehen! Wie er denn in der dritten Auflage
seiner Magazinbehandlung u. s. w. Seite 151
und sofort weitläufig davon handelt. Sollten
aber diejenigen, die der Begattung zugesehen haben wollen, uns Unwahrheiten bekannt gemacht
haben? Das läßt sich von solchen Männern nicht
denken: und was man mit Augen sieht, daran
ist doch wohl kein Zweifel! Ferner sagt man: die

Drohnen beforgten, wenn die Bienen mit Ein=
fammlen befchäftigt wären, die innere Deconomie
und würden deßwegen, fo bald die Nahrung an=
fängt abzunehmen, von den Bienen getödtet.
Diefer Satz ift falfch: die Drohnen find nur der
Begattung wegen da. Bekannt ift es, daß Bie=
nen, die ihre Drohnen im Herbft nicht tödten,
mutterlos find. Hr. Wurster wirft die Frage
auf, „Wie kommen die Drohnen, wenn fie im
Herbfte gänzlich abgewürgt werden, im Früh=
jahr wieder in die Stöcke?" Er findet es mög=
lich, daß einige Drohneneyer aufbewahrt und im
Frühjahr erbrütet würden. Wie läßt fich fo
was denken? Es ift unmöglich, obgleich ich fchon
in mehreren Schriften vom Aufbewahren der Eyer
las. Läßt fich wohl irgend ein Ey in dem Grad
der Wärme, den es zu feiner Erbrütung nöthig
hat, aufbewahren? Es ift im ganzen Thierreich
nicht möglich, es ift blos ein hingeworfener Ge=
danke, den man von ihm gar nicht erwarten
konnte. Bei Bienen= und Drohneneyern geht
es gar nicht an; fie verderben in kalter und war=
mer Luft, wenn nicht gleich Anftalten getroffen
werden, daß fie Nahrung erhalten. Hr Wur=
fter fagt: ein Stock fchwärme nie, bevor er

Drohnen habe. Diesen Satz widerlegt die Er=
fahrung. Ich habe mehrere Beispiele gehabt,
daß Stöcke schwärmten, ohne daß sie flugbare
Drohnen hatten, ja ich hatte Fälle, daß noch
nicht eine Drohne ausgelaufen war! Daß dieß
aber nicht oft Statt findet, weiß ich sehr wohl:
denn wir haben gewöhnlich Drohnen, ehe die
Schwärmzeit heran nahet. Bei im Herbste ver=
stärkten Stöcken geschieht es häufig, daß sie in
der Baumblüthe schon schwärmen, und das ge=
schieht fast immer, ohne daß sie flugbare Drohnen
haben. Folgende Fragen muß ich noch aufwerfen
und beantworten: Woher kommts, daß ein star=
kes Volk, daß ich im May theile, nicht so viel
Drohnen erzeugt, als wenn es beisammen bleibt,
da doch der abgenommene Schwarm in einen
Schlauch kommt, worin er Nahrung findet, und
eine Mutter erhält, die fruchtbar ist? Warum
vermehrt sich dieß getheilte Volk in Zeit von
1½ Monat so sehr stark, und warum macht es
nicht auch mehr Drohnen? Zwei Mütter müssen
ja, nach der angenommenen Meynung, sowohl
mehr Drohnen = als auch mehr Bieneneyer legen
können? Warum werden aber mehr Bienen und
viel weniger Drohnen erbrütet? Warum setzt eine

solche abgenommene junge Colonie, in den ersten
28 Tagen gar keine Drohnen an, wenn sie auch
eine fruchtbare Mutter erhält? Warum thut es
auch selten ein Vorschwarm, da doch bei den
mehresten eine fruchtbare Mutter ist? Dieß alles
beweist mir sehr deutlich, daß die Drohneneyer
nur von den Bienen gelegt werden, und daß
es den Naturtrieben der Bienen angemessen sey,
ein starkes Volk zur rechten Zeit zu theilen, damit es nicht mehr Drohnen mache, als es brauchen kann. Eine lange Beobachtung und Erfahrung bestimmen mich zu sagen: die Drohnen
begatten sich außer dem Stocke mit den jungen
Müttern und machen ihre Eyerstöcke zu 3jähriger
Eyerlage fähig. Sie begatten sich in den Stöcken
mit Bienen und machen sie zur Eyerlage zu Drohnen fähig. Andere Geschäfte in und außer
den Stöcken verrichten sie nicht; sie werden im
Herbste von den Bienen, die nicht mutterlos sind,
getödtet, damit für den Winter Ruhe im Stocke
wird. Drei neue Beobachtungen über die Drohnen sind denn doch sehr nützlich und wichtig für
jeden Bienenhalter. Erstens: hat ein Stock geschwärmt oder er ist abgetrieben worden, oder
er hat auf eine andere Art seine fruchtbare Mutter

verloren, fo sehe man nach 28 Tagen nach: liegen dann seine Drohnen auf dem Flugbrett auf einem Haufen beisammen, so ist seine junge Mutter fruchtbar und schon am Legen.

Zweitens: stechen die Stöcke ihre Drohnen im Juny, wenn sie es nicht aus Mangel thun, ab, so haben wir 3 bis 4 Wochen lang schlechte Witterung zu erwarten. Drittens: stechen die Stöcke in der ersten Hälfte des Augustes ihre Drohnen ab, so gibt die Haideblüthe entweder gar keinen Honig oder doch sehr wenig. — Man merke darauf und man wird mir dafür danken.

§. 54.
Von den Krankheiten der Bienen.

Bei aller Aufmerksamkeit kenne ich mehrere Krankheiten nur dem Namen nach. Hier sind die mir bekannten: Die Ruhr ist gefährlich, da sie aber, wie ich aus Erfahrung weiß, fast immer die Folge der Unwissenheit und der Nach= lässigkeit ist, so kann man sie von sich entfernt halten. Sie trifft vorzüglich volkschwache Stöcke, die im Winter und Frühjahr zu kalt sitzen; späte Schwärme, deren Bau zu zart ist und deren Ho= nigvorrath nicht die gehörige Ausdünstung erhal=

N

ten konnte. Auch der Mangel an Blumenmehl
trägt dazu bei. Wer starke Stöcke stehen läßt,
hat sie nicht zu fürchten. Die Faulbrut habe ich
auf andern Ständen kennen gelernt. Auch sie
entstehet durch Kälte und Mangel an Nahrung.
Da füttert mancher seine volkschwachen Stöcke,
im Frühjahr, bei guter Witterung recht brav:
die geringe Anzahl Bienen setzt deßwegen oft über
Vermögen Brut an; bleibt die Witterung nun
gut und die Nahrung kommt dazu, so können
aus schlechten Stöcken gute werden. Rechnet
man aber das Futter in guten und schlechten Früh-
jahren, so ist immer mehr Schaden, als Nutzen
dabei. Tritt nun noch obendrein, ehe die Nahrung anfängt, plötzlich naßkalte Witterung ein,
so zieht sich das Völkchen zusammen, läßt die
junge Brut abstehen und läuft Gefahr, wenn
nämlich die nasse Witterung über drei Tage anhält, faulbrütig zu werden. Diese Faulbrut ist
denn doch nie so gefährlich, als die durch schlechte
Nahrung erzeugte Faulbrut: die abgestorbene
Brut, die von Verkältung herrührt, wird nie so
stinkend und so rotzig als jene, steckt auch nicht an.
So lange ein Stock bei nasser Witterung das
gegebene Futter aufholt, braucht man nicht bange

wegen der Faulbrut zu seyn. Holt er aber keinen
Honig mehr auf, so ist es Zeit, ihn wärmer zu
zu setzen. Will ein Stock, nach vorhergegangener
naßkalten Witterung nicht arbeiten, so sehe man
nach. Ist nur ein kleiner Theil der Brut faul,
so schneide man sie aus: ist aber viele faule Brut
darin, und fängt sie schon an zu stinken, so muß
man die Bienen austreiben und in einen andern
Schlauch laufen lassen, wenn man sie erhalten
will. Ich kam vor 28 Jahren zu einem Manne,
der mir sogleich sagte: er habe einen Stock,
dessen Bienen gar nicht fliegen wollten. Ich un=
tersuchte den Stock, und fand, daß er durch und
durch faulbrütig war. (Die Hauptursache dieser
stinkenden Faulbrut war, wie ich nun weiß, diese:
der Mann hatte seit 4 Wochen süßes Apfelkraut
(Apfelmost) mit Honig vermischt, gefüttert, er
dachte den Stock dadurch zu helfen, und verdarb
ihn, und so geht es noch oft, und dann will man
die Quelle des Uebels anderswo suchen!) Ich
fragte sogleich nach einem Schlauch, und der
Mann erhielt einen von seinem Nachbar, es wa=
ren Waben, aber kein Tropfen Honig darin.
Ich brach den faulbrütigen Stock aus (zum
Austreiben waren die Bienen schon zu matt),

N 2

ſtrich die Bienen von den faulbrütigen Waben in
den Schlauch, goß einen Löffel voll warmen
Honig über ſie her, band ein Tuch um den Korb
und ließ ihn ſo bis am Abend ſtehen. Die Bienen wurden munter, ich ſetzte ihnen Honig unter,
und am Morgen war er aufgetragen. Die Witterung wurde gut und der Stock arbeitete ſo
fleißig, daß er einer der ſchönſten Stöcke auf dem
Stande wurde. Dieſer Mann hatte ſtark gefüttert und gerade da die naſſe Witterung einfiel,
war ſein Honig alle. Der Stock war nicht ſchwach,
hatte aber ſehr viel Brut eingeſetzt; da er nun
nicht gefüttert wurde und auch nichts holen konnte,
ſo zog ſich das Volk zuſammen, und ließ die Brut
abſterben. Ein Stock kann aber noch Honig haben,
und dennoch faulbrütig werden. Bei guter Witterung im Frühjahr beſetzt ein ſchwaches Volk
ſo viel von der Wohnung, als es nur immer kann,
und ſetzt viel Brut an: wird es kalt, ſo zieht ſich
das Völkchen nach dem Honig und läßt die Brut
abſterben. Die Faulbrut, die von Kälte herrührt,
iſt nicht erblich, wird auch nie ſo ſtinkend als
die, welche von unreinem Honig, falſchem Futter,
oder einem gänzlichen Mißjahr herrührt. 1816
war am Rhein das ſtärkſte Mißjahr für Bienen,

das seit hundert Jahren war. Es waren aber
auch die mehresten Stöcke faulbrütig. Das Bis=
chen Honig, das aus solchen ausgebrochenen
Stöcken unvorsichtig warm ausgemacht worden
war, wurde 1817 Gift für viele Stöcke. Das
Rotzige der stinkenden Faulbrut hatte sich mit
dem Honig vereinigt. Beim Füttern wurde auch
der jungen Brut davon gegeben und sie zeugte
sich im Frühjahr 1817 bei vielen Stöcken wieder,
und richtete große Verwüstung an!

Jetzt kann ich begreifen, daß fremder, un=
reiner oder in Kupfer gestandener Honig die Faul=
brut befördere — sie erzeugt. Die Mutter ist
nie an der Faulbrut schuld, wie ein Schriftsteller
vor Kurzem angab. Man halte gute Stöcke, füt=
tere weder zerlassenen Honig noch sonst ein Honig=
surrogat, so weicht man ihr aus. Nur in sehr
schlechten Jahren ist es besser, als seine Stöcke
sterben lassen. Warum kennt der Rheinländer die
Faulbrut fast gar nicht? Eben darum, weil er
fast nie füttert, und sollte ihn einmal die Noth
dazu zwingen, so füttert er mit Honigrosen, deren
er immer vorräthig hat, weil er bebaute Körbe
aufbewahrt. —

Noch einmal, man halte ſtarke und gute Stöcke, ſo wird man höchſt ſelten Faulbrut gewahr werden. Die Buckelbrut habe ich etlichemal auf meinem Stande gehabt und gefunden, daß die Mutter oder auch die Begattungszeit Schuld daran iſt. Hier iſt ein ſolcher Fall: es wurde mir vor 14 Jahren ein Stock buckelbrütig, deſſen Bienenmutter kaum 6 Wochen alt war. Sobald ich es gewahr wurde, trieb ich dieſen und auch einen recht guten Stock aus, ſuchte aus jedem Volke die Mutter und tauſchte ſie um: der buckelbrütige Stock erhielt alſo die gute Mutter und der gute Stock die andere. In 14 Tagen war die Buckelbrut auch in dem guten Stock, und ihrer wurde täglich mehr. Ich tauſchte dieſe Mutter noch mit einer andern um, und es ging nicht beſſer. Sobald dieſe Mutter 3 Wochen aus einem Stocke war, ſo hörte auch die Buckelbrut ganz auf. Ein Mehreres, wenn ich von der Begattung handeln werde. Hr. Wurſter ſagt: die Buckelbrut beweiſe, daß den Bienen das Eyerlegen abzuſprechen ſey: und ich finde da einen Grund mehr, daß es ihnen zuzuſprechen ſey. Hr. Wurſter ſagt ja doch ſelbſt, wenn die Drohnen regelmäßig in Drohnenzellen angetroffen würden, ſo ſey das ein Be-

weiß, daß eine Mutter im Stocke sey; sollte es
auch eine verdorbene seyn. Warum gilt dieser
Satz nicht auch bei der Buckelbrut? Ist eine ganz
untaugliche mehr, als eine nur zum Theil verdorbene? Nein, sondern die Bienen wollen das ersetzen, was der halbfruchtbaren Mutter fehlt,
und deßwegen stehen die Drohnen neben den Bienen in Bienenzellen. Ist die Mutter ganz unfruchtbar, so stehen die Drohnen regelmäßig in Drohnenzellen. Ist aber gar keine Mutter im Stocke,
so stehen die Drohnen wieder unregelmäßig; ein
Beweis, wie gern Bienen ihres Gleichen fort-
pflanzten, wenn sie nur könnten! Die Läuse werden auch zu einer Bienenkrankheit gerechnet. Hr.
Wurster sagt: bei volkschwachen Stöcken wären
sie am ersten zu finden. Ich habe aber noch immer das Gegentheil gefunden. Liegt ein Stock
im May oder in der ersten Hälfte Juny vor, und
wir erhalten naßkalte Witterung, so zieht sich
das Volk wieder in den Stock zurück, die Bienen
sitzen dick aufeinander und es entstehen, ohne Zugluft, gern Läuse. Theilt man aber dieß Volk,
so hat man, wie ich wohl weiß, keine Läuse zu
fürchten. Die Tollkrankheit kenne ich gar nicht.
Die Büschelkrankheit, oder wie man sagt: die Bie-

nen haben Sträuschen, ist eigentlich auch keine
Krankheit. Denn sie ereignet sich gewöhnlich
auch bei nahrungsloser Witterung bei starken Stöcken; die Bienen sind dabey munter und so bald
bessere Nahrung und also auch mehr Beschäftigung
eintritt, so verlieren sich die Sträuschen von selbst.
Ich habe nie Schaden dabey gespürt.

§. 55.
Von künstlicher Fütterung

Ich habe von künstlicher Fütterung nie viel
gehalten, und nach 12jähriger Erfahrung und
Beobachtung rathe ich jetzt nur im äußersten Nothfall Gebrauch davon zu machen. Es haben zwar
alle Mehl- und Obstfrüchte Schleim und Zuckerstoff bei sich; allein unsere Bienen holen den fein-
sten Saft aus den Blüthen oder in sehr heißen
Tagen, wo die Natur ihre gesetzten Schranken
überschreitet, von den Blättern der Bäume: in
ihren von Gift zu 30 bis 36 Grad erhitzten Magen wird der Schleim und Zuckersaft zu Honig ge-
läutert und gekocht, und ist ihnen nützlich und
gesund. Eine größere Hitze ist dem Schleim und
Zuckerstoff für Bienen zuwider; die feinen Theile
verfliegen im Kochen und nur die gröbern bleiben,

Es pflegen auch die Bienen nur im schlechten Jahr-
ren sich nach etwas anderem umzusehen und wollen
uns dadurch lehren, daß sie lieber mit was schlech-
terem zufrieden sind, als Hungers sterben. In
guten Jahren sieht aber selten Jemand eine Biene
nach einer andern Süßigkeit fliegen, als was
Stoff zu Honig für sie enthält. Man geht so
leicht zu weit, und will dasjenige, was man zur
Zeit der Noth brauchen kann, sogleich für immer
anwendbar erklären, und zuletzt sollen die armen
Bienen noch aus jeder Süßigkeit Honig machen;
allein ich zweifle sehr, ob dieß geschehen kann!
Ich bin weit entfernt, das Forschen und Probiren dieser Art zu tadeln, vielmehr freuet es mich
sehr, wenn ich höre, daß irgend Jemand glücklich
in seinen Versuchen war; allein wir müssen dabei
doch nie den Gang der Natur aus den Augen
lassen, und ihr sogleich vorspringen wollen, sondern sie ist und bleibt der Maaßstab, nach welchem
wir unsere Versuche abmessen müssen, wenn sie
uns weiter führen sollen. Ist es nicht weit vernünftiger gehandelt, wenn man den, von den
Bienen gesammelten Honig im Winter nicht wieder unnöthig von den Bienen verzehren läßt, daß
man sie hindert, damit sie den Sommerhonig nicht

zu einer überflüssigen Drohnenmaffe verschwenden,
als wenn man sich mit fremden Futter plagen und
seine Bienen krank und faulbrütig machen will.
Hr. Riem, und nach ihm Hr. Ramdohr haben bewiesen, daß die Würze von Weizen- und
auch Gerstenmalz, mit etwas' Honig vermischt,
ein gutes Futter für Bienen zur Zeit der Noth,
oder auch bei nahrungsloser Witterung sey. Wir
müssen diesen Männern danken, daß sie uns dieses Mittel bekannt machten; wir müssen aber auch
nicht gleich auspofaunen wollen, daß dieß Ho-
nigsurrogat das thut, was Honig leistet, oder
daß unsere Bienen zu unserm Vortheil Honig daraus bereiten könnten. Nein, wir müssen es ansehen als ein Mittel, das uns zur Zeit der höchsten Noth gute Dienste leistet. Zudem kommt das
Maaß dieser Würze am Rhein auch weit höher,
als wo die Früchte nicht so hoch im Preise stehen.
Denjenigen meiner Leser, welche die Schriften
dieser Männer nicht haben, mag es doch angenehm seyn, wenn ich hier die Zubereitung des
Malzsyrups entlehnt stehen lasse, um ihnen auf
den Nothfall nur dieß Mittel und den Farinzucker
als anwendbar zu erklären. Es sagt Hr. Ramdohr: „Man nehme 2 gehäufte Berliner Viertel

gutes, in der Luft getrocknetes Weizen=Malz, er
sagt Seite 67, er habe auch Gersten=Malz gut
gefunden, laſſe es in der Mühle gröblich ſchroten,
thue es in eine Art Stellbottig, worin man ſein
Hausbier zu brauen pflegt, rühre es mit warmen
Waſſer zu einem dünnen und flüſſigen Brey un=
ter einander, und laſſe es beinahe eine Stunde
in dieſer Maiſche zugedeckt ſtehen, damit ſich das
Malzſchrot völlig aufflöſen kann. Nach einer
Stunde gieße man auf dieſe Maiſche 3 Eimer,
zu 12 Berliner Maaß, ſiedend heißes Waſſer, und
rühre es etlichemal mit einander um. Nach wie=
der einer guten Stunde wird der Aufguß als
Würze klar abgezapft, in einen Keſſel gethan, und
unter beſtändigem Abſchäumen 1½ Stunde gar=
gekocht. Die gargekochte Würze gieße ich in ein
Gefäß, worin ſie ſich abkühlen und völlig ſetzen
muß. Dann ſeihe ich ſie durch einen dicken Flanell,
oder Fries, damit alle Mehltheile zurück bleiben,
und ſetze ſie abermals aufs Feuer. Sobald ſie
nun zu kochen anfängt, nehme ich zu 2 Maaß
Würze ein Pfund Honig, thue ſolchen in den
Keſſel, und laſſe beides unter beſtändigem Ab=
ſchäumen, bis auf 2 Drittel einkochen, ſo daß
von 2 Maaß Würze und ein Pfund Honig 1½

Maaß Syrup erhalten wird." Kann man von
einem Bierbrauer Würze haben, so hat man, zumal bei wenigen Stöcken, nicht nöthig, sich selbst
welche zu zubereiten, und man erreicht denselben
Zweck. Farinzucker in Wasser aufgelöst, nachher gekocht und geschäumt, kann auch im Nothfall gefüttert werden; es ist aber auch theuer
Futter! Beim Einkochen hüte man sich vorzüglich starkes Feuer zu gebrauchen; man lasse es nur
sehr langsam verrauchen.

Syrup von Birnen, Aepfeln, Runkelrüben und
Zwetschen verwerfe ich ganz — es ist eine Tändelei und führt zur Faulbrut, selbst das aufgekochte
Honigwasser ist, wie ich nun wohl weiß, schädlich; sogar im Herbst darf es nicht einmal gefüttert werden, wenn unsere Stöcke gesund und
munter bleiben sollen.

Am Rhein fand ich noch alte Bienenhalter,
die, wenn sie im Frühjahr zu füttern genöthigt
waren, Milch, so wie sie aus der Kuh kam, unter recht guten Honig mischten und ihre Stöcke
damit fütterten. Ich habe nachtheilige Folgen
bei ihnen wahrgenommen, obschon es auch eine

Schnürerei ist, die ich nie habe leiden können.
Kurz, Rosenhonig ist die reinste Fütterung, die
man zu allen Zeiten ohne Gefahr gebrauchen kann!

Zwölfter Abschnitt.
Von den Geschäften im May.

---

§. 56.
Vom Vermehren der Bienenstöcke.

In der Mitte Mays mache ich gewöhnlich
die ersten und zu Ende desselben die andern
Schwärme; auch wohl alle auf einmal, je
nachdem meine Stöcke beschaffen sind. Wenn der
Weißdorn und Hagedorn 8 Tage geblüht hat, so
ist es Zeit starke Stöcke zu vermehren. Diese
Blüthe fällt gewöhnlich im May.

Vier Arten der Vermehrung sind bis jetzt
bekannt. Erstens: Vermehrung durchs Schwär:
men oder freiwillige Vermehrung. Zweitens Ver:
mehrung durch Theilung der Magazinwohnung
(von Riem erfunden). Drittens Vermehrung

nach dem Schirachschen Betrug; und endlich
viertens, Vermehrung durchs Abtreiben.

Diese letzte Art ziehe ich allen übrigen vor,
weil sie sicher, gemächlich und ganz ohne Schaden bei aufbewahrten Körben Statt finden und
frühe unternommen werden kann, welches den
höchsten Ertrag gewährt. Gesetzt ich hätte 20
Stöcke, die ich durchs Abtreiben theilen wollte,
so nehme ich jetzt die 15 stärksten, setze am Abend
einen jeden verkehrt und von solcher Weite, wie
der Stock ist, einen leeren Korb darauf und binde
ein Tuch rund herum, damit keine Biene heraus
kann. Der Stopfen am leeren Korbe ist aber
nöthig ausgezogen zu werden, wenn es sehr
schwül und warm ist: denn ich habe erfahren,
daß einige, die eine solche Vorbereitung getroffen, während der Nacht das ganze Volk erstickt
hatten; man kann ihn ja leicht am Morgen wieder einstecken und dadurch das Fliegen verhindern. Mir ist es zwar nie geschehen, doch um
auch dieses Uebel zu verhüten, schreibe ich es
Jeden zur Warnung nieder. Die Bienen, die
auf dem Standbrette liegen, treibe ich aber erst
mit Tabacksrauch in die Höhe, ehe ich den Stock

davon nehme, damit keine umkommen. Diese
Vorbereitung iſt gut, 1) weil ich mich am Mor‐
gen nicht zu übereilen brauche, und beim Abtrei‐
ben nicht ſchon Bienen im Felde ſind, die ſonſt
bei der Wiederkunft ihre Wohnung nicht finden,
und leicht, wenn man auch eine leere Wohnung
ſo lange auf die Stelle ſetzt, zu ihrem Nachbar
eingehen können, der dann nicht immer friedlich
geſinnt iſt und ſie tödten kann; 2) weil ſie das
Abtreiben ſehr erleichtert; es haben ſich während
der Nacht, da keine Oeffnung ohne das Stopfen‐
loch zum Ausfliegen im Stock iſt, am Morgen ſehr
viele Bienen in die leere Wohnung gezogen, ich
darf alſo des Morgens nur ein wenig am unter‐
ſten vollen Korbe rund herum klopfen, *) ſo zieht
ſich der Schwarm in die Höhe und hängt ſich in
der leeren Wohnung an. Sobald man das an dem
Brauſen und Lärmen der Bienen in der leeren
Wohnung hört, läßt man mit dem Klopfen nach,

*) Dieſes Klopfen verrichte ich bei Strohkörben blos
mit den Händen. Bei hölzernen Wohnungen geht
es beſſer mit Stöckchen. Wollte man ſolche auch
bei Strohkörben brauchen, ſo müßte man ſie mit
Werg u. dergl. umwickeln, damit die Körbe nicht
leiden.

wartet 2 bis 3 Minuten, damit sich die Bienen
von dem Tumult erholen, bindet dann das Tuch
los und hebt die leere Wohnung mit dem Schwarm
ab, setzt sie auf ein vorher schon deßwegen hin-
gelegtes Brett, jagt die Bienen im Mutterstock
mit Rauch zurück und setzt ihn auf seine Stelle.
Das Brett muß, wenn es der Absicht völlig ent-
sprechen soll, glatt gehobelt und schwarz angestrichen seyn; auch müssen zwei dreikantige, 9 bis
10 Zoll weit von einander entfernte Stäbchen
darauf angebracht seyn, damit man beim Nieder-
setzen des Korbes keine Biene quetsche. Auf
diesem Brette lasse ich die leere Wohnung mit
den Bienen ¼ Stunde stehen, nach Verlauf dieser hebe ich sie auf, setze sie daneben und sehe
nach, ob auch Eyer auf dem Brette sind. Diese
Eyer sehen denjenigen sehr ähnlich, welche die
Schmetterlinge im Nachsommer auf Kappus (weiß
Kraut) und Kohl legen, und lassen sich, weil sie
weiß sind und das Brett schwarz ist, leicht erkennen. Finde ich diese Eyer, so ist es ein Beweis, daß die Mutter mit abgetrieben und unter
den Bienen ist, wie auch, daß es die alte noch seyn
muß, und so ist der Schwarm fertig und sehr
gut. Finde ich aber keine Eyer, so muß ich den

Korb noch einmal darauf setzen und ihn noch eine ¾ Stunde stehen lassen; finde ich nach dieser Zeit noch keine Eyer, so ist entweder die Mutter nicht dabei, sondern noch im Mutterstock, oder die alte fruchtbare Mutter ist mit Tode abgegangen und ich habe eine junge unfruchtbare, was aber in der Hälfte des May ein sehr seltener Fall ist. Sich davon zu überzeugen, bindet man ein Tuch um die Wohnung, damit alle Bienen darin einge= schlossen sind und keine heraus kann, setzt den Korb an einen kühlen Ort, doch so, daß die Bienen Luft haben; das heißt, man verschließt den abgetriebenen Schwarm in der leeren Woh= nung, wenn auch keine Eyer auf dem Brette lie= gen, um doch ganz sicher zu wissen, ob die ab= getriebenen Bienen eine Mutter bei sich haben; Sind die Bienen nach einer halben Stunde noch ruhig, so haben sie eine Mutter bei sich, es mag nun eine fruchtbare oder eine noch unfruchtbare seyn. Sind die Bienen aber unruhig, lärmen, und suchen auszubrechen, so sind sie ohne Mut= ter. Ich gehe daher zum Mutterstock, drehe ihn herum, jage die Bienen mit Rauch zurück, und sehe ob alle zur Brut bestimmte Waben noch mit derselben besetzt sind. Finde ich dieses, so ist es

O

doch die alte Mutter, welche die Bienen bei sich
haben, und ich traf gerade den Zeitpunct, wo sie
nicht legte. Unter hundertmal trifft man, wie ich
wohl weiß, kaum einmal den Fall, daß eine fruchtbare Mutter über eine halbe Stunde wartet, ehe
sie legt, zumal wenn sie im May aus einem starken Stocke kommt. Fände ich aber, daß der Mutterstock von Brut rein oder nur hie und da noch
Brut zu sehen wäre, so hätte ich bei den Bienen
eine junge, noch unfruchtbare Mutter. Da ich
nun mit einer solchen meinen Zweck nicht erreichen kann, so lasse ich Bienen und Mutter wieder in den Mutterstock ziehen, und nehme einen
andern statt diesen. Das Einziehenlassen geht
am leichtesten, wenn man den leeren Korb auf
den Kopf setzt, den Mutterstock geschwind darauf,
und ein Tuch darum bindet, oder sie so, wie sie
auf einander stehen, in eine dunkle Kammer un-
zugebunden setzt, bis sie aufgelaufen sind. Man
kann den Mutterstock auch auf seiner Stelle stehen lassen und ihn oben den Stopfen ausziehen,
die leere Wohnung mit den Bienen darauf
setzen und oben ein Tuch darum binden. Sind
die Bienen, wenn keine Eyer auf dem Brette
waren und nun zugebunden in einem leeren Korbe

stehen, wie schon gesagt worden ist, nach einer
Stunde sehr unruhig, lärmen und brausen, so ist
es ein sicheres Zeichen, daß sie keine Mutter bei
sich haben; sie ist also im Mutterstocke geblieben
oder ist todt und die eingesetzten jungen sind noch
nicht ausgelaufen. Man hat in diesem Falle
beim Mutterstocke nachzusehen, ob er noch ganz
voll Brut steht. Finde ich 2 bis 3tägige Würmer
oder gar noch frische Eyer in den kleinen Zellen,
so ist die alte noch da; ist hingegen wenig Brut
vorhanden, oder sind in den angesetzten Mutterzellen Würmer oder gar Nymphen, so ist die alte
Mutter todt, und die jungen sind dem Auslaufen
nahe; es ist besser, wir lassen das Volk wieder einziehen, und lauern auf das Rufen der Königin oder
der jungen Mütter. Man lasse sich aber nicht ab-
schrecken; ich mußte den möglichen Fall, wo die
alte Mutter todt seyn kann, beschreiben, obgleich es unter hundert, ja ich darf hinzu setzen,
5 bis 600mal bis halben May nicht eine einzige ist. So verfahre ich, bis alle 15 abgetrieben sind.

[In der vorigen Ausgabe verfuhr ich noch
anders; ich machte von 4 alten Stöcken, die ich
abtrieb, nur 2 Schwärme; da aber bei guten

Ð 2

Stöcken und aufbewahrten, bebauten Körben die
Sache so noch weit sicherer und mit weniger Mühe
verbunden angeht: so ist es meine Schuldigkeit,
darauf aufmerksam zu machen und das Leichtere
und Bessere vorzuziehen.]

Die abgetriebenen Schwärme setze ich nun
mit den leeren Wohnungen im Bienenstande hin,
doch jeden Schwarm wenigstens 6 bis 7 Schritte
weit von seinem Mutterstocke entfernt. So bleiben sie stehen bis am Abend; wenn es dunkel worden ist, dann hole ich so viel bebaute Honigkörbe,
als ich Schwärme gemacht habe, setze einen jeden Schwarm verkehrt und einen bebauten Honigkorb darauf, so ziehen sich die Bienen während der Nacht in die Honigkörbe; man hebt
diese am Morgen ab, nimmt die leeren Körbe
weg und setzt sie nun zum Fliegen auf dieselbe
Stelle, wo sie Tags vorher in den leeren Körben
standen. — Man thut sie deswegen erst am Abend
in die bebauten Körbe, damit keine Unruhe und
Näscherei entstehen kann und auch deswegen, damit die Bienen nicht durch den Honig auf einmal
zu stark zum Fliegen verleitet, und zu stark zum
Mutterstock auf einmal fliegen. Besser, es gehen
nach und nach drei Tage lang täglich etliche Bie-

nen zum Mutterstock, so ist man sicher, daß viele
junge Mütter erbrütet werden und man freiwillige
Nachschwärme (Afterschwärme) erhält, wenn die
Witterung gut ist.

Um die ersten Schwärme bekümmere man
sich nicht, wenn sie auch in 8 Tagen nicht recht
fliegen wollen, das thut nichts, sie werden schon
fliegen, und ehe man es denkt, stark und gut
dastehen!

Hier kann man zwei Fragen aufwerfen. Erstens: warum ich von 20 Stöcken nur 15, und
nicht alle 20 auf einmal abzutreiben anrathe, und
ob es zweitens nicht besser sey, heute fünf, nach
etlichen Tagen wieder fünf und sofort zu nehmen?
Ich antworte: daß es besser und sicherer gehandelt sey, wenn man einige Stöcke auf den Nothfall stehen läßt und diese erst nach 10 Tagen abtreibt, damit man, wenn von den ersten etliche
Stöcke oder Nachschwärme mutterlos werden,
man mit alten oder jungen Müttern, nachdem es
kommt, wieder helfen kann. Gesetzt ich hätte
nach dem ersten Abtreiben nicht überflüssig junge
Mütter erhalten, so benutze ich beim Mutterloswerden die jungen Mütter der zuletzt abgetriebenen dazu, weil sie 14 Tage später, mithin in die

Zeit des Mutterloswerdens fallen. Auch brauche
ich manchmal die letzten Abtreiblinge oder doch
ihre fruchtbaren Mütter dazu. Man hat also,
wenn man es so macht, immer eine sichere Stütze
auf den Nothfall dastehen, und dafür muß jeder
vernünftige Bienenwirth sorgen.

Die zweite Antwort ist noch wichtiger. Die
Hauptursache, warum ich die größte Anzahl meiner Stöcke von Anfang auf einmal abtreibe, ist,
daß die freiwilligen Nachschwärme dann auch
kurz nach einander folgen; man hat nicht viel und
nicht lange Aufpassens nöthig, und kann sie ferner so stark, wie man sie haben will, aufstellen,
indem man sie nach Gefallen vereinigen kann.
Es fliegen dann auch die jungen Mütter ziemlich
zu einer und derselben Zeit aus, und man kann
sich auf einmal geschwind überzeugen, was fruchtbar geworden und was verloren gegangen ist oder
wo geholfen werden muß. Alle diese Vortheile
sind schon einleuchtend genug, daß es so besser
sey. Der Hauptpunkt kommt aber jetzt: denn
kommen die Nachschwärme nach 8 zu 8 Tagen,
so fliegen die Mütter der erstern schon aus, wenn
die andern fallen, und da die Nachschwärme größ-

tentheils des Nachmittags erscheinen, so geschieht
es nur zu häufig, daß sie gerade um dieselbe Zeit
kommen, wo auch die Mütter der erstern aus=
fliegen. Nun geschieht es, daß sich mehrere
Mütter durch den Schwarmton verleiten lassen
und sich zum neuen Schwarm gesellen, wo sie
auf eine ganz unschuldige Weise todtgestochen
werden, und es entstehen weit leichter mehr mut=
terlose Stöcke, als wenn man sie größtentheils auf
einmal abtreibt. Diese Ursachen werden hinrei=
chen und jeden Bienenhalter beweisen, daß es
so am beßten und nützlichsten geschehen müsse,
weil jedes Gute dem Schlechteren vorgezogen
werden muß.

§. 57.

Von dem Unterschiede fruchtbarer und unfruchtbarer Mütter.

Ein bekannter Schriftsteller trug vor einigen
Jahren die Lehre vom Abtreiben ganz anders vor:
er wollte nämlich, daß man beim Abtreiben schon
junge Mütter haben sollte und diese jungen Müt=
ter oder Reserveköniginnen sollte man hingeben,
wo sie fehlten, daß heißt: der ausgetrommelte,
abgetriebene Schwarm erhält eine Reservekönigin,

wenn die alte Mutter im Mutterstock geblieben
ist; hat der abgetriebene Schwarm die alte Mutter, so soll man dem Mutterstock eine Reservekönigin geben. Hat denn der Herr Verfasser noch
nie erfahren, wie es ein Mutterstock mit einer
solchen Reservekönigin macht? Und wenn er es
erfahren hat, warum gibt er uns keine Regel an,
wie wir uns dabei verhalten sollen? Er gab einer
abgetriebenen Mutterstocke eine solche Reservekönigin, und, ohne nur ein Wort von einer Untersuchung zu erwähnen, glaubt er Wunder, wie
viel Vortheile er dem Stock verschaft habe; denn
er sagt ferner: „Alle, welche sie (die Stöcke,
denen er junge Mütter gegeben hatte) gesehen
hätten, wären über den glücklichen Erfolg erstaunt,
und das bei einem nicht ganz günstigen Jahrgang!"
Hätten alle diejenigen die Sache aus Erfahrung
wie ich, gekannt, so hätten sie auch wohl erstaunen mögen, daß sich kein unglücklicher Erfolg gezeigt hätte. Es braucht auch gar kein Erstaunen
zu erregen, da seine abgetriebenen Mutterstöcke
auch ohne dieses Pflaster, ganz gewiß die nämlichen geworden wären. Was ist hier, was einen
so in Erstaunen versetzen kann? Eine alte fruchtbare Mutter nimmt jeder abgetriebene Mutterstock

sehr gern und willig an, aber eine noch unfrucht=
bare Jungfer sehr ungern, wenn er einer frucht=
baren Mutter gewohnt war. Dieß ist keine leere
Phantasie; nein, es sind Wahrheiten, wovon
sich ein Jeder vollkommen überzeugen kann, wenn
er auch nur einen Versuch macht. Man wird
sich daher nicht wundern, wenn ich sage, daß
auch ich erstaunte, zwar nicht über den Erfolg,
sondern so etwas von einem Kenner zu lesen,
dem wir als Muster folgen sollen! So viel ist
gewiß, jeder Stock, von dem ich einen Schwarm
mit der alten Mutter abtreibe, muß 12 bis 24
Stunden stehen, ehe ich nur vermuthen darf,
daß er eine junge Mutter annehme. Ich habe
es nicht einmal versucht, sondern unzählige=
mal, und gefunden, daß die Bienen nach 12 bis
24 Stunden eine junge Mutter dennoch manch=
mal umbringen, je nachdem ihre Anzahl stark
oder nicht ist. Was wird aber dabei gewonnen,
wenn sie dieselbe auch annehmen? Diese Frage
wünschte ich von ihm selbst beantwortet zu lesen:
denn ich kann nicht mehr, und nicht weniger
sagen, als nichts! Der Herr Verfasser mag wohl
meynen: sie werde gleich begattet, und besorge
nur die Eyerlage! Das wäre freilich nicht übel,

sondern der Mühe wohl werth; aber so geht es
nicht! Die Bienen haben Brut aller Art; dieser
warten und pflegen sie, und bekümmern sich um
die Mutter gar nicht: denn sie erbrüten trotz ihrer
Gegenwart junge, welches sie doch nie thun würs
den, wenn sie ihr anhingen. Sie wird so lange gar
nicht geachtet, bis die jungen Mütter zugedeckelt
find und nun nach und nach zur Reife gelangen;
dann erst merken die Bienen auf sie, vielleicht
regt sich auch jetzt erst die Eifersucht bei ihr: denn
sie reizt nunmehr die Bienen, diese angesetzten
und dem Auslaufen nicht fernen Mütter wegzus
schaffen, welches sie auch thun, wenn sie nicht nachs
schwärmen (keinen Afterschwarm ausstoßen) wols
len, sie schickt sich nun zur Begattung an; allein
selten, sehr selten wird eine solche gegebene Müts
ter um einige Tage früher fruchtbar, als eine, die
sich die Bienen erst erbrüteten, ja, ziemlich oft
wurde sie es noch später. Ich könnte hier noch
mehrere Versuche angeben, wodurch ich es zwins
gen wollte, daß sie eher fruchtbar würde; allein
weil sie nicht gelingen, und ich auch fürchte zu weits
läufig zu werden, so will ich ihrer nicht gedenken.
Einen Fall habe ich gefunden, wo man ganz sicher
machen kann, daß eine unfruchtbare Mutter in

einem, mit Brut aller Art vollgepropften Mutterstock geschwind fruchtbar werde. Hier ist er.
Gesetzt ich bekäme einen sehr kleinen Nachschwarm,
der kaum 1000 Bienen stark wäre, so fasse ich
ihn in ein einziges Magazinkränzchen, stelle ihn im
Bienenstande auf und lasse ihn 3, auch 4 Tage
lang fliegen. Nun treibe ich am Abend einen
guten Mutterstock oder guten Vorschwarm, der
vor 4 bis 5 Wochen in einen bebauten Honigkorb
kam, so rein als möglich aus, so daß nur wenig
Bienen zurück bleiben: den Abtreibling setze ich
auf seinen gewohnten Standort in einer bebauten,
oder wenn Nahrung vorhanden ist, auch in einer
leeren Wohnung auf. Die Wohnung mit Brut
und Honig hingegen setze ich am Abend verkehrt
und das Nachschwärmchen darauf. Die Bienen
ziehen sich nun während der Nacht ganz langsam mit sammt der Mutter in die mit Brut besetzte Wohnung, am Morgen setze ich diese Wohnung auf die Stelle wo der Nachschwarm geflogen
hat. Die Mutter wird geschwind fruchtbar und
der Schwarm sehr bald stark und gut. Genug es
scheint ohne diesen so eben genannten einzigen,
mir bekannten Fall, der mit Verbindung eines
Nachschwarms beim Ablegermachen gleich ist,

Geſetz zu ſeyn, daß der Stock erſt von Brut leer ſeyn müſſe, ehe die junge Mutter legt. Dieß kann einen Jeden überzeugen, daß ich Verſuche dieſer Art machte, und wohl weiß, daß es nichts hilft, einem Mutterſtock, woraus eine alte Mutter getrieben wurde, wenn man den angeführten Satz nicht beobachtet, eine junge zu geben. Die Bienen in einem leeren Korbe wiſſen dagegen in Zeit von 1 oder 2 Stunden ſchon, daß ihnen alle Möglichkeit abgeſchnitten ſey, eine Mutter zu erhalten; deßwegen ſterben einige unter ihnen ſchon nach 3 bis 6 Stuhden. Ich will nun gerade nicht ſagen aus Traurigkeit, man möchte es lächerlich finden! woher aber entſtand ihr Tod? Sie brauſen ſich nicht todt; das ſieht man daran, wenn ich das nämliche Volk in einen Korb thue, in welchem noch Honig und Wachs iſt, ſo leben ſie nach 24 Stunden noch alle, ob ſie ſchon keine Mutter bei ſich haben, und es an der gehörigen Luft (die hier weit nöthiger iſt als in einem leeren Korbe, denn die Bienen freſſen ſich bei einer Unruhe und einem Honigkorbe überſatt und erſticken ſehr leicht) nicht fehlt; auch aus Hunger ſterben ſie nicht: denn mit einer Mutter können ſie 24 und mehr Stunden in einer leeren

Wohnung geschlossen seyn, ohne daß eine stirbt.
Sie haben in dem Honigkorbe sowohl, als in
einem leeren Korbe bei einer Mutter ein gewisses
Etwas, das ihnen Bedürfniß ist, und bleiben
am Leben. In dem leeren Korbe sind sie ohne
Mutter, und von allem abgeschnitten; dieß ist
Stoff genug zur Muthlosigkeit und die Ursache,
warum sie einer jungen Mutter nichts zu Leide
thun, wenn man sie ihnen nach einer Stunde
gibt, ja, was noch mehr ist, ich habe versucht,
ihnen eine Mutter zu geben, die ich selbst aus
der Zelle nahm, ehe sie zum Auslaufen reif war:
denn sie war nicht nur grau, sondern noch ganz
weißlicht; ich gab sie einem Schwarm oben durch
das Spuntloch, da sie sich aber noch nicht zu
halten vermochte, so fiel sie auf das Flugbrett,
und lag da wie todt. Die Bienen hingen sich
hierauf an eine Seite der Wohnung bis aufs Flugbrett herab, bedeckten und erwärmten sie so lange,
bis sie im Stande war, sich in die Höhe zu begeben. Ist das nicht ein Beweis, daß sie in der
Noth alles ergreifen, was ihnen nur Hoffnung
zu ihrer Erhaltung geben kann? Welches mutterlose Volk thut das, wenn es in einem Korbe sitzt,
in welchem noch Nahrung ist? Es ist aber alles

dieſes noch kein Beweis, daß ſie wirklich mit ihr
zufrieden ſind; denn ihre Unruhe dauert noch im=
mer eine Zeitlang fort: Oeffnet man die Wohnung,
ehe ſie ganz ruhig werden; ſo wird die Unruhe
wieder größer, und ſtellt man ſie auch auf ihren
gewohnten Standort, ſo laufen und fliegen ſie
lieber zu ihrem nächſten Nachbar, als daß ſie bei
einer noch nicht fruchtbaren Mutter bleiben ſollten.
Eine noch nicht fruchtbare Mutter iſt einem ſolchen
Volke Anfangs nicht mehr als ein Stückchen Brut=
roſe, das ich ihm in einem Glaſe auffeße; oft wird
es nach der Brutroſe noch geſchwinder ruhig.
Ich beſuchte dieſen Sommer Hrn. E. in F b., er
hatte Tags vorher einen unvollkommenen Vor=
ſchwarm erhalten: nämlich einen Hauptſchwarm
mit einer jungen Mutter, ich ſagte ihm, er ſolle
aufmerkſam auf ihm ſeyn und ging von ihm weg.
Am Abend führte mich der Zufall wieder zu ihm,
er war im Garten, begoß und beräucherte ſeinen
Schwarm, der voller Unruhe war. Ich forderte
ein Glas, ſetzte ein Stückchen Brutroſe hinein,
zog den Stopfen aus, ſetzte ihm das Glas auf
und die Ruhe war augenblicklich hergeſtellt und
ſo der Stock, der an dem Tage ſeine Mutter ver=
loren hatte, gerettet. Was ſagt uns dieſes anders,

als daß sie Anfangs nur gezwungen eine solche
Königin annehmen. Wer sich davon nicht überzeugen kann, der versuche es selbst, und gebe
der Wahrheit Zeugniß! Eine fremde fruchtbare Mutter aber nimmt ein mutterloses Volk
unter allen Umständen gern und willig an, selbst
dann, wenn es an eine unfruchtbare gewöhnt
war. Wohl zu merken: in einem leeren Korbe.
In einem Honigkorbe nehmen auch die Bienen,
die an eine unfruchtbare Mutter gewöhnt sind,
ohne Zwang keine fruchtbare Mutter an. Nur
in dem Falle, wenn ein Stock geschwärmt hat,
oder abgetrieben worden ist, und schon junge
Mütter genug angesetzt hat, bringen die Bienen
eine gegebene fruchtbare Mutter, sollte es auch
ihre eigene seyn, so leicht um, als eine unfruchtbare; ja oft noch eher. Treibe ich die Bienen
aber in eine leere Wohnung, so nehmen sie zwar
junge, aber doch lieber eine fruchtbare Mutter
an. Man sperre ein Volk in eine leere Wohnung
ein, lasse es lärmen und brausen, wie es will,
gebe ihnen eine fruchtbare Mutter, doch ohne Begleitung durch den Spunt, öffne in selbem Augenblick seine Wohnung, so werden die Bienen zwar
heraus stürzen, sich aber augenblicklich wieder,

in den Korb begeben und ruhig seyn. Dieß sey
genug. — Dieß sind Beweise, die uns lehren
vorsichtig und klug zu handeln, wenn wir unsern
Bienen nützlich seyn wollen!

§. 58.
Was ist von einer Reservekönigin sonst zu halten?

Jeder, der Erfahrung davon hat, muß sagen,
daß es der Mühe werth sey, den Gebrauch der
Reservemütter zu kennen. Ich werde ihn, wie
auch die Vortheile, die daraus entspringen, nach
meiner Ueberzeugung darzustellen suchen. Ich
habe bewiesen, daß eine Reservemutter einem abgetriebenen Mutterstock nichts hilft; deßwegen
kann man, wenn man späterhin abtreibt und schon
junge Reservemütter hat, dem Mutterstock seine
alte Mutter lassen. Dieser Vortheil ist für ihn
außerordentlich. Um sich davon zu überzeugen,
lasse man einen Stock einmal schwärmen, und einen andern von gleicher Güte treibe man ab;
nun sehe man nach 5 bis 6 Wochen, welch ein
Unterschied zwischen beiden Statt findet, wenn
nämlich der abgetriebene seine Mutter behält.
Hier wird man mit Recht sagen: es ist zum Erstaunen! Der Schwarm, welcher eine Reserve-

königin erhält, darf aber (was ich in der erſten Ausgabe noch nicht ſicher beſtimmen konnte), ſo lange ſeine Mutter noch nicht fruchtbar iſt, in keinen bebauten Honigkorb gethan werden: dann treiben beim Schwarm Mutter und Bienen zur Begattung an; alles verlangt nach Brut und iſt die Witterung gut, ſo legt die junge Mutter in Zeit von 8 Tagen ſchon. Welch ein Unterſchied iſt das! Wie viel mehr Zeit gewinnen wir, wenn wir dem Schwarm eine junge Mutter geben, als wenn wir ſie dem Mutterſtocke geben, ohne noch anderer Vortheile zu gedenken, von denen ich in der Begattungszeit reden werde! Genug, man muß es erfahren haben, um es ganz einzuſehen. Die ſehr wichtige Urſache, warum ich einen Schwarm mit einer jungen Mutter nicht in einen bebauten Honigkorb bringen darf, hat zwar nicht immer, doch zuweilen Aehnlichkeit mit der Bruturſache eines Mutterſtocks; doch ſtechen die Bienen eines ſolchen Schwarms die ihnen gegebene junge Mutter nicht todt; aber durch den friſchen Honig werden ſie ſogleich verleitet, Drohnenbrut in Menge anzuſetzen, weil die junge Mutter noch nicht Eyer legt. Hier wirkt der Honig ſtärker auf die Bienen, als die junge unfruchtbare

Mutter, und — ist das Uebel einmal eingerissen,
so dauert es oft sehr lange, ehe die junge Mutter
fruchtbar wird, — so stoßen dem Beobachter Fälle
auf, die er nicht übergehen darf, sondern wenn er
Wahrheit lehren will, treu anzeigen muß.

§. 59.

Von dem Werthe einer alten fruchtbaren Mutter, und
daß er bei vielen nicht geschätzt wird.

Man hört nicht nur jährlich, daß manchmal
zwei und drei Vorschwärme zusammenfliegen, sondern wir lesen auch in vielen Schriften, daß es
dem, der gern gute, starke Stöcke hat, so recht nach
seinem Sinne ist, wenn zwei Vorschwärme zusammen fliegen, er thut sie in eine Wohnung und sagt
uns nun gewöhnlich, wie schön dieser Schwarm
geworden ist. Geschieht das Zusammenfliegen
zweier Vorschwärme frühe im Sommer, so ist,
wenn ich auch den Verlust einer Mutter abrechne,
doch großer Schade dabei. — Das Verhältniß
des Volks ist zu groß gegen eine Mutter und bis
zur Haupthonigärnte kann es nicht so bleiben, es
vermindert sich mit jedem Tage, weil die Mutter
nicht so viel Eyer legen kann, als ein so zahlrei-
ches Volk nöthig hat. Die Vermehrung der
Bienen wird dadurch gehindert und der Schade
liegt am Tage. — In der Haupthonigärnte aber

thun zwei, und sogar drei zusammengeworfene
Völker sehr gut. Der Fleiß, den eine solche
Volksmenge ausübt, ist kaum denkbar, und —
wider alles Vermuthen, — Jedem anzurathen.
Man mache nur eine Probe, so wird sich der
Unterschied zeigen. — Ein Anderer trägt kein Bedenken, einen tüchtigen Vorschwarm zur Verstärkung eines schwachen Stocks zu gebrauchen. Ich
finde an diesem Verfahren, wenn es spät im Sommer in der Honigärnte geschieht, weiter nichts
auszusetzen, als dieses: warum opfert man denn
so ganz gleichgültig eine gesunde fruchtbare Mutter zu einer Zeit auf, wo sie uns doch noch viel
nützen kann? Hat man sich denn von ihrem Werthe noch nicht überzeugt, daß man so ganz gleichgültig dabei seyn kann? Wäre es denn nicht weit
besser, eine solche Mutter auszusuchen, und sie
bei einem Abtreiblinge zu gebrauchen? Oder ist
man der Meynung jenes Verfassers, welcher be-
hauptete: die Fruchtbarkeit einer Bienenmutter
sey von kurzer Dauer? — welches jedoch grund-
falsch ist, und dann wäre freilich nicht viel dabei
verloren. Aber wer kann mir einen guten Stock
aufweisen, der vom May an bis im Herbst drei
fruchtbare Mütter verlor? Es kann es Niemand,

P 2

es sey denn, daß ein solcher Stock verstärkt wor=
den wäre, und hat ein Stock im Winter seine
Mutter nicht verloren, was sehr selten ist, so
verliert er sie, wenn er stark ist, auch vor dem
May nicht leicht. Kurz die Witterung und un=
sere Behandlung ist Schuld, wenn unsere Stöcke
ihre Mütter zur Unzeit verlieren; davon bin ich
so vest überzeugt, daß ich andern Behauptungen
nicht beipflichten kann. Einzelne Fälle kann es
freilich geben, wo eine Mutter zur Unzeit stirbt,
zumal wenn wir im Herbst nicht junge fruchtbare
Mütter zur Zucht aufstellen können.

§. 60.

Von den Fällen, wo eine fruchtbare Mutter in Gefahr
ist, von den Bienen getödtet zu werden.

So abgeschmackt auch die Meynung des Hn.
Pösel über das Tödten der alten Mutter in den
Augen eines andern Schriftstellers war, so muß
ich doch gestehen, daß Hr. Pösel Recht hat.
Es kann hier schlechterdings nicht an Parteilich=
keit gedacht werden, weil ich keinen dieser Her=
ren persönlich kenne, und es wäre mir einer=
lei, welchen man Recht gäbe, wenn ich nicht
befürchtete, daß man auf diese Weise die gute
Sache noch mehr verwirrte. Ja Hr. Pösel hat
Recht, und wenn meine Meynung noch abge=

schmackter schiene, als seine! Es gibt Fälle, wo
die alte Mutter von den Bienen umgebracht wird,
und dieser Fälle sind mir drei bekannt. Ich
werde sie aufrichtig mittheilen und dann kann
man davon halten, was man will! Der erste
Fall ist der: wenn ein starkes Volk bei lange ans
haltendem Regenwetter wenig Honigvorrath hat,
so vermindert sich mit dem Vorrathe auch nach
und nach der Trieb zur Vermehrung; sie fragen
endlich nach ihrer Mutter nichts mehr, für die
sie bei andern Umständen willig ihr Leben auf
opfern, ja sie tödten sie lieber und erbrüten sich
junge, als daß sie bei fortdauernder Vermehrung
ihren geringen Vorrath auf einmal aufzehren soll
ten. Nimmt man um diese Zeit einem solchen
Stock seine Mutter weg, so wird man nie sehen,
daß die Bienen deßwegen unruhig sind, wie zu
einer andern Zeit geschieht; sie sind vielmehr so
ruhig, als hätten sie dieselbe noch. Bei einem
schwachen Volke hört die Mutter zu einer solchen
Zeit sogar auf Eyer zu legen, das mag aber bei
einem starken Volke nicht so gut angehen, weil
da mehr Wärme herrscht, die sie dazu reizen kann.
Es ist zum Erstaunen, wie stark die Witterung
auf das Bienengeschlecht wirkt. Beim stärksten
Stock hört die Mutter mitten im Sommer bei

gänzlichem Mangel an Nahrung auf zu legen,
und das Brutgeschäft hört bei dem, der keine be=
bauten Körbe aufbewahrt, in manchem Sommer
14 Tage bis 3 Wochen lang auf. Welch ein
Schade! Wer ihn nicht kennt, ist noch weit zurück!
und wer glaubt, daß ich einem unvernünftigen In=
sect zu viel zuschreibe, der sehe nur, mit welchem
Eifer sie beschäftigt sind, die Drohnenbrut, ja so=
gar die Bienenbrut zu verderben und auszureißen,
wenn sie auch nur von ferne Mangel ahnen, die
sie doch bei andern Umständen auch pflegen und
nähren. Durch Füttern mit Honigrosen ist es zu
verhüten. Der zweite Fall ist: wenn ein starkes
Volk, das zwar keinen Mangel hat, die Mut=
ter zu alt und nicht so fruchtbar findet, als eine
junge, so tödtet es seine Mutter und macht sich
junge. Diesen Fall mögen sich diejenigen mer=
ken, welche behaupten: Magazine müßten sich
selten durch Schwärme oder Ableger vermehren.
Die Natur gebot den Bienen das jährliche Ver=
mehren nicht umsonst. Auch zeigt die Erfahrung,
daß das vernünftige Vermehren der Stöcke besser
sey, als das Nichtvermehren. Soll ein Maga=
zinstock zur Zucht gut seyn, so darf er eben so
wenig eine zu alte Mutter, als einen zu alten
Bau haben. Das erste ist schädlich und kann

noch schädlicher werden, als das zweite, wenn
der Stock mutterlos wird und seine Mutter selbst
abschaffen muß, im Fall er auch der beste wäre.
Wenn das aber auch nicht geschieht, so ist doch
in der besten Jahreszeit ein ganzer Monat für
die Vermehrung im Stocke verloren, wenn der
Stock im Sommer eine zu alte Mutter selbst töd=
ten, und sich eine junge erbrüten muß; wer weiß
nun nicht, welch eine Menge Arbeiter in einem
Monat in einem starken Stocke erzeugt werden,
wenn eine fruchtbare Mutter da ist! Man sieht
also, wie nöthig es ist, daß man Sorge trägt,
im Herbst junge Mütter, d. h. vom verflossenen
Sommer stehen zu lassen. Der dritte Fall ist der:
wenn sich ein Stock zum Schwärmen anschickt, so
setzt er junge Mütter an, noch ehe er schwärmt.
Dieß ist gar keinem Zweifel unterworfen. Hr.
Strauß, der einen andern Schriftsteller in sei=
nem Journal so gründlich widerlegt, zweifelt ge=
wiß auch nicht daran. Hier ist das Abtreiben
bei angesetzten Müttern und schlechter Witterung
eine wesentlich nöthige Sache; allein ohne auf=
bewahrte Honigkörbe geht es auch nicht gut an.
Ja der Naturtrieb und nicht der Mutter Tod ist
die Ursache der mehresten Schwärme. Wenn
demnach jener Verfasser viele Jahre lang be=

hauptete: der alten Mutter Tod sey die Ursache
der mehresten Schwärme: so lese er nun hier,
daß der Naturtrieb der Bienen zum Schwärmen
die Ursache sey, daß manche Mutter ihr Leben
so frühe verlor; aber nur bei dem, der keinen be=
bauten Honigvorrath hat, oder es nicht kennt,
seine Bienen von einem solchen ganz natürlichen
Fehler abzuhalten. Es können allerhand Zufälle
die Bienen an dem wirklichen Auszuge hindern,
die Nahrung kann plötzlich schlechter werden; es
kann anhaltendes Regenwetter einfallen, wodurch
die Bienen aufgehalten werden; die eingesetzten
Mütter werden unter der Hand bedeckelt und sind
nun dem Auslaufen nahe. Die Mutter, die bei
ihrer Arbeit vielleicht zu spät bemerkt, daß die
eingesetzten Mütter schon so weit herangewachsen
sind, fängt nun an die Bienen aus Eifersucht zu
bewegen, diese jungen Mütter zu zerstören; ist
der Trieb zum Schwärmen in dieser Zeit schon
erschlafft, so willigen die Bienen in ihr Be=
gehren und beißen die jungen Mütter aus, wie
ich denn das oft beobachtet habe. Es ist da
bei einem solchen Stocke an kein Schwärmen zu
denken. Ist bei ihnen der Trieb zum Schwärmen
noch rege, die Witterung aber so beschaffen, daß
sie gar nicht schwärmen können, so müssen sie

entweder ihrem Triebe entsagen, und der Mutter
anhangen, oder sie folgen ihrem Triebe und bringen die Mutter, die dagegen ist, um; sie erwarten nun die jungen und ziehen, sobald die
Witterung günstiger ist, als ein Schwarm mit
einer oder einigen von ihnen aus. Ich hatte,
als ich meine Stöcke noch schwärmen ließ, nicht
ein, sondern mehrere Beispiele, daß heute ein
Stock seine alte Mutter umbrachte, und nach 2
Tagen zog aus diesem Stocke schon ein Schwarm
mit einer jungen, unfruchtbaren Mutter. Daß
es die alte Mutter und keine junge war, die ich
todt fand, ist zuverlässig: denn da die Mutter
des Schwarms erst nach 8 Tagen fruchtbar wurde, so konnte sie nicht die alte seyn. Und da von
dem Tage an, wo ich die Mutter todt fand, in
dem Mutterstock in 3 Wochen keine Eyer gelegt
wurden; so zweifelt doch wohl Niemand daran,
daß auch dieser eine junge Mutter behielt. Genug, ich weiß, daß bei solchen Umständen die
Mutter in Gefahr steht, ihr Leben zu verlieren;
deßwegen ist das Abtreiben zur rechten Zeit eine
Sache, die nicht genug empfohlen werden kann.
Finden wir eine solche getödtete Mutter, so ist sie
ganz steif, die Flügel sind zerbissen, Beine und
Rüssel zernagt. — Ist das wohl ein Zeichen eines

natürlichen Todes, eines Todes, der aus Schwäche
wegen der ſtarken Eyerlage erfolgen ſoll! Ich
wenigſtens kann an dieſen Merkmalen nur einen
gewaltſamen Tod erkennen, und er iſt es auch
ganz ſicher. Man kann ſich nicht beſſer davon
überzeugen, als wenn man zwei Vorſchwärme in
eine Wohnung thut, und ſie ſo lange verſchließt,
bis eine Mutter umgebracht iſt. Da ſehen wir
nun ganz deutlich, daß dieſe ſo ſteif und ihre
Flügel zerbiſſen ſind; welchen Todes ſie ſtarb, iſt
uns ja dann ſehr wohl bekannt, weil wir wiſſen,
daß ſie keines natürlichen Todes ſtarb. — Wird
eine junge unfruchtbare Mutter umgebracht, ſo
wird ſie todtgeſtochen, oder wenn ſie noch in der
Zelle iſt, auf der Seite ausgebiſſen, ſie ſieht nie ſo
zerſetzt aus, wie eine alte, die auf dieſe Art umkam.

§. 61.

Von dem, was man bei einem Stocke zu beobachten
hat, der abgetrieben worden iſt.

Ich kehre zu meinen Stöcken zurück, welche
abgetrieben worden ſind. Dieſe Stöcke müſſen,
wenn ſie bei einer nicht ergiebigen Frühlingsnahrung zu wenig Honig geſammelt und jetzt Mangel hätten, von dem Tage an, wo ich ſie abgetrieben habe, mit Honigroſen gefüttert werden, bis
die jungen Mütter rufen. Es iſt dieß deswegen

nöthig, damit sie desto mehr junge Mütter an
setzen und erbrüten. Aus derselben Absicht treibe
ich nicht gern ab, wenn der Vorrath fehlt: denn
ihr Trieb zum Erbrüten junger Mütter ist dadurch
schon um vieles geschwächt; sie erbrüten nicht so
viele junge Mütter, wenn ich sie auch noch ein=
mal so stark füttere. Gegen den 12ten bis 14ten
Tag nach dem ersten Abtreiben hört man Abends
die jungen Mütter das bekannte Tüt, tüt rufen,
oder besser, sie lassen es hören. — Von eben die=
sen Rufen ist so vielerley geschrieben worden, daß
es einem vernünftigen Beobachter lächerlich seyn
muß. Der eine sagte, die junge Mutter hielt bei
der alten um Gnade an, und diese — doch weg·
damit! Ich werde das Tüten und Quäfen weiter
unten nach eigner Ueberzeugung und Erfahrung
beschreiben. Höre ich nun die jungen Mütter ru=
fen (weil das Wort rufen gebräuchlich ist, will ich
es beibehalten), so lasse ich die Stöcke noch einen,
und nachdem die Witterung ist, auch zwei Tage
stehen, damit alle jungen Mütter recht flück wer=
den; das Füttern darf aber nicht vergessen werden.

§. 62.
Vom natürlichen Schwärmen.

In der vorigen Ausgabe hatte ich mit Fleiß
das natürliche Schwärmen nicht berührt, weil

mir das Abtreiben sicherer ist. Doch jeder hat
sein Steckenpferd! Viele haben den Scheinglau-
ben: es sey natürlich, also auch besser. — Die
Bienen müsse man in Ruhe lassen, und nichts an
ihnen künsteln wollen! —

Das natürliche Schwärmen ist gut, wenn
es frühe geschieht und glücklich abläuft. Der
starke Stock legt sich bei guter Frühnahrung gewöhnlich gegen das Ende derselben vor, und gibt
dadurch zu erkennen, daß er schwarmgerecht sey.
Wenn nun die Witterung von außen nicht entge-
genwirkt, so schwärmt er sehr leicht, zumal wenn
man ihn gegen 9 Uhr Morgens bei gutem Sonnenschein sein Flugloch sehr enge macht, dadurch
wird seine innere Hitze auf einmal zu stark, er
wird unruhig und legt sich plötzlich stärker vor.
Legt man nun ein Stück Honigrosen zwischen die
vorliegenden Bienen, so wird dadurch die Unruhe
noch größer und sehr oft schwärmt ein solcher
Stock noch am selben Mittag.

Ist aber der Stock des Vorliegens schon
gewohnt und haben seine Bienen schon 8 Tage
vorgelegen, so hilft dieß Mittel nicht so leicht,
es sey denn, daß er wirklich junge Mütter
angesetzt hätte; hat er über 8 Tage vorgelegen,

so folgt das häufige Drohneneinsetzen schon und
er schwärmt oft in 6 Wochen noch nicht und zehrt
sich auf. Höht man ihn auf, so baut er lauter
Drohnenrosen und verzehrt sich auch. — Da ist
dann das Abtreiben der kürzeste Weg, den ich
vorschlagen kann.

§. 63.

Vom Einfassen der Schwärme und ihrer Behandlung.

Schwärmt nun ein Stock und man ist gleich
zugegen, so gibt man Achtung, wo er sich anhängen will: man nimmt 2 zubereitete Körbe, einen
Federfittig und eine Leiter zur Hand — fängt der
Schwarm an sich anzuhängen, und sitzen nur erst
eine Faust dick Bienen an, so läuft man mit einem Korbe und dem Federfittig dahin, streicht
ganz behutsam von untenauf das Klümpchen Bienen ab, thut sie ganz behutsam auf den Boden
des Korbes, dreht den Korb ganz langsam um,
so fangen diese paar Bienen ein frohes Gesumse
an, hält oder stellt man nun den Korb ganz nahe
an dieselbe Stelle, so fliegt der ganze Schwarm von
selbst in den Korb und man braucht sich damit gar
nicht zu plagen. Man hat nicht einmal nöthig so
lange zu warten, bis alle Bienen darin sind, sondern
wenn man die Bienen nur halb hat, so setzt man

den Korb auf die Erde. Das Zeichen der Freude, daß die Bienen im Korbe hören laſſen, ruft
die andern alle herbei, weil ſie noch nicht am
Baume veſt geſeſſen haben. Sind ſie nun ziemlich alle im Korbe, und ich will den Schwarm in
einer leeren Wohnung aufſtellen, ſo ſetze ich ihn
auf ſeine Stelle; will ich ihn aber in einem bebauten Honigkorbe aufſtellen, ſo verfahre ich wie
folgt: ich nehme den andern Korb zur Hand, ſetze
ihn verkehrt und den Schwarm darauf, ſchüttele
daran, damit ein Klumpen Bienen in den unterſten Korb fällt, ſetze den oberſten Korb ab und
den unterſten geſchwind, aber ganz ſachte herum;
binde beide Körbe mit Tüchern zu, oder ſetze ſie
auf zwei Bretter und verſtopfe die Fluglöcher,
ſo wird ſichs bald zeigen, in welchem Korbe die
Mutter ſey: denn da, wo ſie iſt, herrſcht Ruhe;
die andern Bienen hingegen fangen ſehr bald an
zu brauſen und zu lärmen. Sobald ich das höre,
trage ich den Schwarm 30 Schritte weit weg
und laſſe die lärmenden Bienen zum Mutterſtock
fliegen. — Es iſt mir eben recht, wenn über die
Hälfte Bienen zum Mutterſtock zurückkehren: denn
der Schwarm, der in einen bebauten Korb kommt,
braucht nicht halb ſo ſtark zu ſeyn, als wenn er

in einer letten Wohnung aufgeſtellt wird. — Der
Mutterſtock wird nun wieder ſehr ſtark, und ich
erhalte einen oder gar zwei Afterſchwärme von
ihm, die nicht ſchwach ſind. Das iſt der erſte
Vortheil, den ein bebauter Honigkorb auch beim
Schwärmen leiſtet. Kommt der ganze Schwarm
in einen bebauten Korb, ſo iſt es nicht ſo gut;
er wird bald wieder ſchwarmgerecht und fällt gewöhnlich, um ihn in eine leere Wohnung zu ſchla-
gen, noch zu früh.

§. 64.

Wenn mehrere Schwärme zuſammen fliegen, wie man
ſich verhalten ſoll.

Schwärmen um dieſe Zeit (nämlich im May)
zwei oder auch drei Vorſchwärme zuſammen, ſo
theilt man ſie, weil ſonſt ein ungleiches Verhältniß zwiſchen Mutter und Bienen entſtünde. Man
verfährt ſo: man faßt alle Bienen in zwei Körbe,
ſetzt ſie auf eine Scheuertenne, oder ſonſt an einen reinen und kühlen Ort.

Sind zwei Vorſchwärme zuſammen geflogen
und in einem Korbe beiſammen, ſo ſchüttet man
nach einer Stunde einen Theil Bienen auf die
Erde; dieſe laufen ſogleich nach dem leeren Korbe,

den man zuvor dahin stellte; nun schüttet man
die übrigen Bienen auch auf die Erde. Waren
nun zwei Mütter bei den Bienen, so ist eine froh
und läuft gleich mit ein; die andere ist von einem
Klümpchen Bienen eingeschlossen und muß liegen
bleiben. Hat nun der erste Schwarm genug Bienen, so trägt man ihn von der Stelle weg und
läßt die andern in einen zweiten Korb laufen, setzt
ihn auf ein Tuch und bindet ihn zu. — Der
erste Korb, den man nicht zuzubinden braucht,
wird aber doch bedeckt, so fliegen die übrigen
Bienen, die noch auf der Erde liegen, von selbst
zu ihren Mutterstöcken zurück. So verfährt man
auch, wenn drei oder mehrere Schwärme zusammen fliegen — man theilt sie eben so.

§. 65.

Wie verhält man sich, wenn keine Mutter beim
Schwarm ist.

Drei Fälle sind mir davon bekannt: entweder
die Mutter, weil sie über zwei Jahre alt ist und
ihre Flügel durch das häufige Eyerlegen zu sehr
geknickt sind, ist gefallen und man kann sie auf
der Erde suchen. Zweitens die Mutter ist im
Mutterstock geblieben. Drittens die Mutter ist

zu einem zunächst stehenden Stock während dem
Schwärmen gelaufen, sie liegt entweder vor dem
Flugloch oder im Stock selbst in einem ähnlichen Klümpchen Bienen; man nehme sie mit
einem Glase, wenn man das Klümpchen mit einer Feder darein gestrichen und zugedeckt hat,
weg. Hängt sich der Schwarm im ersten und
dritten Fall an, so faßt man ihn, bindet ihn zu,
sucht die Mutter, gibt sie ihn und verfährt wie
oben; hängt sich der Schwarm nicht an und
zieht wieder zurück, so treibt man ihn in jeden
der drei Fälle noch am nämlichen Tage von seinem Mutterstock und nimmt das oben Gesagte
in Acht. —

§. 66.

Von Afterschwärmen und wie man damit verfahren soll.

Den 9ten, 11ten und 13ten, selten den 15ten
oder 16ten Tag nach dem ersten Schwarme folgen
die Nachschwärme. So sehr man in vorigen
Zeiten dagegen war, so willkommen sind sie mir,
wenn sie frühe fallen; ich jage gewiß keinen zum
Mutterstock zurück. Das Einfassen ist das nämliche, wie beim Vorschwarm. Nach dem Fassen
aber thut man wohl, wenn man sie etliche Stunden lang verschließt: denn sie halten nicht so gut,

Q

wie Vorschwärme; sie werden sehr leicht unruhig
und ziehen wieder aus, was nie ohne Schaden
abläuft. An Luft darf es aber nicht mangeln.
Wenn man sie so bis am Abend zugebunden stehen
läßt, riskirt man gar nichts. Kann ich sie nicht
gleich in Honigkörbe setzen, darf ich sie doch keinen Mangel leiden lassen, wenn sie nicht sammeln
können; ich ziehe jedem den Stopfen aus und setze
ihm in einem Blumentopf eine Honigwabe auf,
so ist ihnen auf eine gute Zeit geholfen.

Das größte Uebel beim Schwärmen ist, wenn
ein Vor- und ein Nachschwarm zusammen fliegen;
da geht es sehr selten ohne Tödten ab: es müßte
denn an diesem Tage viel Honig gesammelt worden seyn. In diesem Falle ist der Trieb zu den
Müttern nicht so stark, als der Honigtrieb, und sie
bleiben ruhig.

Das einzige Mittel, das ich kenne, um diese
Feindschaft zu dämpfen, ist zwei Löffel voll Honig,
so viel kochend Wasser und eben so viel Brant-
wein unter einander gemischt, die Bienen damit
begossen, den Korb, worein sie gefaßt, verkehrt
gestellt, mit einem Tuch vest zugebunden und sie

bis am Abend so stehen lassen. Solche Schwärme, von zweierlei Natur, lassen sich nie glücklich und mit gutem Erfolg theilen.

§. 67.

Vermehrung durch theilen der Magazinwohnung.

Diese Art der Vermehrung seiner Bienenstöcke kann bei ganzen Körben nicht angewandt werden, und ist selbst bei Magazinstöcken nie mit zuverläßig glücklichem Erfolg ausgeübt worden: deßwegen suchten tiefer Denkende schon' freiwillige Nachschwärme damit in Verbindung zu setzen, aber auch das lief zu oft zum eignen Schaden aus, ich weiß es aus Erfahrung.

Die Verfahrungsart ist folgende: man wählt sich dazu ein Magazin, das aus 4 Kränzen besteht, bläst einige Züge Tabacksrauch (aber ja nicht zu viel) unten zum Flugloch hinein, damit sich die Bienen, vorzüglich die Mutter in die Höhe zieht, nun schneidet man mit einer Drathseite, zwischen dem zweiten und dritten Kranze, vermittelst des Durchziehens des Draths die Rosen durch: doch muß man den Drath so einschieben, daß er alle Rosen zugleich greift — im Gegentheil ziehen sich die Rosen zu leicht zusammen, und man richtet

Q 2

großen Schaden an. Bei der größten Vorsicht
schneidet man doch viele Brut und auch viele
Vögel todt, sogar die Mutter kann dabei um;
kommen und dieß war mir immer häßlich. Sind
die Rosen durchgeschnitten, so bläst man zwischen
den zweiten und dritten Kranz einige Züge Tabacks;
rauch, hebt die zwei obersten Kränze ab, und
setzt sie auf einen neben stehenden leeren Kranz,
bedeckelt die zwei untersten Kränze und setzt nun
das obere Magazin etliche Schritte entfernt, als
einen neuen Schwarm auf. Beide Magazine
neben einander, oder auf den halben Flug auf;
stellen, wie Andere lehrten, ist nicht gut, weil
die Bienen etliche Tage hindurch zusammen laufen,
wodurch das mutterlos gewordene Magazin 14
Tage lang sich vergißt und keine junge Mutter
ansetzt und nun ohne unsere Hülfe bis zu seinem
Ruin mutterlos bleibt.

Der Regel nach ist die Mutter immer im
obersten Magazin und deswegen wird dieses ver;
setzt. Doch auch wider die Regel, ist sie zu;
weilen im untersten, man sieht das nach 4 bis
5 Stunden an der Unruhe, die das versetzte
Magazin äußert und muß es umstellen oder mit
einen Nachschwarm verbinden können. Dieß soll

uns zum Verbinden der mutterlos gewordenen
Magazine mit Nachschwärmen führen.

§. 168.

Lehre, wie man mutterlos gewordene Magazine mit
Afterschwärmen verbinden soll.

Daß diese Verbindungsart nützlich und gut
ist, ist wahr, zumal wenn man es auf die rechte
Weise anfängt. Man setzt zu dem Ende das mutterlos gewordene Magazin auf eine fremde Stelle
und hat man schon etliche Nachschwärme, was
immer besser ist, so setzt man es dichte neben einen hin. Die Nachschwärme zu diesem Gebrauch
können ganz schwach seyn im Volke und leisten
uns hier doch vortreffliche Dienste; nur eine kluge
Behandlung, sage ich noch einmal, thut hier sehr
viel. Das mutterlos gewordene Magazin bleibt
so zwei Tage lang stehen und verliert den größten Theil seiner Vögel, und es wird dadurch auch,
wenn das Durchschneiden am Morgen geschehen
ist, gar keine Anstalt zur Erbrütung junger Mütter
gemacht. Am Abend setze ich das Magazin verkehrt, besprütze die noch darin befindlichen Bienen
mit Honig- und Brantweinwasser, drehe den Nachschwarm um, besprütze auch ihn und setze ihn

auf das verkehrt stehende Magazin. Durch das
Honigwasser-gereizt ziehen sich während der Nacht
viele Bienen des Schwarms von selbst ins Ma=
gazin, belegen die Brut und erwärmen und füttern
die noch ganz junge. — Am Morgen schlage ich
mit der Hand auf die Wohnung des Schwarms,
damit alle Bienen hinunter ins Magazin fallen,
hebe den leer gewordenen Korb ab und setze das
Magazin behutsam herum auf die Stelle des
Schwarms. War der Nachschwarm vier Tage
alt, so wird seine Mutter bei guter Witterung
sehr bald fruchtbar, und das Magazin wird bald
schön und stark dastehen. Der einzige Fall kann
noch eintreten, daß das unterste zu wenig Honig=
vorrath hat und wegen schlechter Witterung mit
Rosenhonig gefüttert werden muß.

§. 69.

Neue und sichere Art Ableger zu machen, ohne daß
weder Brut noch Bienen dabei umkommen.

Im Herbst lasse man Magazine in vier 4 Zoll
hohen Kränzchen zum Ablegermachen stehen: man
schneide sie bei kalter Witterung mit dem Drath
in der Mitte durch, setze die Fluglöcher der zwei
obersten Kränze auf die rechte Seite, so kommen

die Rosen, wo der Schnitt geschah, quer überein=
ander zu stehen. Man verstreiche jede Oeffnung,
wo durchgeschnitten und umgedreht gestellt wor=
den ist, sorgsam. Im Frühjahr läßt man sie in
der Mitte, wo im Herbst der Durchschnitt geschah,
fliegen: die Körbe werden deswegen so viel ge=
dreht, daß das mittlere Flugloch, was auf der
Seite stand, nun vorn hinkommt: unten wird
ein Strohdeckel untergelegt und das Flugloch un=
ten zugemacht. So wie die Frühnahrung anfängt,
hebt man seine Magazine: sind sie noch schwer,
so werden sie herumgestellt, daß das unterste oben
zu stehen kommt. Sind sie aber leicht, so läßt
man erst einen Theil der Frühnahrung obenhin
tragen, ehe man sie herumsetzt. Auf diese Weise
kommt der Honigvorrath vertheilt oben und un=
ten zu stehen. Will ich nun ein Magazin thei=
len, so brauche ich nicht durchzuschneiden, son=
dern nehme einen Meisel, steche ihn, wo im Herbst
der Durchschnitt geschah, ein, und hebe sie so
von einander, setze das mutterlos gewordene Ma=
gazin entfernt vom Mutterstock, und verbinde es,
wie gelehrt, mit einem Afterschwarm. Hier kommt
keine Biene, keine Brut um, und der Vorrath wie
die Brut, ist beiden halb zu Theil geworden.

§. 70.
Von der Schirachschen Ablegerkunst.

Diese Art Ableger oder Schwärme zu machen, ist auch jetzt noch die schlechteste; — es ist eine Spielerei für müssige Köpfe und wird nichts dabei gewonnen!

Man schneidet nämlich bei guter Nahrung am hellen Mittag, wenn viele Bienen im Felde sind 2 bis 3 Stück Brutrosen aus einem guten Stock, heftet sie in eine leere Wohnung, nimmt den Mutterstock weg, und setzt diese Wohnung mit der Brut auf dessen Stelle. Aber welch eine Unruhe fangen die vom Felde kommenden Vögel an? Mit Schaudern habe ich ihnen oft zugesehen, sie laufen aus und ein, ehe sie sich entschließen können, sich an die Brut vestzusetzen: viele Bienen ermatten darüber und kommen um, andere laufen zu ihrem Nachbar und werden oft todtgestochen, wenn man nicht zugegen ist, und es hemmt.

Doch auch hier bahnte ich mir einen Weg der Sicherheit und des Gelingens, ohne die Bienen zu plagen und Unheil anzurichten. —

Hier ist er, und man urtheile: Ich schneide nicht am Mittag, sondern spät am Abend 2 bis 3 Brut-waben aus einem guten Stock, mache sie in eine Wohnung vest, setze den Mutterstock, wenn seine Bienen vom Flugbrett in die Höhe gelaufen sind, verkehrt (auf den Kopf), setze die Wohnung mit der Brut darauf, so zieht sich während der Nacht, ohne daß eine Biene unruhig wird, ein ganzer Schwarm Bienen in die aufgestellte Woh-nung zu den Brutrosen, sie bevestigen sie und machen alles in Ordnung. Am folgenden Mor-gen setze ich diese leere Wohnung auf die Stelle des Mutterstocks und den Mutterstock auf eine Andere, aber entfernt.

Hier wird man kaum eine Unruhe gewahr und alles geht gut von Statten.

Das einzige Uebel was nicht gehoben werden kann, ist: Die Bienen bauen, so lange noch keine junge Mutter ausgelaufen ist, lauter Drohnenro-sen und deswegen bleibt es immer die unvollkom-menste Vermehrungsart!

§. 71.

Vom Austreiben, Aussuchen und Gebrauchen der jungen Mütter.

Wenn die jungen Mütter einen oder zwei Tage lang sich ziemlich deutlich haben hören lassen, so treibe ich die Mutterstöcke noch einmal aus und verfahre wie folgt: des Morgens früh nehme ich einen Stock, jage die Bienen in die Höhe, setze ihn verkehrt und einen leeren Korb darauf, binde ihn rund herum zu, und klopfe nun so lange am untersten Korbe, bis ich die Bienen ziemlich alle in der leeren Wohnung habe, die deswegen nicht klein seyn darf. Ist das, so nehme ich den Korb mit den Bienen ab, setze den Mutterstock, wenn auch hie und da noch eine Biene zu sehen wäre, geschwind auf seine Stelle, schütte ohne Verzug einen Theil der Bienen auf ein breites Brett oder auf eine ausgehobene Thür (auch ein Tuch ist gut dazu), sehe nach, ob ich junge Mütter erblicke. Oft fliegen einige der jungen Mütter, wenn sie sehr flück geworden sind, in die Höhe; es thut aber nichts, indem sie sehr bald wiederkommen, und sich unter die Bienen verkriechen. Sobald ich eine sehe, decke ich ein Glas, deren ich bei dieser Arbeit immer

8 bis 10 bei mir habe, über sie her; bei einer
zweiten mache ich es eben so, und so fort, bis alle,
die, mir zu Gesichte kommen, eingesperrt sind;
hierauf nehme ich eine leere Wohnung, stelle sie auf
das Brett oder Tuch, worauf ich den Schwarm
ausgeschlagen habe, doch eine Elle weit von den
Bienen entfernt, unterlege die leere Wohnung
auf der Seite nach den Bienen zu mit einem drei
Finger dicken Stöckchen, streiche mit einer Feder
eine Handvoll Bienen an den leeren Korb: durch
das freudige Gesumse, das diese beim Einlaufen
hören lassen, werden auch die übrigen, ungeachtet,
der Entfernung vom Korbe, gereizt, nach demsel=
ben zu marschiren und mit einzulaufen. Bewegt
man die Bienen nur zuweilen mit einer Feder, so
geht das Einlaufen viel schneller. Bei diesem
Einlaufen sehe ich nun beständig nach, ob ich noch
Mütter erblicke. Kommt eine heran, so lasse ich
sie mit einlaufen; werde ich aber nach dieser noch
welche gewahr, so werden sie eingesperrt. Ich
schütte nun auch die andern Bienen, die noch in
der Wohnung stehen, worein ich sie trieb, auf
das Brett, und lasse auch diese nach dem Korbe
laufen; lassen sich noch Mütter sehen, so werden
sie eingesperrt. Sind die Bienen größtentheils

in dem Korbe beisammen, so binde ich ein Tuch
darum, damit keine aus noch ein kann; setze sie
so lange an einen kühlen Ort, bis sie ganz ruhig
sind, doch darf es an der nöthigen Luft nicht
fehlen; man kann ja unterlegen, oder wenn der
Bienen zu viel in dem Korbe wären, daß es ihnen
trotz des Unterlegens dennoch zu warm würde,
so setzt man den Korb verkehrt, dann kommt das
. Tuch oben hin, und die Luft kann sich abkühlen,
wenn nur das umgebundene Tuch nicht zu dicht
ist, bis die Bienen ruhig werden: denn man
leicht abnehmen, daß die Bienen unter 8 bis 12
Müttern auf diese Weise die nicht erhalten, der
die mehresten gehuldigt haben. Sie suchen sie
erst überall, ehe sie der gegebenen huldigen, oder
mit ihr zufrieden sind; dadurch entsteht oft eine
solche Unruhe, daß sie bei offenem Korbe heraus-
stürzen: viele fliegen nach dem Mutterstocke, andere
wissen ihn nicht zu finden und verfliegen sich. Es
ist also nöthig, daß man sie wenigstens 2 Stunden lang einsperrt, oder bis am Abend ist noch
besser. Sind sie ganz ruhig geworden, so setzt
man bei gutem Wetter diesen Schwarm auf eine
Stelle im Bienenstande, die von dem Mutterstock
ziemlich weit entfernt ist, und läßt ihn 8 bis 10

Tage arbeiten, bis die junge Mutter fruchtbar
ist; dann läßt man ihn am Abend in einen
Schlauch (bebauten Honigforb) laufen und setzt
ihn nun am andern Morgen in dieser Wohnung
auf seine Stelle. Es versteht sich, daß hier nur
von einer nahrungslosen Zeit die Rede ist. Gesetzt der Nachschwarm hätte in 8 bis 10 Tagen,
während seine junge Mutter fruchtbar wurde,
gute Nahrung auf dem Felde gehabt und schon
viel gebaut, so lasse ich ihn in seiner Wohnung
fortarbeiten und setze ihn lieber von oben noch
etwas Rosenhonig zu, wenn es ihm noth thun
sollte. Ich begebe mich nun wieder zu den
eingesperrten Müttern. Deren erhalte ich bei
einem solchen Verfahren gewöhnlich 8, 10, auch
12 bis 15. Ich will hier nur 7 annehmen, was
jedoch im May selten ist. Uebrigens weiß ich
aus Erfahrung, daß es bei voller Nahrung nicht
so gut damit geht; die Bienen sind da so viel
mit Sammeln, Bauen u. s. w. beschäftigt, daß
sie sich mit Erbrütung junger Mütter sehr ungern abgeben. Ich hatte Beispiele, daß ein solcher Stock bei allen seinen Bienen und sehr guter
Nahrung, eine und auch wohl gar keine erbrü-
tete. Wer also seine Stöcke spät schwärmen läßt

oder abtreibt, der kann sich aufs Mutterloswerden gefaßt machen, weil öfters bei sehr honigreicher Witterung die Bienen, selbst beim natürlichen Schwärmen, keine Mutter erbrüten. —
Dem Honigtriebe muß dann der Muttertried weichen. Dieß zur Warnung!

Von diesen Müttern gebe ich, sobald der
Schwarm zugebunden ist, dem Mutterstock, der
nun das Volk, das beim Ausschütten der Bienen
in die Höhe flog, wieder erhalten hat, eine, die
andern lasse ich in den Gläsern, gebe aber jeder
ein Dutzend Bienen zur Gesellschaft. Ich rücke
die Gläser zusammen und bedecke sie mit etwas,
damit das eindringende Licht nicht macht, daß
sich Mutter und Bienen zu sehr abhärmen. Die
andern Stöcke treibe ich auch aus, suche die Mütter aus, wie bei dem ersten; allein bei mehreren
Schwärmen nehme ich nur halb so viel Bienen,
als bei dem ersten; die übrigen Bienen lasse ich
in so viel kleine Kästchen laufen, als ich Mütter
von diesen Stöcken erhalte; habe ich also, wenn
die Mutterstöcke und Schwärme jeder eine junge
Mutter bekommen haben, noch Mütter übrig, so
theile ich die übrigen Bienen in so viel kleine
Kästchen oder Blumentöpfchen, als ich überflüssige

junge Mütter habe, binde die Kästchen, wie auch
alle gemachten Schwärme zu, und laffe fie biß am
Abend zugebunden ftehen, fo bin ich mit diefer
Arbeit fertig. Nach 8 oder 10 Tagen wird jeder
Schwarm, wie der erfte in einen Schlauch ge=
than, die Bienen in jedem Käftchen erhalten aber
fchon an demfelben Abend jeder ein Käftchen, deren
ich im Herbft durch Auffetzen vollbauen laffe. Diefe
Käftchen brauchen und follen eigentlich nicht grö=
fer feyn, als daß fie, wenn fie vollgebaut find,
1½ Pfund inneres Gut enthalten, fie find auch
beffer enge und hoch, als niedrig und weit, für
wenig Bienen; ich laffe fie von Tannenholz machen.
Seit einiger Zeit habe ich von der kleinften Sorte
Blumentöpfchen dazu gebraucht, diefe find oben
enge und werden allmählig etwas weiter, fie ge=
fallen mir zu diefem Gebrauche noch viel beffer,
als die Käftchen; zudem find fie auch fehr wohl=
feil und man kann unten leicht ein kleines Flugloch
einfeilen. Es ift nicht nöthig, daß Spillen oder
dünne Stäbchen darin angebracht werden: denn
die Bienen legen die kleinen Waben auch ohne
fie veft genug an. Wer das thöricht finden mag,
der warte nur, und fehe erft, was ich mit einer
folchen Handvoll Bienen mache; dann urtheile er!

Nun treibe ich meine noch übrigen Stöcke
auch ab: sie müssen aber Abends zuvor darauf
zubereitet werden; sind sie alle abgetrieben, so
muß jeder Mutterstock seine alte Mutter wieder
haben, ist sie beim Schwarm, so wird sie ausgefangen und ihm wiedergegeben. Die abgetriebenen Bienen werden in den leeren Körben 2 Stunden ohne Mütter verschlossen gehalten. Nach dieser Zeit gebe ich oben durch das Stopfenloch jedem
Schwarme eine von den jungen Müttern, die in
Gläsern aufbewahrt wurden, ganz allein, ohne
eine Biene zur Begleitung mitzugeben. Die
Bienen, die ich den Müttern zur Gesellschaft
gab, bringe ich zu ihren Mutterstöcken. Diese
Schwärme bleiben nun bis am Abend an einem
kühlen Orte, als im Keller, oder in einer kühlen
Kammer stehen, damit sich die Bienen an ihre
Mütter gewöhnen. Am Abend schicke ich die
sechs Mutterstöcke eine halbe Stunde weit weg,
zu einem Freunde, wo ich sie entweder den ganzen Sommer stehen lasse, oder sie nach 3 Wochen
wiederhole. Ich habe nie gefunden, daß Bienen,
wenn sie eine halbe Stunde weit weggebracht
wurden, wieder zurückkommen, ausgenommen
im Herbst, wenn sie nach der Halde fliegen, um

diese Zeit ist eine halbe Stunde Entfernung zum
Verschicken zu nahe. Am folgenden Morgen,
wenn sich die Bienen in den Kästchen ordentlich
in die bebauten Kästchen oder Blumentöpfchen ge=
zogen haben, schicke ich diese auch weg, bei die=
sen ist eine Viertelstunde Entfernung weit genug,
denn bei einer jungen Mutter merken sich die Bie=
nen ihren neuen Flug sehr sorgfältig. (Das Ver=
schicken ist das Lästigste bei der ganzen Sache,
und ich habe in der Folge gefunden, daß ein
Bienenwirth am besten thut, wenn er zwei
Stände hält, die nur schußweit von einander
entfernt sind; so erreicht man viele Vortheile.
Bringt man die Schwärme mit jungen Müttern
auf dem andern Stand und läßt die Mutterstöcke
mit alten Müttern auf ihrer Stelle stehen, so ist
der Vortheil sehr groß: ist das aber nicht, so muß
das Folgende gelten.) So gering auch ihre An=
zahl ist, so kann man doch ganz sorglos seyn:
denn sie lassen sich ihren Vorrath gewiß nicht
rauben, so lange die Mutter noch nicht fruchtbar
ist. Jeder der 6 Schwärme erhält, sobald die
Mutterstöcke weg sind, die Stelle seines Mutter=
stocks; sie dürfen nicht verwechselt werden, sonst
kann man sich den folgenden Tag auf Unruhe ge=

R

faßt machen, und diese läuft nur zu oft zu uns
serm Schaden ab! Ich laſſe immer dieſe Schwärme
8 bis 10 Tage in den leeren Körben arbeiten.
Die Bienen gewöhnen ſich eher an die jungen
Mütter, als wenn ich ſie zu frühe in die Schläuche
laufen laſſe. Die Mütter werden auch in leeren
Körben eher fruchtbar, und es entſteht auch dann
gar keine Unruhe. Alſo 8 bis 10 Tage (wenn von
Schwärmen mit unfruchtbaren Müttern die Rede
iſt) nach dem Abtreiben ſetze ich jeden Schwarm
verkehrt, einen Schlauch darauf und laſſe ſie Be-
ſitz davon nehmen, und am Morgen wird jeder
auf ſeine Stelle geſtellt. Warum ich aber die
Mutterſtöcke und nicht die Schwärme wegſchicke,
iſt deswegen und ſogar höchſt nöthig, ohne 2
Stände, weil die Schwärme auf ihren fluggewohnten Stellen viel fleißiger ſind, die jungen Mütter eher fruchtbar werden und nun keine Bienen
der Mutterſtöcke, die den jungen Müttern gefährlich werden und ſie tödten können, ihnen zu nahe
kommen.

§. 72.
Junge Mütter in Gläſern zu erziehen.

Hier iſt die zweite Art und Weiſe meine
Stöcke zu vermehren. Sie bietet dem Forſcher

mehr Gelegenheit zu Beobachtungen dar, als die
erste. Im April schicke ich einen sehr starken
Stock weg, und lasse ihn 3 bis 4 Wochen lang
da arbeiten; nach dieser Zeit treibe ich ihn ab,
und zwar so viel Volk, als er nur missen kann.
Die Mutter behält er, oder ich gebe sie ihm,
wenn ich sie ausgefangen habe, wieder. Die
Bienen aber lasse ich sogleich in 6 bis 8 Kästchen
laufen, die bebaut und mit Honig versehen sind.
Hiebei verfahre ich also: ich schütte die Bienen
auf ein Brett, setze ein Kästchen dazu und lasse
es voll Bienen laufen. Sobald in einem Kästchen so viele Bienen sind, als ihrer nur immer
hinein können, setze ich ein anderes dahin, streiche,
wenn von außen um das Kästchen Bienen sitzen,
sie davon und binde ein loses Tuch darum, setze
es verkehrt, damit die Luft frei abziehen kann;
so verfahre ich bis alle Bienen eingesperrt sind.
Diese Kästchen bringe ich nach Haus und lasse sie
6 bis 8 Stunden verkehrt in einer dunklen Kammer stehen, damit die Bienen erst von ihrer zu
starken Unruhe nachlassen und dann desto eher,
und sicherer mit einem Stückchen Brut zufrieden
sind. Dieß Stückchen Brut muß aber Eyer und
Würmchen oder Maden von 1 bis 3 Tagen alt mit

R 2

älterer Brut enthalten; zugedeckelte Brut braucht
nicht dabei zu seyn: denn nur aus 2 bis 3, höchstens
4tägigen Maden werden aus Eyern junge Mütter
gezwungen erzogen; auch darf es keine Drohnen=
sondern Bienenbrut seyn. Ein solches Stückchen
Brut schneide ich unten aus einem starken Stock;
es braucht nicht größer als zwei Quadratzoll zu
seyn, wenn nur 1 bis 3tägige Maden darin sind.
Deßwegen kann ich auch von einer einzigen ausge=
schnittenen Brutwabe so viel Stückchen machen,
als ich Kästchen mit Bienen habe. In jedem
Kästchen ist oben im Deckel ein Loch, das 1½
Quadratzoll weit und mit einem Stopfen verschlos=
sen ist. Diesen Stopfen ziehe ich aus, jage die
aufsteigenden Bienen mit Rauch zurück, lege ein
dünnes Brettchen mit einer eben so weiten Oeff=
nung in der Mitte so auf, daß dieselbe Oeffnung
bleibt; auf dieses Brettchen lege oder stelle ich
das Stückchen Brutwabe, stülpe ein Halbschop=
penglas über, und so verfahre ich auch mit den
übrigen. Ich unterlege die Kästchen wegen Ab=
zugs der Luft, mache die Kammer dunkel und
lasse sie so bis auf den dritten Tag stehen. Die
Bienen ziehen sich augenblicklich in die Gläser,
bauen die Stückchen Wäben überall vest an und

machen Anstalt zur Erbrütung junger Mütter aus
den zwei= und dreitägigen Maden oder Würm=
chen. Am dritten Tage setze ich die Kästchen alle
neben einander in den Garten, aber nicht in den
Bienenstand, sondern ziemlich weit davon ent=
fernt, damit die Bienen nicht verleitet werden,
bei andere Stöcke zu fliegen. Sollten wider Ver=
muthen die Bienen eines Kästchens noch Unruhe
äußern, so mache ich dieses gleich wieder zu, und
bringe es in die Kammer bis zum folgenden Tage,
wo sie dann schon ruhiger seyn werden. Beim
Heraussetzen müssen aber die Gläser bedeckt wer=
den, damit kein Licht eindringen und die Bienen
beunruhigen kann. Nach 8 Tagen, von dem
Tage an zu rechnen, wo ich die Brutwabe gab,
sieht man, daß die Mutterzellen fertig und be=
deckelt sind. Schon am 5ten und 6ten Tage wer=
den aus Eyern junge Mütter gezwungen erbrü=
tet, und am siebenten und achten Tage bedeckelt.
Am 10. Tage nehme ich ein hölzernes Höchsel,
das voll Honigwaben ist; auf dieses Höchsel
kommt ein hölzerner Deckel zu liegen, in wel=
chem so viele Löcher seyn müssen, als ich Gläser
mit angesetzten Müttern habe. Ich setze am Mor=
gen dieses Höchsel auf ein Flugbrett, hebe die

Gläser mit den darunter liegenden Brettchen ab,
und setze sie alle auf den Deckel dieses Höchsels,
und zwar über jedes Loch eins. Hierauf jage
ich die Bienen durch Klopfen aus dem Kästchen,
wenn ich sie verkehrt setze; sie ziehen sich nun alle
nach dem Höchsel; da sie aber nicht alle Platz
darin finden, so ist es ganz natürlich, daß sie sich
vorlegen müssen, und eben dieses Vorlegen oder
vielmehr der Mangel an Raum macht, daß alle
eingesetzten Mütter, deren in 6 bis 8 Gläsern fast
immer 24 bis 30 sind, gehörig erbrütet und erhalten werden können; da man hingegen, wenn
die Bienen in den Kästchen bleiben, aus jedem
Kästchen nur eine erhält, weil die andern, sobald eine ausgeschlüpft ist, reif oder unreif umgebracht werden. Hätten die Bienen in diesem
Höchsel keinen Mangel an Raum, so würden sie,
wie ich es schon erfahren habe, von 30 erbrüteten
jungen Müttern nur eine behalten und 29 umbringen. So aber denken sie sich durchs Schwärmen zu theilen, und lassen ruhig die Mütter alle
zur Reife gelangen. Dieß läßt sich aus dem Tüten
der Mütter sehr gut erklären: denn wenn das Volk
für eine so kleine Wohnung nicht zu stark ist, so
werden die Mütter alle bis auf eine umgebracht,

wenn ihrer auch 30 und mehrere wären, und wir
hören dann gar kein Tüten, weil die Bienen mit
der zuerst ausgelaufenen Mutter zufrieden, mit
ihr einig sind. Nur dann, wenn die Bienen der
Mutter, die zuerst ausgelaufen ist, nicht folgen
wollen; wenn sie solche auf der Stelle, wo sie geboren wurde, gleichsam gefangen halten, nur dann
erst sucht sie durch ihr Tüt, Tüt, die Bienen
zu bewegen, in ihre Eifersucht zu willigen und alle
andern Mütter zu zerstören. Man kann das nie
besser beobachten, als bei solchen Gläsern; ja ich
habe mehrmals gesehen, daß die Mutter, die
sich noch vor wenigen Minuten mühsam aus ihrer
Hülle arbeitete, in Begleitung mehrerer Bienen,
wenn die Mütter, die in demselben Glase, worin
auch sie geboren wurde, umgebracht waren, sich
durch die Oeffnung machte und nach einigen Minuten in einem andern Glase erschien, wo die
Bienen alle darin angesetzten Mütter zerstörten;
sie begaben sich sofort mit ihr in ein anderes
Glas, und ließen nie eher nach, bis keine einzige
Mutter ohne diese mehr lebte, und hätten sie auch
in zehn Gläser mit ihr gehen sollen. Hier hören
wir weder Tüten noch Rufen, sondern Mutter
und Bienen sind einig und die andern werden

der Eiferſucht, oder wie man es nennen will, auf;
geopfert. Im ganzen Thierreich wird kein ſo
hoher Grad von weiblicher Eiferſucht angetroffen,
als bei den Bienen. Die Mutter beweiſt das
ſehr deutlich; denn treffen ſich zufällig zwei, gleich;
viel ob ſie fruchtbar oder noch unfruchtbar ſind,
ſo ſuchen ſie ſich zu erreichen, packen ſich, wie
zwei Hähne und laſſen ohne Stöhrung nie eher
von einander ab, bis eine oder alle beide auf'm
Platze todt bleiben. — Nie braucht ein ſolches
Weibchen ihren Stachel anders, als gegen ihres
Gleichen; ſie läßt ſich todt drücken und ſticht nicht;
ſich von Bienen todt ſtechen und wehrt ſich nicht.
Man ſetze aber zwei eine Elle weit von einander,
und ſehe wie geſchwind ſie ſich erblicken, wie ge;
ſchwind ſie ſich ergriffen haben, wie geſchwind
eine oder alle beide todt ſind! Man wird in Ver;
wunderung verſetzt wenn man ein unvernünftiges
Inſect ſo handeln ſieht! Hören wir aber Tüt,
tüt rufen, ſo können wir verſichert ſeyn, daß die
Bienen für jetzt nicht in ihr Begehren willigen.
Ich hatte Gelegenheit noch tiefer zu blicken und
zu erfahren, warum wir nebſt dem Tüt, tüt, auch
quack, quack rufen hören. Ich will es, ſo wie
ich es da geſehen habe, hieher ſetzen; es mag

manchem Forscher angenehm seyn. Ich hatte
auf dem Deckel eines Höchsels 7 Gläser stehen,
in welchen 24 Mütter angesetzt waren. Als ich
die erste rufen hörte, wartete ich mit Fleiß einen
Tag länger: denn ich hatte ein starkes Volk in
und vor dem Höchsel; ich that das, um auf ein-
Mal mehrere Mütter zugleich wegnehmen zu können, weil ich deren brauchen wollte. Als ich
den folgenden Tag nicht mehr als eine hören
konnte, verschob ich es noch einen Tag. Da ich
aber jetzt noch keine andere vernahm, so mußte
ich, um das Schwärmen zu verhüten, sie gegen
zehn Uhr wegnehmen. Ich sah nach, in welchem
Glase sie ausgelaufen war, hob es ab, und fand
sie auch. Kaum aber hatte ich sie in Sicherheit
gebracht, so hörte ich schon eine andere; sie
war in demselben Glase, ich nahm sie, und in
Zeit von einer Stunde noch zehn junge Mütter
weg, aber kein einziges Mahl waren zwei zugleich ausgelaufen. Als ich wieder eine hörte,
wollte ich sie auch wegnehmen; allein sie hatte
sich aus dem Glase in das Höchsel begeben, wo
sie sich von Zeit zu Zeit hören ließ. Weil die
Bienen aber durch das Wegnehmen sehr böse geworden waren, und ich auch nun schon zur Noth-

durft versehen war, so ließ ich sie ruhig stehen, bis zum andern Morgen. — Ich komme hier noch einmal zur genannten Eifersucht der Mütter zurück und sage, läßt man sie zu lange stehen ehe man sie (die Mutter) wegnimmt, so sind sie oft in einer Viertelstunde alle, bis auf eine, umgebracht. Treibt man einen Nachschwarm ab, so darf der Schwarm keine 4 Minuten in der leeren Wohnung stehen bleiben, wenn man Mütter von ihm ausfangen will; sonst gibt man den Müttern Gelegenheit sich zu begegnen und sich einander zu morden, ehe die Bienen daran denken und sie hindern. Schüttet man den Schwarm sogleich aus, so geschieht es nicht: dann will sich jede junge Mutter unter den Bienen verbergen und die Eifersucht muß der Furcht weichen. Ein paar Beispiele werden zeigen, wie man sich in Acht zu nehmen habe. Herrn Rath Deuko in Opladen trieb ich 1811 etliche Nachschwärme ab, als ich den ersten absetzte, hatte ich noch nichts parat, worauf ich die Bienen ausschlagen konnte; es wurde geschwinde ein Tischtuch geholt, ich spreitete es aus, ergriff den Schwarm und 4 junge Mütter lagen zu 2 und 2 darunter, um sich zu würgen, ohne daß eine Biene sie gehindert hätte. Ich schlug den

Schwarm aus, ergriff die Mütter und mußte sie
mit Gewalt von einander reißen: ich warf sie unter die Bienen und sogleich verkrochen sie sich unter dieselben und keine traf die andere wieder,
obgleich ich sie über ¼ Stunde so liegen ließ. Als
ich sie endlich aussuchte, so war auch nicht eine
einzige mehr, als diese vier beim Schwarm und
der Mutterstock hatte auch keine mehr. Hätte
es noch eine Minute länger gedauert, so wären
sie vielleicht alle vier todt, der Schwarm verloren gewesen, und der Mutterstock mutterlos gemacht worden.

Mein Freund Lange in Gladbach hatte im
Herbst eine treffliche Lage; er hat nicht nöthig seine
Bienen in die Haide zu senden und doch werden
sie oft sehr schwer; aber wegen dem weiten Flug
und der vielen Bienenraubvögel, die im Herbst in
seiner Lage sind, sind seine Stöcke nach der Aernte
am Volke immer sehr schwach. Als ich ihn einst
besuchte, wieß er mir zwei schöne Nachschwärme,
die er stehen lassen wollte; doch sie waren am Volk
zu schwach und so rieth ich ihm, obschon es bereits
November war, sie zusammen zu setzen. Er war
es zufrieden und ich riß, weil sie beide in Maga

Anwohnungen standen, am Abend einen den
Deckel ab und setzte den andern darauf. Aus
Neugierde sah ich am andern Morgen nach,
ob sich vielleicht die Bienen gestochen hätten,
und — wer erstaunt nicht! — fand zwei todte
Mütter ganz allein auf dem Flugbrette liegen,
die beide gestochen waren. Die Bienen bezeigten
sich ruhig und doch schien nichts gewisser zu seyn,
als daß sie mutterlos waren.

Ich blieb nun mit Fleiß den Tag noch bei
ihm, und erst gegen Abend gaben die Bienen ihre
Mutterlosigkeit durch Unruhe zu erkennen und
mußten zu andern Stöcken gebracht werden.
Tausendmal war ich schon so verfahren und es
hatte sich nichts Uebles ereignet; hier mußten sich
beide Mütter entgegen gegangen seyn, sich ergriffen und todtgestochen haben, ohne daß es Bienen gewahr worden sind, weil keine Unruhe am
Morgen Statt hatte. Seitdem habe ich immer
nach einer solchen Vereinigung am folgenden
Morgen nachgesehen und dasselbe nie wieder erfahren. Es geschah vielleicht zu spät und deswegen trat der Fall ein; doch auch Andern zur Nachricht steht es hier. — Jetzt hörte ich wieder nur

die eine ganz deutlich in dem Höchsel rufen, einige
Augenblicke darauf hörte ich in einem Glase Quack,
quack rufen; ich nahm es ab, schlug die Bienen
aus, fand aber keine Mutter; ich glaubte mich
verhört zu haben, daß das Rufen in einem andern
Glase geschehe, und wollte das andere, worunter
noch drei zugedeckelte Mutterzellen standen, wieder aufsetzen, indem rief es wieder Quack, quack!
Sogleich nahm ich mein Federmesser, um eine
Zelle aufzumachen; aber kaum rührte ich den
Deckel an, so fiel er zusammen, wie Asche, und
die Mutter flog davon. Bei der zweiten ging es
eben so, nur daß ich es in der Stube that, und
die Mutter am Fenster wieder bekam. Die dritte
war zwar auch zum Auslaufen reif, aber der
Deckel war noch vest. Ich begab mich zu den
übrigen Gläsern, und hörte auch da wieder Quack,
quack rufen; ich nahm sie alle ab, fand überall
zum Auslaufen reife Mütter, bis auf zwei, die
abgestanden waren; und in einer vollkommenen
Mutterzelle fand ich, als ich sie öffnete, eine
Biene. Eine Biene! wird mancher sagen; ja
es war eine gemeine Biene und die Zelle war so
vollkommen, als nur eine seyn kann. Ich traute
Anfangs meinen Augen nicht; allein ich mochte

fie befehen, fo lange ich wollte, fie war und blieb eine Biene! Bei der erften Ausgabe konnte ich diefes Ereigniß erzählen, aber noch nicht er= klären. — Ein Ramdohr, ein Wurfter und meine eignen Gedanken ftanden zwar fchon da= mals im Widerfpruch; fo wie einft Schirach, ruhte auch ich nicht; ich zwang die Bienen aus einem Ey eine Mutter zu bilden; allein das hält fchwer: doch der Menfch, dem es Ernft ift, kann fehr viele Hinderniffe bezwingen. Ich behaupte jetzt veft, daß jedes Ey von der Mutter gelegt, weib= lich fey und darf alfo nicht mehr, wie Ram= dohr, glauben, „die Urfache müßte im Ey gelegen haben." Ich zwang Bienen um 5 und 6tägige Maden Mutterzellen zu bauen; auch die= fes hält fchwer, aber ich fand die Urfache. Der Wurm, zu groß in der kleinen Zelle geworden, kann nicht mehr im Futterbrei fchwimmen.

Die Ausdehnung am Hinterleibe was eigent= lich die Vergrößerung der Bienenmutter aus= macht, kann nicht mehr Statt haben, und es wird eine Biene und keine Mutter erzogen; obfchon fie zur Mutter aber zu fpät beftimmt wurde; die Gefetze der Natur können hier nicht fo leicht über= fchritten werden.

§. 73.

Von der Mutter und ihrer Entstehung.

Die Mutter entsteht natürlich aus einem Ey,
das die alte Mutter selbst in eine der an den Rän-
dern der Waben erbauten und noch unvollendeten,
eichelförmigen Mutterzellen legt; es ist kein besonderes, kein im Mutterleibe zu diesem Zweck
schon bestimmtes Ey, sondern wie alle andern
Bieneneyer, die nur von der Bienenmutter und nie
von einer Biene gelegt werden. Dieß Ey erhält
seine Bestimmung zur jungen Mutter, erstens
durch die Zelle, zweitens durch eine ganz eigene
Behandlung, und drittens durch den häufigen
und besseren Futterbrei, den es während seines 7
Tage langen Wachsthums erhält. In den ersten
zwei Tagen erhält es denselben Futterbrei, wie gewöhnliche Bieneneyer. Am dritten Tage aber
wird den aus dem Ey erwachsenen Würmchen
schon ein besserer und viel Futterbrei, der dem
Eyweiß ganz ähnlich sieht, zugesetzt, daß das
junge Würmchen darin schwimmt; es scheint sogar daß schon eine Verwandlung mit ihm vor-
gehe, ehe es bedeckelt werde: denn wir sehen 5
Tage hindurch in einer solchen Mutterzelle nichts

als eine weiße Breimasse. Die Bienen, die dieses
Geschäft verrichten, ruhen nie; sie setzen Brei zu
und bauen während dem Größerwerden der Masse
auch die Zelle immer größer, bis sie am 7ten Tage
bedeckelt, vest und stark mit Wachs überzogen
wird. Eine solche Zelle wird so vest gemacht, da;
mit sie vermuthlich, weil sie am Ende einer Wabe
steht, nicht so leicht Schaden leiden könne.

Die Mutter wird aus einem 2 bis 3, ja man
könnte noch hinzusetzen, 4tägigen Wurm gezwungen
erzeugt. Die Bienen bauen um diesen Wurm eine
eichelförmige größere Zelle; er erhält nun einen
bessern Futterbrei und auch mehr. So wie er nun
größer wird, wird auch die Zelle nach und nach
größer gemacht, bis zu ihrer Vollendung, wo sie
dann gleich einer Bienenzelle zugedeckelt wird.
Ein solcher Mutterwurm wird schon am 4ten, 5ten
und selten erst am 6ten Tage bedeckelt, er geht
nach noch 7 bis 8 Tagen schon als Mutterjung;
frau aus seiner Zelle hervor, wenn er nicht wegen
des Tütens einer andern, die schon ausgelaufen
ist, aus Furcht, oder von den Bienen zurückge;
halten wird. Ich will hiemit gar nicht behaup;
ten, daß in einer größern Wohnung nicht zwei
zugleich auslaufen können; ich habe selbst mehr;

mals zwei zugleich verschieden Tüt, tüt rufen
hören, das Quack, quack, das wir aber zugleich
hören, beweist auch, daß einige noch in den
Zellen sind, die gerne ausliefen, wenn sie dürften.
Den Müttern ist von der Natur der Trieb einge-
pflanzt worden, daß sie keine andere neben sich
dulden können, ja sie stechen sich, eine die andere,
selbst todt, wenn sie keine Bienen hindern, da sie
doch sonst ihren Stachel gar nicht gebrauchen;
daher ist man auch auf die Meynung verfallen,
als tödteten die Bienen keine Mütter, sondern
die Mütter thäten es unter sich, welches jedoch
falsch ist. Sobald die Mütter aus den Zellen
schlüpfen, kann schon eine die andere todt stechen,
dieß ist einer jungen Biene unmöglich, weil ihr
Stachel beim Auslaufen noch nicht giftig ist. Aus
eigenem Triebe und dem Triebe der Mutter, die
sie gewählt haben, zu gefallen, tödten die Bienen,
wenn sie nicht schwärmen wollen, die überflüssigen
Mütter. Nunmehro, wenn sie im Stock allein
ist, wenn ihr alles anhängt, schickt sie sich nach
und nach zur Begattung an. In einem Mutterstocke geschieht es am 20sten und 21sten Tag bei
guter Witterung nach dem Verluste der alten
Mutter. Bei einem Afterschwarm geschieht es

S

3, 4 bis 8 Tage früher bei demselben Alter.
Ihr höchstes und kraftvolles Alter ist 3 Jahre.
Wird sie nicht vernichtet, so sinkt sie im 4ten
Jahre von selbst in ein Nichts, denn ihre Kraft
verläßt sie. Ist sie begattet, so legt sie nun bei=
nahe unaufhörlich so lange Eyer, als Nahrung
für Bienen auf dem Felde ist. Hört diese auf,
als im Herbst, so legt sie nicht mehr, dagegen
legt sie im Januar und Februar, wenn die Wit=
terung nur etwas gelinde und viel Volk im
Stocke ist, schon stark, ob es gleich noch gar keine
Nahrung im Felde gibt, am stärksten legt aber
eine solche Mutter vom April an bis im August,
doch immer stärker, wenn es viel Nahrung, als
wenn es wenige gibt. Höher aber als 500 hat
es bei allen Versuchen, die ich machte, noch keine
bei mir in 24 Stunden gebracht, und ich zweifle
noch sehr, ob es viele gebe, die in 24 Stunden
eine solche Anzahl legen können, denn ich hatte
nur einmal den Fall. Dreihundert kann man
aber täglich rechnen. Daß sie aus Schwäche we=
gen des vielen Eyerlegens frühe sterben sollen, ist
wider meine Erfahrung, daß aber eine junge,
wie ich genugsam erfahren habe, fruchtbarer ist,
als eine zu alte, daran zweifle ich nicht mehr,

und wir finden es überall, wo wir uns in der
Natur umsehen, eben so.

§. 74.

Von den Bienen und ihrer Entstehung.

Die Biene ist weiblichen Geschlechts; sie ist
ein Meisterstück der Natur, unvollkommen und
doch so thätig, so fleißig, so geschickt, so arbeitsam
als Ordnung liebend. — Sie entsteht aus einem
Ey der Mutter, ohne die sie nicht lange leben,
nicht gehörig arbeiten, nicht viel Honig sammlen
kann: einzeln kann sie nicht leben, hat nicht
Wärme und keinen Trieb. Zu Tausenden bei:
sammen, mit einem vollkommnen Weibchen ver:
sehen, haben sie Wärme sich im Winter zu erhal:
ten. Im Sommer und bei honigreicher Witte:
rung wird die Hitze so groß bei ihnen, daß sie
Wachs ausschwitzen und die künstlichen Zellen
daraus verfertigen, ohne daß das schon verfertigte
Wachs schmilzt; unvollkommen haben sie doch die
größte mütterliche Sorgfalt für ihre Jungen, sie zu
füttern und zu pflegen. Jede Biene entsteht aus
einem Ey, das die Mutter in eins der sechsigen
kleinen Bienenzellen selbst legt. Sobald das Ey
gelegt ist und liegt wo und wie es liegen soll,

S 2

wird es von den Bienen mit Futterbrei versehen,
es entsteht ein Würmchen, das in 8 Tagen so stark
wächst, daß es so groß wird wie der innere Raum
seiner Zelle. An diesen Tagen wird der Wurm
zugedeckelt, er erhält nun keine Nahrung mehr,
verwandelt sich in 11 bis 13 Tagen in eine
Biene, und beißt sich durch. Diese junge Biene
wird nun gefüttert und beleckt und geht nach 3
Tagen bei guter Witterung zum Vorspiel aus und
fängt nun ihre Arbeit, die in Füttern, Bauen und
Sammlen besteht, an. Ihr Fleiß ist ohne Beispiel, sie lebt kurze Zeit und ihr Geruch lenkt ihre
Triebe, ihren Fleiß und ihre Sammlungsbegierde,
die so groß ist, daß sehr viele ihr Leben darüber
einbüßen. Mit ihrem Rüssel wird der Honigsaft
sowohl, als auch der Blumenstaub aufgenommen, ersterer in ihren Vordermagen, letzterer an
ihren Hinderfüßen und nach Hause getragen. Beide Theile machen ihre Sommer- und Winternahrung aus. Vier Flügel tragen sie durch die Luft,
und mit ihrem Stachel vertheidigen sie sich gegen
Feinde und ihres Gleichen. Die Binen können
nur Drohneneyer legen, doch legt eine den Sommer hindurch vielleicht nur ein einziges Ey, wo
hingegen Tausende keins legen, weil ihr Trieb

durchs Füttern der jungen Bienen schon befriedigt wird.

§. 75.
Vom Begatten der Mutter mit den Drohnen.

Hr. Riem sagt, die Mutter begatte sich
im Stocke mit den Drohnen. — Hr. Eirich
sagt, er habe der Begattung der Mutter mit
den Drohnen außer dem Stocke zugesehen,
und habe Mutter und Drohnen, während des
Akts, mit einer Nadel durchstochen und sie in
Spiritus aufbewahrt wo er sie jedem, der sie
sehen wolle, zeigen könne. — Ich habe nie, so
viele Mühe ich mir auch gab, die Begattung
wahrnehmen können. So viel weiß ich aber gewiß, und keiner wird mich eines andern überzeugen, daß jede junge Mutter erst ausfliegen
muß, ehe sie fruchtbar wird. Ich habe dieß
nun schon seit 24 Jahren so genau als möglich
untersucht. Ich könnte sehr viele Beispiele anführen, daß junge Mütter nicht fruchtbar wurden, und noch mehrere könnte ich mit Zeugen beweisen, daß die mehresten Stöcke im Sommer,
ja beinahe alle, die mutterlos werden, es wegen
des Ausfliegens der jungen Mütter werden. Dieß
ist die wahre Ursache des Mutterloswerdens, wor-

über bis hieher so mancher Bienenfreund klagte!
Ich muß gestehen, daß ich oft lachen mußte, wenn
ich sahe, daß man bald hie, bald da, die Ursache
der Mutterlosigkeit finden wollte. Bald waren
die vielen Schwärme Schuld, bald die kalte
Witterung, bald die Verfolgung der vielen jungen Mütter in einem Stocke unter sich, und was
weiß ich, was man mehr zur Ursache machen
wollte! Der wahren Ursache aber, durch deren
Bekanntmachung und Beobachtung der Mittel,
die man dagegen brauchen kann, im Sommer
beinahe alle Mutterlosigkeit verhütet wird, wurde
nicht gedacht. Mir ist vor Mutterlosigkeit, wor-
über man so sehr klagt, nicht mehr bange, wenn
ich nur die Stöcke, die junge Mütter haben, so
lange unter meiner Aufsicht habe, bis die Mütter
fruchtbar sind. So gewiß es ist, daß jede junge
Mutter ausfliegen muß, wenn sie fruchtbar werden soll, so gewiß ist es auf der andern Seite, daß
keine alte fruchtbare Mutter ausfliegt, es sey denn
mit einem Schwarme, oder im Frühjahre bei
einem sehr schlechten Stock, wo die Mutter aus
Mangel an nöthiger Wärme noch keine Eyer legt.
Auch diesen Satz habe ich nicht unprobirt gelassen,
und mich vollkommen davon überzeugt. Die Ur-

fache des Ausfliegens ist der Trieb zur Begattung,
sie begattet sich im Freien, wie Eirich Jan=
scha, Pöfel schon lehrten., mit den Drohnen.
Sie wurden verlacht, man spottete ihrer öffent=
lich, weil sie Wahrheit lehrten,

Ich setze hinzu: sie wird im Freien für im=
mer fruchtbar, und nie im Stocke begattet. Kurz,
sie wird es in ihrer Jugend im Freien auf einmal
für ihre ganze Lebenszeit. Ich habe viele Ver=
suche deßwegen gemacht und thue es noch. Wenn
ich nun einen Schwarm machte, und diesem
Schwarme keine einzige Drohne ließ, ihn 30
Schritte weit von den andern Stöcken entfernte,
und da fliegen und arbeiten ließ; so fand ich
gleichwohl, daß seine Mutter so geschwind und
eben so fruchtbar wurde, als eine andere, die in
einem Stocke sich befand, worin auch Drohnen
waren; ja wenn ich ein Kästchen, mit einer Hand=
voll Bienen und einer jungen Mutter eine Vier=
telstunde weit ins Feld, in irgend ein Stück
Frucht setzte, so wurde dennoch diese Mutter,
wo gewiß keine Drohne bei war, vollkommen
fruchtbar. Hätte man irgend eine Gegend, die
rundherum eine Stunde weit von allen Bienen

entfernt wäre, so könnte man sich ganz sicher
überzeugen, daß die Mutter von Drohnen begattet werde, woran noch Mancher zweifelt; man
müßte aber auch überzeugt seyn, daß nicht irgend
ein Stock in einem Baume sey. Ich zweifle nie
mehr an der Begattung der Mütter im Freien
mit den Drohnen: denn eine andere Bestimmung
haben die Drohnen nicht, als nur die Begattung
der Mutter und der Bienen zu besorgen, und deswegen braucht auch nur eine geringe Anzahl jährlich in den Stöcken zu seyn. Wie man eine größere
Menge verhüten kann, habe ich schon gelehrt.
Eine Viertelstunde weit fliegen Drohnen, denn
man findet ihrer im Sommer so weit von Bienen entfernt, todt auf der Erde liegen.

§. 76.

Vom Ausfliegen der jungen Mütter.

Ich sagte oben, daß eine junge Mutter ausfliegen muß, wenn sie fruchtbar werden soll. Diesen Satz wollen wir jetzt näher betrachten, erst
aber will ich den Zufall voran schicken, der mich
darauf aufmerksam machte. Ich erhielt 1793
einen Nachschwarm, der mir durchaus in keinem
Korbe halten wollte. Ich faßte ihn 6 bis 7mal

und immer flog er wieder aus, und setzte sich an
den Ort, wo er sich zuerst gelagert hatte. Endlich wurde er es nach drei Tagen doch müde, und
fing an zu arbeiten. [Eine solche höchst lästige
Unruhe ereignet sich bei Nachschwärmen 1) wenn,
wie oft geschieht, mehrere junge Mütter beim
Schwarm sind und die Bienen über der Wahl
nicht einig werden können. 2) Haben die Bienen
bei sehr honigreicher Witterung zu viel Honig
bei sich, so verlangt jede ihn ablegen zu können;
es fehlt in einer leeren Wohnung an Rosen dazu;
das Bauen fällt beim vollen Honigmagen schwer,
daher eine solche Unruhe, ein solches öfteres Ausfliegen. Hat man einen Korb mit leeren Rosen,
worein man einen solchen unruhigen Nachschwarm
fassen kann; so hält er auf der Stelle und ist sogleich sehr fleißig.] Da ich ihm aber noch nicht
recht trauete und deßwegen oft nach ihm sah, so
wurde ich am 4 Tage nach dem Schwärmen,
gegen 1 Uhr Nachmittags seine Mutter gewahr,
ich glaubte nicht anders, als sie sey Schuld an
dem öftern Ausfliegen des Schwarms; ich trat
näher und als sie wieder kam, ergriff ich sie,
schnitt ihr die Flügel ab und ließ sie einlaufen.
Der Stock arbeitete diesen Tag über und den fol-

genden Morgen sehr fleißig und emsig; als ich
aber Nachmittags gegen 4 Uhr zum Stande kam,
fand ich ihn in voller Unruhe. Ich glaubte nicht
anders, als er habe wieder geschwärmt, die Mutter sey gefallen, und deßwegen seyen die Bienen
genöthig worden, wieder von selbst einzuziehen.
Ich suchte sogleich auf der Erde nach und fand
sie endlich nach langem Suchen, wohl 20 Schritte
vom Stande entfernt, ganz allein auf der Erde
liegen. Dieß wunderte mich, weil ich wußte, daß
beim Schwärmen nicht leicht eine Mutter gefunden wird, wo gar keine Bienen in der Nähe
wären. Ich gab sie dem Stock wieder und augenblicklich war die Ruhe hergestellt. Wer war
damals froher als ich, denn ich meynte Wunder,
was ich durch das Abschneiden der Flügel aus-
gerichtet hätte, weil ich in dem Wahne stand, ich
hätte dadurch die Bienen gleichsam gezwungen,
von selbst wieder in ihre Wohnung zurück zu
ziehen. Allein es ging ganz anders, als ich
dachte, ich merkte am folgenden Tage wieder
mehr auf ihn, und wurde gewahr, daß die Mutter gegen halb 2 Uhr Nachmittags wieder heraus
kam, sie fiel auf die Erde, ich ließ sie mit Fleiß
etwas herum laufen, indem ich sagte: du wirst

es auf diese Weise doch wohl müde werden; denn ich glaubte noch immer, sie wollte die Bienen wieder herauslocken. Diese aber verhielten sich lange ruhig, bis endlich einige ihren Verlust merk= ten, worauf dann die Unruhe sogleich wieder all= gemein wurde. Ich setzte sie wieder bei, und die Ruhe war hergestellt; sie ließen ihr vor Freu= den nicht einmal so viel Zeit einzulaufen; son= dern trugen sie gleichsam hinein. Am künftigen Morgen kam sie gegen 11 Uhr aus Flugloch, ging aber von selbst wieder zurück und ferner habe ich sie nicht mehr draußen gesehen. Der Schwarm fing nach 8 Tagen an, sehr im Fliegen nachzu= lassen, weil ich aber wußte, daß ein Schwarm nach 10 bis 14 Tagen mehr, als in den ersten Ta= gen mit der jungen Brut zu thun hat, so achtete ich nicht darauf. Als er aber nach 4 Wochen noch mehr im Fliegen und Arbeiten abnahm, da ich doch aus Erfahrung wußte, daß nunmehr junge Arbeiter hervorkommen mußten, so unter= suchte ich ihn genauer, und fand, daß er zwar viele Drohnenbrut hatte, aber keinen einzigen Bienenwurm konnte ich entdecken, ich glaubte also, die Mutter müßte ohne mein Wissen wieder gefallen seyn und sich verloren haben. Ich

machte mich, ob es schon Abend war, sogleich
daran ihn auszutreiben und zu untersuchen. Als
ich ihn rein heraus hatte, setzte ich ihn auf das
schon beschriebene schwarze Brett, um zu sehen,
ob Eyer zu finden wären: allein ich sah wohl 6 bis
5mal umsonst nach, und doch blieben die Bienen
in dem leeren Korbe ruhig. Dieß war mir, un;
geachtet ich keine Eyer fand, doch Beweis genug,
daß die Bienen eine Mutter bei sich haben müß;
ten, sonst wären sie in einer leeren Wohnung
nicht ruhig geblieben. Weil es nun Abend und
dunkel war, so mußte ich sie stehen laffen, bis
zum folgenden Morgen; auch jetzt fand ich auf
dem Brette kein einziges Ey, die Bienen hatten
sich aber ruhig zusammen auf ein Klümpchen ge;
zogen: ich schüttete sie auf ein Brett und fand
sogleich die Mutter mit den abgestutzten Flügeln.
[Einer fruchtbaren Mutter kann man ohne Gefahr
die Flügel abschneiden und sich dadurch überzeu;
gen, daß sie 3 Jahre lang fruchtbar, ist. Ich
habe deswegen sehr viele Versuche mit Abschneiden
der Flügel bei fruchtbaren Müttern gemacht und
bin dadurch zur Gewißheit gelangt, daß sie 3 Jahre
lang fruchtbar bleiben, wie auch, daß sie im
4ten Jahre aufhören fruchtbar zu seyn und auf

eine oder die andere Art eingehen.] Ich schnitt sogleich alle Drohnenbrut aus, und ließ Bienen und Mutter wieder einlaufen; allein es wurden nach wie vor Drohnen, aber keine Bienen erzeugt. Wer legte nun die Drohneneyer? Gewiß die Mutter nicht, sonst hätte ich auch welche auf dem Brette gefunden; auch keine Biene allein legte sie, sonst hätten wohl Eyer auf dem Brette liegen müssen. Es ist vielmehr ein Beweis, daß mehrere Bienen sie legten, und das geschah bei einer Mutter, ob sie schon unfruchtbar war, doch nicht unregelmäßig. Anfangs September hatte dieser Schwarm nur noch 200 Bienen, bey 400 Drohnen und die schon gedachte Mutter, allein kein Viertelpfund Honig. Ich probierte es gleich im folgenden Sommer mit einem andern Nachschwarm, und es wäre mir mit diesem nicht besser gegangen, als mit dem ersten, wenn ich nicht die Mutter, als ich sahe, daß auch sie nicht fruchtbar wurde, weggenommen und eine andere gegeben hätte. In der Folge habe ich noch sehr viele Beispiele der Art gehabt. Wenn zum Beispiel eine junge Mutter einen kaum merkbaren Fehler an irgend einem Flügel hatte, so fiel sie beim ersten Ausfluge zu Boden, wenn ich sie nun

auch dem Stocke wiedergab, so war und blieb sie
unfruchtbar. Ihr Trieb verleitete sie, es bei
einemmal nicht bewenden zu lassen, sie fiel, wie
ich noch immer erfahren habe 3 bis 4 Tage hinter
einander, bis sie endlich abgeschreckt wurde, und
nicht mehr heraus kam.

Eirich beschrieb das Ausfliegen der jungen
Mütter sehr genau, und doch irrt er, wenn er
sagt: „daß wenn eine junge Mutter in 24 Tagen nicht ausflöge, so sey und bleibe sie unfruchtbar." Er hatte vermuthlich nicht Gelegenheit
zu bemerken, was ich 1803 erfahren habe. Auch
diese Beobachtung muß ich vorausschicken, um
meinen Lesern zu beweisen, daß ich nicht, wie
sich ein würdiger Schriftsteller gegen einen andern
ausdrückt, in der Stube aushecke, was ich
schreibe, sondern daß es Thatsache sey. Ich
theilte in diesem Frühjahre deswegen einige meiner Stöcke, die sehr schön und stark waren (ich
rede von 1803) sehr frühe, weil hier die Nahrung
im Felde von den Erdflöhen gänzlich verdorben
war, und ich aus dieser Ursache meine Bienen
wegschicken wollte, was auch geschah. Winter-
rapssaamen giebt den Bienen oft im Frühjahr eine

sehr gute Nahrung; fängt der Raps aber spät
an zu schießen, so überwältigen ihn die Erdflöhe,
beißen seine noch ganz jungen Blüthknospen auf
und verzehren sie, ehe der Raps zu blühen anfängt.
In diesem Falle sammlen die Bienen nichts auf
seiner sonst so honigreichen Blüthe. Trifft dieser
Fall ein; so bleibt dem Bienenwirth am Rhein,
der für seine Bienen sorgen will, kein anderer
Weg übrig, als seine Stöcke in die Waldungen,
in die Haidelbeere (Schwarzbeerblüthe), zu
schicken, wo gewöhnlich, weil die Erdflöhe dieser
Blüthe nichts thun, viel Honig von den Bienen
gesammelt wird. Dieß war 1803 der Fall. Die
Schwärme ließ ich hier, weil sie junge unfruchtbare Mütter hatten, es waren ihrer 18, und die
Mütter konnten am 20. bis 24. April schon ausfliegen; es fehlte auch an Drohnen nicht. Plötzlich erhielten wir Regenwetter, und dieses hielt
so sehr lange an, daß ich selbst glaubte, 16 davon
würden nicht fruchtbar werden, zwei hätte ich
wirklich schon vor dem Regenwetter ausfliegen
gesehen, eine davon war sehr fruchtbar, die andere, die vermuthlich ihren Ausflug nicht vollen-
den konnte, war die, von welcher ich bei der
Buckelbrut redete. Die 16 andern standen nun

zu meinem Verdruſſe und Schaden von eilfer
Woche zur andern; denn die naſſe Witterung
dauerte dießmal außerordentlich lange. Bald
war es den ganzen Tag hindurch ſo, daß keine
Bienen fliegen konnten, geſchweige eine Mutter.
Hatten wir auch zuweilen einige Sonnenblicke, ſo
war es doch immer Vormittags, die Nachmittags-
ſtunden, wo die Mütter ausfliegen, waren in
ungefähr 60 Tagen immer ſo, daß ſich keine
Mutter wagen durfte ihre Wohnung zu verlaſſen.
Endlich wurde die Luft wieder heiter, und warm;
meine Mütter hielten nun nach und nach ihren
Ausflug und einige wurden nach 77, andere nach
80 und noch andere nach 86 Tagen erſt fruchtbar.
Die 18 Schwärme mit jungen Müttern hatte ich,
wie ich damals that, in Honigfäſſer gethan, ſonſt
wäre es auch nicht möglich geweſen, daß noch
etwas Gutes aus ihnen geworden wäre. Es trugen aber, wie ich jetzt weiß, eben dieſe Honigfäſſer auch dazu bei, daß dieſe jungen Mütter ſo
ſpät fruchtbar wurden. Die Bienen hatten ſich
auch, durch den Honig gereizt, zu ſehr zum
Drohnenerbrüten verleiten laſſen. Man ſieht hieraus deutlich, wie ſehr die Witterung auf dieſes
Inſekt wirke! Aus dieſem und dem nachfolgenden

Beyspiele sieht man aber auch, daß es was anders sey, der Witterung wegen nicht ausfliegen
können, und was anders, bei guter Witterung
auszufliegen, und doch den Zweck des Ausfliegens
nicht zu erreichen. Ich hatte 1801, im März
einen überaus starken Stock; da nun das Jahr
1800 und 1801 gleichsam die Epoche war, wo
ich mich entschloß alle meine Stöcke nach beschriebener Methode zu behandeln, so versuchte ich es
mit diesem Stocke sehr frühe und zwar Anfangs
März. Ich nahm ihm aber nicht nur seine Mütter, sondern auch einen Theil seines Volks weg,
was ich jetzt bei bebauten und gehörig verwahrten
Honigkörben immer thue. Nach 14 Tagen fand
ich 4 junge Mütter bei ihm, ich machte also drei
Schwärme nach oben beschriebener Weise und der
Mutterstock behielt die vierte Mutter. Diesen
und 2 Schwärme setzte ich eine Viertelstunde weit
von meinem Stande, bei einen Freund, mit dem
ich Stöcke in Compagnie hatte, und wo ein Stock
gleich im Frühjahr Drohnen hatte, dieser Stock
hatte im Winter seine Mutter verlohren, sich eine
junge und mit ihr auch Drohnen erbrütet. Man
kann daraus ersehen, daß es mir damals schon
um Wahrheiten zu thun war, und deswegen

T

scheuete ich weder die Mühe des Wegschickens
noch des Wiederhohlens, ich ging mit der größ=
ten Genauigkeit zu. Werke und war dadurch mir
und andern nützlich, wie meine Bienenfreunde
am Rhein bezeugen müssen. Gegen Ende März
hatten wir sehr schöne Witterung; die 4 Mütter
auf dem fremden Stande flogen aus und wurden
fruchtbar. Diejenige auf meinem Stande flog
auch aus, und zwar 8 Tage lang um die be=
stimmte Zeit. Ich merkte sehr sorgfältig auf sie,
weil ich noch keine einzige Drohne auf meinem
Stande wahrgenommen hatte: nach 8 Tagen
fing sie an, 2 mal des Tags auszufliegen, und
zwar Vor= und Nachmitttags; ich gab noch
sorgfältiger auf sie Acht, denn das hatte ich noch
nie bemerkt, und habe es auch seit dem nicht mehr
wahrgenommen. Dieß dauerte wieder ungefähr
8 Tage, und nun sah ich sie nicht mehr heraus=
kommen. Nach 8 Tagen sah ich nach, und wur=
de weder Brut noch Eyer gewahr; ich ließ den
Stock noch 8 Tage stehen, sah nach, allein es
war keine Bienenbrut zu finden. Am folgenden
Tage zog auf meinem Stande ein Stock aus, der
einem Landmann in der Nchbarschaft gehörte, es
war ein starkes Volk, das aus Mangel an Nah=

rung durchging; ich hatte es dem Manne voraus,
gesagt, allein er ließ ihn lieber umkommen, als
daß er eine Kleinigkeit an Futter hätte legen sollen,
und verkaufen wollte er ihn auch nicht; ich that
ihm zu wissen, er möchte ihn, wenn er kein Futter besorgen wolle, wegholen; allein er kam
einen Tag zu spät. — Er flog ohne sich aufzu-
halten weg; kam aber nach einer Viertelstunde
wieder, und hatte seine Mutter verlohren; ich
suchte sie im Garten, allein ich fand sie nicht.
Weil es, wie gesagt, ein starkes Volk war, und
mein Schwarm nahe dabei stand, so rückte ich
diesen auf die Stelle, und alles Volk ging gerne
und willig bei ihm ein, es hatte auch nicht die
geringste Feindseligkeit Statt, die sonst in ähnlichen Fällen unvermeidlich ist, sondern sie machten ganz ruhig bei ihm Quartier und er ließ es
sich eben so ruhig gefallen. Die Mutter kam
aber nicht mehr heraus, ob ich gleich nun Drohnen genug hatte, und sie war und blieb unfruchtbar; nach 4 Wochen tödtete ich sie, und gab dem
Volke eine andere, die so fruchtbar wurde, daß
der Stock im Herbst nicht nur sehr volkreich, sondern auch 70 Pfund schwer war. Dieser Stock
hätte aber noch weit mehr leisten können, wenn

T 2

seine Mutter in den ersten 8 bis 10 Tagen frucht=
bar geworden wäre. So stand er 8 Wochen
brutlos da, und es konnte eher keine Volksver=
mehrung statt haben, bis die zweite Mutter 3
Wochen fruchtbar war: Es gingen also 12 Wo=
chen verloren, ehe er sich durch die junge Brut
vermehrte, und wäre das Volk des fremden
Stocks nicht zu ihm geflogen; so konnte nicht viel
aus ihm werden. Ich kann mir hier keine andere
Ursache denken, als den Mangel an Drohnen und
eben dieser Mangel beweist mir, daß die Mutter,
außer dem Stocke, von Drohnen begattet werde;
denn 1803 hatte ich in den Stöcken Drohnen ge=
nug; allein sie konnten, wegen der Witterung,
so wenig ausfliegen, als die Mütter. Ich sagte
schon, daß Drohnen eine Viertelstunde weit flie=
gen; allein dieß geschieht nur in den wärmsten
Sommertagen, zudem waren auf dem andern
Stande auch nur wenige; es konnte also diese
Mutter von daher nicht begattet werden. Seit
12 Jahren habe ich noch viele Versuche der Art
gemacht und das Resultat fiel dahinaus: die
junge Mutter wird außer dem Stock; und die
Bienen im Stock; von Drohnen begattet. Jetzt
will ich meine Mütter ausfliegen lassen und dabei

den Leſer auf alles aufmerkſam zu machen ſuchen,
was nach meiner Ueberzeugung dabei Statt findet, und nützlich oder ſchädlich ſeyn kann. Acht
Tage wird gewöhnlich eine Mutter alt, ehe ſie
zur Begattung ausfliegt; in ſehr ſchwülen Tagen
geſchieht es zuweilen ein und 2 Tage eher, im
Frühjahr geſchieht es, wenn auch die Witterung
gut iſt, doch ſelten vor dem 10ten bis 11ten Tage
nach ihrem Auslaufen. Bei natürlichen Schwärmen fliegt ſie eher aus, denn dieſe wählen ſich
immer die älteſte junge Mutter, die im Stocke iſt.
Dieß geſchieht vorzüglich dann, wenn die Bienen
vor dem Abzug des Vorſchwarms mehrere junge
Mütter angeſetzt hatten und ſchon weit damit
gekommen waren. Fliegen auch manchmal zwei,
drei, und mehrere Mütter im Tumult des Schwärmens mit, ſo halten ſich die Bienen doch an ihre
ſchon gewählte Mutter und die andern werden
getödtet; ja ich hatte Beiſpiele, daß, wenn der
Schwarm durch Regenwetter aufgehalten wurde,
die Mutter ſchon an demſelben Nachmittag, wo
der Nachſchwarm kam (gewöhnlich ſchwärmen die
Nachſchwärme des Nachmittags und ſehr ſelten
am Vormittag) gleich nach dem er eingefaßt worden war, ſchon ausflog. Aus dieſem Grunde

muß man die sehr übele Gewohnheit abschaffen,
die noch viele an sich haben, nämlich, daß sie den
Schwarm, wenn er gefaßt ist, bis am Abend auf
der Stelle oder doch ganz nahe dabei stehen lassen
wo er hingeschwärmt war — er muß gleich
nach dem Einfassen auf seinen bestimmten Standort gesetzt werden. Auch der jungen Bienen wegen muß man eine solche Gewohnheit abschaffen,
weil sie gewöhnlich gleich vorspielen und den
Flug lernen; setzt man nun den Schwarm erst
am Abend im Bienenstande auf, so irren am folgenden Tage eine Menge Bienen auf der Schwarm-
stelle herum und es fällt ihnen gewiß sehr schwer,
ihren Aufenthaltsort wieder zufinden. Die Dauer
des Ausfliegens ist verschieden; eine fliegt 8 Tage
lang jeden Tag einmal aus, und das geschieht
bei guter Witterung immer zwischen halb ein bis
drey Uhr; selten eher, aber noch seltener, später;
eine andere 6 Tage, und noch andere hören mit
3 und 4 Tagen auf. So bald eine aufhört, legt
sie auch Eyer und ist fruchtbar. Das Ausbleiben
ist gewöhnlich 3 bis 6 Minuten, doch hatte ich
auch Beispiele, daß sie eine Viertelstunde aus-
blieben, das ist aber auch das äußerste. Es wird,
ohne daß ich es sage, jeder sich vorstellen können,

daß nicht alle, die ausfliegen, wiederkommen, ja,
sie sind da so gut in Gefahr ihr Leben zu verlie=
ren, als eine Biene: ein Windstoß, ein Vogel,
Wasser und dergleichen, kann sie wegraffen, vor=
züglich hat man sich zu hüten, wenn man eine bei
den Flügeln anfaßt, die geringste Verletzung kostet
ihr das Leben; sie hat bei gesunden Flügeln schon
einen schwereren Flug, als eine Biene. Fällt
eine, so braucht man sich keine Mühe zu geben,
sie wieder beizusetzen, denn sie hat irgend einen
Fehler, wenn wir ihn auch nicht sehen sollten,
und kann nie fruchtbar werden. Die jungen
Mütter fliegen nun aus; verliert ein oder der
andere Stock seine Mutter beim Ausfliegen, so
nehme ich meine Zuflucht zu den weggeschickten
Kästchen und gebe ihm eine andere, so ist der Ver=
lust nichts. Es ist freilich etwas seltenes, daß
von 16, 6 verloren gehen, es ist aber immer besser
drei zu viel, als eine zu wenig im Vorrath stehen
zu haben, zudem kann man sie auch, nachdem
der Jahrgang ist, manchmal sehr gut auf eine
andere Art gebrauchen; es ist mir immer sehr
lieb, wenn ich etliche auf den Nothfall da stehen
habe. Bei einem Afterschwarm er sey natürlich
oder er sey abgetrieben worden, ist es sehr leicht

zu wissen, ob er seine Mutter verlor; denn an
dem Tage, an welchem er sie verlor, wird er
Abends gegen 5 bis 6 Uhr sehr unruhig, die Bienen laufen bald aus, bald ein, und suchen überall
die Verlorne wiederzufinden, so daß man es schon
von ferne gewahr wird. Ist in diesem Falle der
Nachschwarm noch nicht lange in seiner Wohnung
gewesen und hat noch wenig Rosen gebaut: so
verlassen die Bienen, wenn sie in demselben Bienenhause, wo der Mutterstock steht, aufgestellt
worden waren, ihre Wohnung und fliegen zum
Mutterstock zurück, oder sie laufen zu ihrem nächsten Nachbar, wo sie, wenn er nicht auch Nachschwarm vom nämlichen Alter ist, in den meisten
Fällen todtgestochen werden. Hat der Nachschwarm aber schon viel gebaut, sogar schon viel
Honig eingetragen, so verlassen die Bienen ihre
Wohnung nicht gerne, sondern fangen sogleich
nach der Unruhe das Drohnenerbrüten an. Selten vernehmen sie ihren Verlust früher, wohl aber
manchmal erst, wenn es schon dunkel wird. Diese
Unruhe dauert bis spät in die Nacht hinein, auch
wohl am Morgen noch fort. Man darf also
Abends nur zu seinen Bienen gehen, so kann man
sich überzeugen, ob eine Mutter beim Ausfliegen

umfam, und macht man seine Schwärme auf
einmal, so ist es bei guter Witterung in 10 bis
12 Tagen geschehen, und es ist eine Kleinigkeit,
sie vor dem Mutterloswerden zu schützen. Ver-
säume ich es aber an dem Abend, wo ich es aus
der Unruhe sehen kann, so ist's schon schwerer,
ich muß dann den Schwarm so oft untersuchen,
bis ich finde, daß er junge Brut hat, und dieß
macht bei vielen und starken Stöcken mehr Mühe.
Bei einem Mutterstocke muß man noch sorgfältiger Acht haben; denn bei diesem wird die Unruhe nie so laut, als bei einem Schwarme. Die
Bienen sind ihre Wohnung mehr gewohnt und
fangen, sogleich nach dem Verluste der Mutter,
an, Drohnenbrut einzusetzen und deswegen sieht
man wenig, oder gar keine Unruhe bei einem
Mutterstock. Sobald ich gewahr werde, daß
ich eine Mutter verloren habe, so hole ich mir
am Abend eins von den weggeschickten Kästchen,
treibe es am folgenden Morgen aus, gebe die
Mutter hin, wo sie fehlt, und die Bienen gebe
ich dem Mutterstocke wieder, von dem ich sie
nahm. Dieß ist unstreitig die leichteste Art einem
Stock, der seine Mutter verlor, so gleich ohne
Schaden zu helfen, selbst wenn man es bei einem

nicht gewahr werden sollte, und er hätte 'nach
28 Tagen, von dem Tage an gerechnet, wo er seine
fruchtbare Mutter verlor, keine Bieneneyer in
den kleinen Brutzellen, sondern Drohneneyer in
Drohnenzellen liegen, so darf man nur ein Kästchen holen, oben den Stopfen am Korbe ausziehen und es aufsetzen, so ist ihm ohne Schaden
geholfen. Nie muß man aber ein solches Kästchen mit Bienen und Mutter aufsetzen, wenn die
Mutter des Stocks nicht schon vor etlichen Tagen verloren ging, sonst läuft man Gefahr Bienen und Mutter zu verlieren. Gesetzt ich hätte
einem Stocke, der wegen des Verlustes seiner
Mutter in Unruhe wäre, ein solches Kästchen aufgesetzt, so würden sich die Bienen zwar gleich zu
beruhigen scheinen; allein die Bienen, die bei der
Mutter sind, mag auch ihre Anzahl noch so geringe seyn, merken diese Unruhe gleich, und weil
sich die aus dem Korbe sogleich in das Kästchen
drängen, so befürchten diese, es möchte der Mutter etwas zu Leide geschehen, und setzen sich, so
nahe sie nur können, um sie her. Die Ankommenden riechen entweder die Mutter, oder sie
werden aus dem Zusammenlaufen gewahr, daß
eine Mutter unter den Bienen sey, sie meynen

vielleicht, es sey die ihrige, und stechen so gleich
eine Biene nach der andern todt, bis sie endlich
die Mutter todt oder lebendig erhalten; denn so
bald eine Biene gestochen ist, läßt sie vom Klumpen ab, den sie bilden, und sie können nun desto
besser an eine andere kommen, sie stechen nur zu
oft, am Ende auch die Mutter und sie ist verloren.
Unter 10 kommen auf diese Weise kaum 2 lebendig
davon. Gibt man aber die Mutter allein, so
thun sie ihr nichts, sondern empfangen sie mit
Freuden, weil sie noch an keine fruchtbare Mutter
gewöhnt sind; man geht auf diese Weise sicher, und
wo man sicher geht, muß man die geringe Mühe
des Austreibens nicht scheuen. Anders verhält
es sich, wenn die Mutter in dem Kästchen schon
fruchtbar, und schon Brut darin angesetzt ist,
denn auch eine sehr geringe Anzahl Bienen und
eine Mutter, setzen Brut an, und suchen sich zu
vermehren; nur darf es ihnen an Honig nicht
fehlen. Auch sind die Bienen, wenn sie ihre
Mutter seit einigen Tagen verloren haben, schon
so zahm geworden, daß man ohne Bedenken ein
Kästchen, mit Mutter, und Brut, aufsetzen kann.
Anders verhält es sich, sagte ich, wenn schon
Bienenbrut in dem Kästchen angesetzt ist, und der

Mutterstock oder auch der Afterschwarm schon
5 bis 6 Tage lang mutterlos ist, dann sind diese
mutterlose Bienen schon mit Drohnenerzeugen
beschäftigt und thun, wenn das Kästchen bei Nacht
aufgesetzt wird, weder Mutter noch Bienen etwas
zu leide. Wer an dem Ausfliegen, wie ich es
hier beschrieben habe, zweifeln wollte, den darf
ich nur an 2 bis 3 Landleute verweisen, die Bienen mit mir in Compagnie halten; diese wissen,
ihm schon zu sagen, daß eine Mutter ausfliegen
muß, um fruchtbar zu werden.

Ich verlor voriges Jahr bei einem Schwarme
drey Mütter, und ich würde auch die vierte verlohren haben, wenn ich nicht dazu gekommen
wäre. Ich hatte zwei Schwärme, die beide junge
Mütter hatten, ziemlich nahe beisammen stehen,
und beim ersten Ausfluge mußte es sich just getroffen haben, daß beide Mütter zugleich ausflo-
gen. War es aus Neid, Eifersucht, oder geschah
es aus Irrthum, daß beide Mütter bei der Rückkunft auf einen Stock fielen, genug es geschah,
und die fremde wurde umgebrcht. Als ich es
Nachmittags gegen 4 Uhr gewahr wurde, liefen
die Bienen des einen Schwarms nach dem das

nebenstehenden, ich untersuchte ihn, und fand
schon eine Mutter todt. Ich gab eine andere,
wo sie fehlte, und die Ruhe war hergestellt. Am
folgenden Tage fand ich um die nämliche Zeit
dieselbe Unruhe, ich hob geschwind den Schwarm
auf, in der Meynung die Mutter da zu finden,
allein ich konnte keine andere Spur von ihr entdecken, als daß die Bienen des andern Schwarms
hier einliefen, und sie suchten. Diese war ohne
Zweifel im Fliegen umgekommen, und hatte die
Stöcke nicht wieder erreichen können, sonst hätte
ich sie gewiß gefunden. Daß die Bienen des
mutterlos gewordenen Schwarms nach dem andern Schwarm liefen, rührte vom vorigen Tage
her, auch ist es mutterlosen Bienen sehr eigen,
bei der Unruhe die das Ausbleiben der Mütter
verursacht, nach einem zunächst stehenden Stocke
zu laufen und da einzuschleichen. Ich gab noch
eine andere, und mit dieser ging's nicht besser.
Nun wurde ich ärgerlich! Ich gab die dritte, und
merkte nun, weil es Sonntag war, von 1 bis
3 Uhr auf ihn, allein sie kam nicht heraus. Des
folgenden Tages kam sie gleich nach Mittag heraus, die Bienen waren sogleich voller Unruhe
und liefen nach dem nebenstehenden Schwarme.

Bei ihrer Rückkehr fiel sie, dadurch verleitet, auch auf die fremde Wohnung und wäre, ohne meine Gegenwart, gewiß umgebracht worden. Ich entriß sie ihren Verfolgern, und ließ sie in ihre Wohnung laufen, schickte den nebenstehenden Schwarm am Abend weg, und alle Unruhe hatte ein Ende. Folgende Regeln hat man wohl zu merken, wenn man seltner als geschieht, eine Mutter verlieren will.

Erstens: Betrachte man jede Mutter, ehe man sie einem Schwarme gibt sehr genau, und vorzüglich ob sie keinen Naturfehler habe. Finden wir auch einen sehr kleinen Fehler an einem ihrer Flügel, so ist sie für immer unfruchtbar oder verloren, und muß als ein Krüppel betrachtet werden; man fasse sie deswegen auch nicht, oder doch sehr behutsam bei den Flügeln an, damit man nichts daran verderbe. Bei natürlichen Schwärmen fällt diese Vorsicht weg, denn die Bienen wählen sich gewiß keine Mutter, die flügellahm ist. - Hat sich der Nachschwarm verthan, was doch bisweilen geschieht, und sich eine flügellahme Königin gewählt, so fällt sie beim Schwärmen zu Boden. In solchen Falle geht gewöhnlich der Nachschwarm zum Mutterstock zurück und wählt sich eine andere, mit der er

auszieht. Es geschieht auch, daß die Bienen
eines solchen Nachschwarms eine solche Mutter
aufsuchen und sich auf die Erde um sie herum:
lagern: gewöhnlich ist eine solche Mutter flü:
gellahm und taugt nichts, man suche sie aus und
lasse das Volk wieder zum Mutterstock zurück gehen.

Eine alte fruchtbare Mutter kann nur r Jahr
alt seyn und kann beim Schwärmen niederfallen;
weil ihre Flügel durch das häufige Einstecken
ihres Hinterleibes in die Brutzelle zusammenge:
knickt sind. Ihr thut das aber nichts; weil sie
nicht auszufliegen nöthig hat — man kann den
Schwarm ohne Bedenken fassen und nach seiner
Art aufstellen.

Zweytens: Setze man seine Stöcke nicht zu
nahe beisammen, so, daß immer noch Raum da:
zwischen ist. Diese Vorsicht ist nicht allein der
Mutter wegen, sondern auch der Bienen wegen,
nöthig; weil sich die Bienen nie leichter verflie:
gen, als vor dem Stande. Wer also Platz hat,
der setze seine Stöcke so weit von einander, daß
noch ein dritter zwischen zweyen stehen könnte.
Auf solche Weise verliert er weniger Mütter, und

es kommen auch nicht so viel Bienen um, als
wenn die Stöcke nahe stehen.

Drittens: Wer seine Bienen noch schwärmen läßt, der setze nie einen Nachschwarm oder
Vorschwarm, der eine junge Mutter hat, neben
den Mutterstock, weil sonst die Mutter, beim
ersten Ausfluge, leicht irre wird, und bei dem
Mutterstock, aus welchem sie beim Schwärmen
flog, einkehrt; sie wird ergriffen und getödtet
und der Schwarm ist, ohne Hülfe, verloren.

Hier folgt ein Beispiel dieser Art. Vor 12
Jahren war ich bei einem Bienenfreunde, der
hier in der Nähe wohnt. Er wies mir, unter
andern, einen sehr schönen Nachschwarm, den
er gestern erhalten hatte, ich fragte ihn sogleich,
von welchem Mutterstock er sey? Er sagte, von
dem daneben. So, sagte ich, so ist es sehr leicht,
daß er in drei Tagen, ohne Korb, keinen Stüber
werth ist. Ich suchte ihm die Sache begreiflich
zu machen, und gab ihm den Rath, den Schwarm
am Abend wegzuschicken, wenn er nicht Gefahr
laufen wollte, ihn zu verlieren. Eine Lehre, wodurch ich hundert Müttern schon das Leben rettete,

gebe ich hier Jeden zur Nachahmung an. Bei einem
zahlreichen Bienenstande, irren sich viele Mütter
beim Ausfliegen vor dem Stande und fliegen zu
andern Stöcken. Findet man nun am Abend an
der Unruhe, daß ein Stock seine Mutter verloren
habe, so hebt man mehrere Stöcke in der Nähe
behutsam in die Höhe. Findet man nun eine Mutter, die sich verflogen hat, so liegt sie gewöhnlich
in einem Klümpchen Bienen eingehüllt auf dem
Flugbrett. Man nimmt ein Glas, deckt es darüber
und schiebt nun das Glas behutsam auf ein Brettchen, das man an das Flugbrett hält. Man
geht damit in die Stube, schüttelt die Bienen mit
der Mutter im Glase etwas, so lassen sie sie;
man läßt Bienen und Mutter ans Fenster fliegen
und gibt sie dem Mutterlosen wieder. Geschah
es nun aus Nachlässigkeit, oder wollte er sehen
ob ich auch Recht habe, genug, er ließ den
Schwarm stehen. Nach drei Tagen kam ich wieder zu ihm, und er klagte mir sogleich, daß er
vergessen habe, den Nachschwarm wegzutragen, und
daß er jetzt, wie ich gesagt hätte, nicht einen Heh-
ler werth sey. Ich ging zum Stande, und fand,
daß die Mutter bei der Zurückkunft auf den Mutterstock gefallen war. Hätten nun die Bienen ihren

u

Verlust gleich endeckt, und wären auch zum Mutterstock zurückgekehrt, so wäre der Verlust nichts
gewesen; allein sie geriethen über dem Suchen
der Mutter an den auf der andern Seite stehenden Stock, und gingen da ein. Dieser aber war
mit den unruhigen Gästen nicht zufrieden, und
brachte sie alle um. Hätte der Mann genugsame
Kenntnisse gehabt, und wäre dabei aufmerksam
auf seinen Schwarm gewesen, so hätte er doch
die Bienen noch retten können, wenn er sie nämlich, sobald sie unruhig wurden, zum Mutterstock gebracht hätte; oder er hätte auf der andern
Seite etwas Rauhes zwischen beide Körbe gelegt,
so würden sie ihn schon von selbst gefunden haben,
oder er hätte ihn, sobald als er unruhig wurde,
zugebunden und weggesetzt, so hätte man ihm mit
einer andern Mutter wieder helfen können. Doch
das konnte er nicht, und der schöne Schwarm
war dahin! Ich verwies ihm seine Unvorsichtig-
keit; denn weiter konnte ich nichts thun.

Viertens: Man trete einem Stock, dessen
Mutter ausfliegen muß, nicht in den Flug, vorzüglich Nachmittags von 1 bis 3 Uhr nicht, weil
dadurch die Mutter leicht irre werden, und sich
verfliegen kann.

Fünftens: Darf man einen solchen Stock um diese Zeit weder aufhöhen, noch ihn auf eine andere Art verschieben, auch das Flugloch darf weder kleiner noch größer gemacht werden. Es darf in dieser Zeit nichts auf den Stock gelegt oder gestellt werden, das der Wohnung ein anderes Ansehen gibt; denn nur eine Kleinigkeit macht die Mutter bei der Zurückkunft stutzig. Ich habe öfters, wenn ich einen Stock allein stehen hatte, mit Fleiß einige kleine Veränderungen getroffen, um ihr Verhalten dabei beobachten zu können. Nur beim ersten Ausfluge merkt die junge Mutter sich ihren Wohnort sehr genau, sie macht ihren Zirkel 6 bis 7 und oft noch mehrmal um ihre Wohnung herum, um ja ihren Aufenthaltsort bei der Wiederkunft sicher zu finden.

Beim zweiten Ausflug sieht sie schon nach nichts; sondern erhebt sich pfeilschnell in die Luft und wenn sie wieder kommt, fliegt sie eben so schnell zu ihrer Wohnung hinein. Sieht sie aber beim Wiederkommen eine Veränderung, dann sehe man, wie ängstlich sie thut, wie oft sie ihren Zirkel erneuert, ehe sie sich an die Wohnung, wenn sie auch allein steht, wagen darf. Wer das hier Gesagte benutzt, wird weniger Mütter verlieren,

U 2

und verliert er eine, so kann er es wissen,
und dem Stocke helfen, wenn er nämlich Sorge
trägt, die überflüssigen Mütter aufzubewahren.
Die allgemeine Klage über Mutterlosigkeit wird
dann weit seltener gehört werden. *)

§. 77.

Hauptkennzeichen der Mutterlosigkeit der Mutterstöcke,
wie auch der Nachschwärme.

Vier sichere Kennzeichen der Mutterlosigkeit
sind in diesem §. enthalten. Erstens hat der Mut=
terstock, der seine fruchtbare Mutter durch
Schwärmen oder durch eine der drei andern Arten
künstlicher Schwärmemachen oder durchs Abstechen
(Tödten) verloren, so sehe man nach 28 Tagen,
von dem Tage angerechnet, wo er sie verlor, nach,
ob seine Drohnen in einem Klumpen beisammen
auf'm Flugbrett liegen; ist das, so ist seine
junge Mutter fruchtbar und schon am Legen; ist
das nicht, so ist es ein sicheres Zeichen der Mut=
terlosigkeit. Zweitens, man schneidet dem Nach=

*) Der Grund des Hrn. Pösel mag immerhin
mit seinem Systeme verwebt seyn, wie ein An=
derer schimpfend sagte, so ist doch die Verun=
glückung so manches zur Begattung ausgeflogenen
Waisels (Mutter) die Ursache der Mutterlosigkeit
in den meisten Fällen gewesen.

schwarm nach 10 Tagen und dem Mutterstock nach
28 Tagen ein Stückchen von der kleinsten Sorte
Brutrose aus: sind Eyer darin zu sehen, so ist die
Mutter fruchtbar findet man keine so ist Mutterlo=
sigkeit der Fall. Drittens, man schneidet dem Mut=
terstock nach 28 Tagen ein Stückchen Drohnenrosen
in der Lage, wo sich viele Bienen aufhalten, aus,
sind diese mit Eyern besetzt (es liegen sogar 3, 4
bis 5 Eyer in den mehrsten Fällen in einer ein=
zigen Drohnenzelle), so ist Mutterlosigkeit ganz
gewiß. Viertens, sollten beim Ausschneiden
der beiden Sorten Zelle nach 28 Tagen noch in
keiner Sorte Eyer liegen und die Witterung schuld
daran gewesen seyn, so sieht man nach 2 bis 3
Tagen nach, ob die Bienen die kleinen Brutzellen
wieder anbauen (anlängen); ist dieß der Fall, so
ist der Stock nicht mutterlos. Bauen die Bienen
aber die Drohnenzellen aus oder thun beides nicht,
so ist Mutterlosigkeit ganz sicher. Hiernach kann
sich Jeder richten und wissen ob seine Stöcke, vor=
züglich Mutterstöcke, mutterlos oder ob sie es nicht
sind. Sind sie es nach dem Schwärmen und nach
solcher Untersuchung nicht, so werden sie es auch
in diesem Sommer nun nicht mehr, wenn nämlich
nicht neues Schwärmen sie in dieselbe Lage ver=

ſetzt hat. Man wundere ſich über das letzte nicht, denn früh abgeſchwärmte Mutterſtöcke können im July (in guten Jahren) wieder einen Vorſchwarm liefern. Ich hatte den Fall ſehr oft.

Dreizehnter Abſchnitt.
Von den Geſchäften im Juny.

§. 78.
Vom Aufhöhen im Sommer.

Haben wir unſere Schwärme im May ge= macht, und ſind alle Mütter fruchtbar geworden, ſo haben wir bei guter Nahrung dahin zu ſehen, daß alle Stöcke, vorzüglich Schwärme, die in gut bebaute Honigkörbe kommen, regelmäßig aufgehöht werden. Wir müſſen einen ſolchen Schwarm jetzt nicht ganz vollbauen laſſen, ſondern ihm ein Höch= ſel geben, ſobald er ſeine Wohnung auf 2 bis 3 Finger breit voll gebaut hat. Der leere Raum ſchadet jetzt einem ſtarken Volke nichts, wenn man es nämlich nicht übertreibt und auf einmal zu viel unterſetzt, welches immer eher ſchädlich als nützlich iſt, es baut nach und nach fort, und wird dadurch vom zu frühen Wiederschwärmen abgehalten; denn junge Schwärme, die in einen Wabenbau kommen, werden sehr leicht zum Schwärmen verleitetet. Mit diesem Aufhöhen fahren wir nun fort bis zur Hauptnahrung. Diese fällt in der Rheingegend gewöhnlich im July, wo ich dann mein Verhalten angeben werde.

§. 79.

Vom jetzigen Verstellen, und der Warnung vor dem Verstellen mit einer jungen, unfruchtbaren Mutter.

Ich mache jetzt von dieser Quälerei um diese Zeit gar keinen Gebrauch mehr; denn, sind die Schwärme gut gemacht und keine Mutterlosigkeit und kein Nahrungsmangel vorhanden, so arbeitet jeder nach Kräften und mehr kann man nicht verlangen. Diejenigen, die sich noch damit abgeben und Nutzen dabei zu finden glauben, warne ich nochmals, keinen Stock zu verstellen oder auch auf eine andere Art zu verstärken, dessen Mutter noch nicht fruchtbar ist. Ich weiß, daß man in Gefahr steht, ihn zu verlieren, und ich versichere, daß ich auf diese Weise, ehe ich die Ursache einsah, manchen verloren habe. Wenn wir aber bei einem Andern lesen: „Man faßt solche Nach-

ſchwärme, ſtellt ſie *) auf einen neuen Platz im
Stande und nach zwey Tagen, wenn ſie ihren
Flug völlig angenommen haben, verſtellt man
ſie**) mit einem recht volkreichen Stock, von
dem man etwa einen Vorſchwarm ohne dieß erwartet hätte," ſo kann ich, wenn ich mich auch
gelinde ausdrücken will, nicht anders ſagen, als
er kannte dieſen Umſtand nicht genau; er hatte
ihn noch nicht genug unterſucht. Anderswo ſagt
er: „er ſchicke ſeine Bienen, nach dem Verſtellen,
am Abend oder Morgen darauf weg." Dieß
entſchuldigt ihn in etwas; es gerieth ihm, und er
glaubte nun, er mache etwas Nützliches bekannt.
Daß es ihm aber immer gerathen ſey, iſt nicht
möglich, und er hätte weislich unterſuchen ſollen,
was die Urſache davon ſey. Nichts in der Welt
hat mich von jeher mehr geärgert als wenn man ſo
ſchnurgrade gegen erprobte Wahrheit hinſchreibt
und der Sache, die wider Vernunft und Erfahrung iſt, einen feinen, hochtrabenden Anſtrich
geben will. Doch, ich habe mich jetzt geändert,
ich fühle jetzt Mitleid, wenn ich ſehe, wie man
dadurch von einer Thorheit zur andern übergeht,

---

*) Es ſoll heißen: einen jeden auf einen —
**) Einen jeden.

und noch groß dabei thut! Man sehe was er fer=
ner selber sagt: daß ein Stock eine Königin hätte
umbringen wollen, ob er schon alle Zeichen der
Weisellosigkeit an ihm wahrnahm. Er glaubt
die Mutter müßte irgends einen Fehler gehabt
haben; dieses kann seyn; allein ich wette 10.
gegen eins, daß sie eine gesunde Mutter, ohne
allen Naturfehler, war. Ich glaube sehr gerne,
daß er die Ursache, wie er sagt, nicht finden
konnte; sonst hätte er die Lehre vom Verstellen
eines Nachschwarms vernünftiger darstellen
müssen. „Ich fand, sagt er, bei einem Ableger,
den ich mit Brut und hinweggefangenem Arbeits=
Bienenvolk machte, eine große Unruhe, sah nach,
und fand, daß die Bienen eine Königin würgen
wollten, obschon alle Zeichen der Mutterlosigkeit
an ihm wahrgenommen worden konnten. Ein
Bienenfreund hätte auf sein Gesuch diese Königin
einem ausgetriebenen Mutterstock gegeben, sie sey
haftig eingelaufen, allein in wenigen Augenblicken
wäre sie wieder hinausgeschleppt worden.“ Das
wundert mich gar nicht, weil ich weiß, daß eine
solche Verfahrungsart nie Ehre machen, nie Nutzen
bringen kann. Wie weit würde man es mit der
Bienenzucht noch bringen, wenn man solchen

Speculationen folgen wollte. Doch sie stehen
andern zur Warnung da; damit sie sich nicht aus
Mangel an Kenntnissen auf ähnlichen Wegen
schaden mögen. Er geht noch weiter und wundert sich selbst über das Gesagte; denn er setzt hinzu: „Aus dieser Erzählung erhellet, daß ein Stock
auch auf eine Art weisellos werden kann, von
welcher die Ursache nicht so leicht angegeben werden kann. — Dieser Umstand verdient seiner
Seltenheit wegen alle Aufmerksamkeit und ich
wünschte hauptsächlich die Meynung erfahrner
Bienenhalter darüber zu hören."

Da dieser Umstand für jeden, der sich mit
Ablegermachen nach dem Schirachschen Betrug,
oder auch durch Theilung der Wohnung abgibt,
merkwürdig ist, weil schon so mancher Ableger
auf dieselbe Weise mutterlos wurde, so will ich
die Ursache davon hier folgen lassen. Ich habe
sie schon vor 12 Jahren niedergeschrieben: in der
Rheingegend hat es manchen genutzt, aus der
Ferne habe ich aber über diesen Satz noch nichts
vernommen, vorzüglich vom Verfasser selbst hätte
ich gerne erfahren, ob ich es getroffen habe, wenn
ich sagte: der Verfasser hatte ganz sicher diesen

Ableger vor 12 bis 16 Tagen gemacht, es konnte
bei schlechter Witterung auch noch einige Tage
länger seyn. Er hatte den Mutterstock nicht weg-
geschickt, sondern ihn auf eine neue Stelle im
Stande gesetzt, entweder war nun die Witterung
schuld, daß der Mutterstock in der Zeit fast gar
nicht flog, oder er merkte den Verlust am Volke,
den er durch's Versetzen erlitt, zu sehr und blieb
so lange ruhig. An dem Tage aber, wo die Unruhe Statt hatte, spielte der Mutterstock vor,
um sich seinen neuen Standort zu merken: es verflogen sich aber doch viele Bienen und kehrten bei
dem Ableger ein; da fanden sie nun sehr wenig
Brut, deren sie doch gewohnt waren, sie fanden
eine unfruchtbare Mutter, und waren so eben
aus einer Wohnung geflogen, wo eine fruchtbare war, sie hätten die junge Mutter auf der
Stelle umgebracht, wenn sie die Bienen, die sie
sich erbrütet, nicht gehindert und sich um sie herum gesetzt hätten. Ein solches Klümpchen Bienen fällt oft, wenn die Unruhe stark ist, und
lange dauert, bei einer nicht vollgebauten Wohnung auf's Flugbrett herab. Die Vertheidiger
haben sich so vest an die Mutter geklammert, daß
man oft mit vieler Mühe sie kaum davon bringen

kann. Sind nun der fremden Bienen viele, und
dauert die Unruhe lange fort, so erschlafft endlich
der Vertheidigungstrieb, sie lassen sie los und sie
wird umgebracht: bleibt aber das Klümpchen
Bienen zwischen den Waben hängen, so bleiben
die Vertheidiger treu, sie halten sie so lange vest,
bis Ruhe im Stock worden ist, dieß dauert nicht
selten 20 bis 30 Stunden; man kann es, wenn
man das Ohr an den Stock hält, sehr deutlich hö‐
ren. Sind der fremden Bienen aber viele, so stechen
sie am Ende wohl Vertheidiger mit sammt der
Mutter todt. Hätte er, weil er meynt, die Mut‐
ter müsse einen Fehler gehabt haben, 10 andere
junge Mütter nach und nach gegeben, so wäre es
diesen nicht besser ergangen, selbst eine alte frucht‐
bare wäre nicht hinreichend gewesen, die Ruhe
sogleich herzustellen, weil gar keine unzugedeckelte
Brut im Stocke war. Ich muß meinen Lesern
sagen, daß ich nie den Stand dieses Schriftstellers
besuchte, nie mit ihm correspondirte und ihn doch
vor 12 Jahren schon die Ursache an seinem eignen
Stock bekannt werden ließ. Nicht aus Neid,
nicht aus Stolz, sondern aus Ueberzeugung und
zur Belehrung Anderer schrieb ich damals diese
Widerlegung nieder. Wer Proben gemacht hat,

wird mir die Wahrheit meiner Behauptung nicht
leugnen können? Ich fahre fort und sage: Nur
am andern Morgen konnte er dieselbe Mutter wie=
der geben und wenn sie auch angefallen wurde,
so blieb sie doch beim Leben; wenn nicht Nachmit=
tags noch viele Bienen vom Mutterstock da ein=
kehrten und wieder Unruhe verursachten. Dieß
sind Erfahrungen, die beweisen, wie sehr man
sich in Acht zu nehmen hat, einen Stock, der
eine unfruchtbare Mutter hat, mit einem Stocke
zu verstellen, welcher eine fruchtbare hat. Daß
dieser Fall aber selten ist, kommt daher, daß ein
solcher verstellter Mutterstock gewöhnlich eher
fliegt, ehe die jungen Mütter bei einem solchen
Ableger reif werden; dann sehen wir zwar zuwei=
len auch Unruhe, allein es ist doch was seltenes,
daß alle jungen Mütter ausgebissen werden. Das
Ablegermachen durch Theilen der Stöcke habe ich
auch sehr lange auf alle mögliche Weise versucht,
und sie nun auch so deutlich und nützlich als mög=
lich dargestellt. Die nämliche Unruhe, deren
er noch erwähnt, entstand auch nicht, wie er
glaubt, daher, daß die Mütter alle wegen der
Kälte umgekommen wären, sondern der Stock
verlor seine Mutter, die trotz der kalten Witte=

rung ausgelaufen war, entweder durch's Aus=
fliegen, oder der Schwarm stand so, daß Bienen
zum Mutterstock zurückkehrten, und sie umbrach=
ten, oder wenn wirklich keine hätte auslaufen
können, doch die Unruhe verursachten; denn Bie=
nen, die 3 bis 4 Wochen ohne Mutter sind, fan=
gen gewiß, wenn sie nicht durch andere Bienen,
die an fruchtbare oder auch unfruchtbare Mütter
gewöhnt waren, dazu gereizt werden, keine Un=
ruhe deßwegen mehr an! Sobald wir aber Brut
bei einem Schwarme gewahr werden, so wissen
wir, daß seine Mutter fruchtbar ist, und, wir
können ihn, wenn er zu schwach ist, (so lange
ist aber immer noch Gefahr zu befürchten; wenn
nicht beide Stöcke Brut von jedem Alter im Stocke
haben) verstärken. Man verwahrt sich daher,
der Verstärkung wegen, einige Schläuche mehr,
als man zu seinem Schwärmen zu brauchen ge=
denkt, weil man dadurch sehr leicht und ohne
alle Unruhe einen Stock zu jeder Zeit verstärken
kann, was ohne einen solchen Schlauch nur bei
honigreicher Witterung geschehen kann. Durch
Füttern am Abend und 2 bis 3mal Wechseln der
Futtergeschirre, wie ich sagte, hindert man auch,
daß sich die Bienen, die man verstellt, nicht
feindselig behandeln.

Wer das Wegschicken nach dem Verstärken
nicht scheut, der thut wohl, von 2 bis 3 Stöcken
Volk zur Verstärkung zu nehmen, nur muß immer die Vorsicht gebraucht werden, die verreinig-
ten Bienen 12 bis 15 Stunden lang an einem
finstern Orte stehen zu lassen, ehe man sie fliegen
läßt, damit sie sich unter einander kennen lernen
und sich nicht verfliegen. Noch habe ich eine Art
des Verstellens, die ich sonst um diese Zeit sehr
gerne anwandte und die ich auch noch zuweilen
ausübe. Es ist für jeden Bienenwirth sehr gut
und nützlich, wenn er zwei Stände in einer Entfernung einer Viertelstunde hat. Hat man nun
einen Schwarm, der nicht stark genug ist, so
schicke man ihn am Abend dahin, hebe, wenn
es dunkel ist, einen starken Stock vom Flugbrett,
setze den schwachen darauf, damit die darauf
liegenden Bienen zu ihm einkehren, setze den starken Stock verkehrt, einen Schlauch darauf, lasse
ihn so eine Stunde stehen, hierauf lasse man die
Bienen aus dem Schlauche zum Schwarme laufen, welches so am leichtesten geht, man setzt
den Schlauch neben den Schwarm und zwar ganz
nahe, unterlegt beide, so ist am Morgen alles
Volk beim Schwarm, der Schlauch wird wegge-

than und da das gegebene Volk den Flug schon
inne hat, so arbeitet ein solcher verstellter Stock
sehr fleißig. Den starken Stock lasse ich nach
Hause bringen und stelle ihn auf die Stelle des
schwachen, so ist jeder so ruhig, als wenn nichts
vorgefallen wäre. Dieß ist unter allen Verstärkungsarten um diese Zeit die sicherste und leichteste,
die Bienen werden dadurch nicht im geringsten
an ihrer Arbeit gestört. Kommen auch einige
Bienen auf ihren alten Standort vom Felde zurück, so geschieht es nur einzeln und nicht auf
einmal und es entsteht, wenn fruchtbare Mütter
da sind, nie eine Unruhe.

Wer aber in der Nähe keinen Freund hätte,
wo er einige seiner Stöcke hinschicken könnte, oder
wem das Wegschicken zu umständlich wäre, für
den wäre Folgendes auch anwendbar. Gesetzt,
ich hätte einen schwachen Stock und wollte ihm
sicher helfen, so treibe ich am Abend einen starken
Stock aus, hierauf auch den schwachen, setze die
leere Wohnung, worin das ausgetriebene Volk
ist, wenn ich mich überzeugt habe, daß jedes
Volk seine Mutter bei sich hat, verkehrt, und auf
die leere Wohnung des schwachen Volks, den

vollen Korb des starken Volks, das starke Volk
aber laſſe ich auf die nämliche Weiſe in den Stock
des ſchwachen Volks einziehen. Jedes Volk
kommt nun wieder auf ſeine gewöhnliche Stelle
zu ſtehen, wo es ſeinen Flug gewohnt war.
Beide Stöcke fliegen ohne alle Unruhe munter,
und das ſchwache Volk wird in dieſer umgetauſchten Wohnung täglich ſtärker, weil täglich viele
Brut ausläuft. Wer ſich noch mit vielen ſchwachen Stöcken ohne bebaute Honigkörbe abgibt,
bei dem kann es nicht anders ſeyn, als er erhält
in einem ſchlechten Jahre auch Hungerſchwärme,
ich meyne Stöcke, die aus Hunger ihre Wohnung
verlaſſen. Gewöhnlich geſchieht ſolches an einem
Tage, wo die Bienen, wenn ſie vorher lange
nicht arbeiten konnten, auf einmal wieder Nahrung finden und die Luft warm und ſchwül iſt.
Dieß ungewöhnliche reizt auf einmal zu ſtark, zumal wenn die Stöcke der Sonnenhitze zu ſehr
ausgeſetzt ſind. Es iſt nie gut, wenn man ſeine
Bienen im Sommer der Sonnenhitze zu ſehr ausgeſetzt, arbeiten läßt — es wird ihnen Nachmittags zu warm und ſie können nicht gut arbeiten,
und legen ſich oft ohne Noth vor. Kann man
ſeinen Bienenſtand nicht anders anbringen, als

X

daß die Bienen den ganzen Tag die Sonne has
ben; so mache man durch Vorhängebretter ihnen
Schatten; sonst läuft man Gefahr, daß einem
wiederfahre, was vorigen Sommer auch einem
Manne in H—b. wiederfuhr. Dieser Mann hatte
sich einen jungen Schwarm gekauft ihn auch so
aufgestellt, daß ihn die Sonne den ganzen Tag
beschien. Ende Augusts war an einem Donners-
tage sehr warmes (heißes) Wetter, die Sonne beschien den oben platten Stock so stark, daß sein
junger Bau schmolz: da nun auch noch der
Fehler begangen worden, daß nur ein einziges
Kreuz im Korbe angebracht war; so sanken die
Rosen bis aufs Flugbrett herab, und der weiche
Honig floß zum Flugloch heraus. Ein Glück,
daß in der Mitte des Stocks ein Flugluch war,
wodurch sich die Bienen alle aus den Stock zogen
und sich vorlegten; damit sie nicht im Honig er-
saufen möchten. Der Mann wird es gewahr und
ruft einem ganz ungeschickten Dummkopf zu Hülfe
— dieser hebt das Faß auf, und nun sinkt erst
alles zusammen, er reist sogleich alles heraus bis
auf drei Rosentafeln. Die Bienen hatten sich
zwar hernach wieder in den Korb gezogen, doch
wollten sie nicht ruhig werden. Der Mann

kommt zu mir gelaufen und bittet mich mit ihm zu
gehen, und zu sehen, ob sein Stock die Mutter
verloren habe. So wie ich zum Stande kam,
fand ich die Bienen in voller Unruhe und ich
glaubte in dem ersten Augenblick selbst, die Mut
ter sey verloren gegangen; als ich den Stock aber
langsam umdrehte; so fand ich, daß seine Mut
ter noch lebte; denn die Bienen hatten, troz der
Unruhe, schon wieder neue Rosen von der klein
sten Sorte gebaut, fand aber auch sehr bald die
Ursache der Unruhe. Durch das Herausreißen
hatte der Kerl die drei Rosen, die auch bis aufs
Flugbrett herabgesunken waren und die voller
Brut standen, so zusammengedrückt, daß die
Bienen nicht zu ihren jungen Bienen kommen
konnten. Ich stellte sogleich den Stock verkehrt,
drückte die Rosen mit der Hand ganz sachte wieder
hinunter, bog sie auseinander, drückte zwei dünne
Stäbchen drauf, legte ein Brett oben auf und
ließ ihn die Nacht so verkehrt stehen. Mit welcher
Freude die unruhigen Bienen zwischen die Rosen
zogen und auf der Stelle ruhig wurden, als ich
die Rosen von einander bog, läßt sich kaum schil
dern. Am folgenden Morgen hatten die Bienen
in der Krone des Stocks die Rosen nicht nur

X 2

wieder vest gebaut, sondern sie hatten auch die
Stäbchen so angenietet, daß beim Herumsetzen
des Stocks, weder eine Rose sank noch wieder
zusammenfuhr. Den Honig mußte der Mann aufbewahren, und als die Haideblüthe zu Ende
war, setzte ich am Abend den Stock wieder verkehrt, legte jedes Stückchen Honigrosen kreuz
und quer über die neu angebauten Rosen her,
ließ ihn 8 Tage verkehrt stehen und so waren alle
Stückchen Rosen angeblüht, er konnte nun sehr
gut herumgesetzt werden, und er war als Ständer noch immer gut. Im Frühjahr kurz vor der
Frühnahrung werden nun die Rosen, die so
eingelegt sind, weggebrochen und der Stock ist
gerettet.

Nun die Anwendung des Gesagten. Erstens schützt, wie schon gesagt, der Schatten,
daß ein solches Uebel nicht entstehe. Träfe zweitens einen Bienenwirth ein ähnlicher Fall; so
drehe er, wenn der Stock auf einem Flugbrett
steht, ihn ganz sachte herum, hebe das Flugbrett
behutsam ab, biege die Rosen ganz langsam so,
wie sie stehen sollen, drücke drei bis vier dünne
Stäbchen in die Rosen, (sie brauchen nicht durch

den Korb gestochen zu werden) so bauen die Bienen
in Zeit von zwei Tagen und zwei Nächten, wenn
man ihnen am Tage Schatten besorgt, und nach
dem die Rosen zurecht gebogen, das Flugbrett
draufgelegt hat, sehr vest an, und man kann
ihn nun getrost wieder umstellen.

Hat der Stock aber kein besonderes Flugbrett;
so muß man suchen ein Eisenblech ganz langsam
unter zu schieben, ihn dann herum zu drehen und
zu verfahren wie gelehrt worden ist. Ich habe
diesen Fall mit Fleiß nieder geschrieben; denn er
ist schon öfters vorgekommen als mancher glauben mag, und gewöhnlich ging der Stock zu
Grunde und der Schade war groß. Mir selbst
ist das nämliche in frühern Jahren widerfahren.
Doch ich machte auf diese vernünftige Weise daß
der Schaden nicht zu rechnen war. So können
es auch in der Folge andere machen; weil sie's
nun wissen. Ein solcher Hungerschwarm hängt
sich selten an, sondern er sucht bei einem andern
Stock einzudringen, da aber ein solches Volk
sehr unruhig ist, so werden sie fast immer getödtet.
Hätte nun jemand einen solchen Stock, der wirklich ausfliegen wollte, so verschließe man ihn,

seße ihn den Tag über an einen kühlen Ort, und
vereinige ihn am Abend mit einem starken, so
rettet man wenigstens das Volk; oder wenn wirklich gute Nahrung vorhanden wäre, so treibe
man, wie oben gesagt, einen starken Stock, und
auch diesen aus, wechsele die Körbe, so sind wir
seiner sicher, denn durch diese Veränderung wird
er zur Thätigkeit geweckt, und geht gewiß nun
nicht durch. Es haben schon mehrere behauptet,
solche Stöcke wären mutterlos, allein, sie irren;
nie ist ein Volk mutterlos, daß, als ein Schwarm
ausfliegt, sondern ein mutterloses Volk verliert
sich nur nach und nach.

Auch das Verstellen eines Mutterstocks mit
seinem Nachschwarm, oder auch mit einem andern
Nachschwarm' ist sehr mißlich, obgleich in beiden
Stöcken unfruchtbare Mütter sind. — Ein anderer Lehrer thut das. Er setzt den ausgetrom-
melten Nachschwarm auf die Stelle seines Mutterstocks und dieser muß auf eine' andere wandern.
Das ist wirklich keine große Empfehlung für das
vernünftige Verstellen, sondern sie scheint mir
sehr klein zu seyn. Es ist wahr, der Mutterstock
verliert auf diese Weise fast alle seine flugbaren

Drohnen, aber eben dieser Verlust kann auch den Verlust des Schwarms nach sich ziehen. Ich hatte den Fall selbst mehrmalen. Hier ist meine Beobachtung deßwegen. Die Drohnen, die vom Mutterstocke fliegen, kehren, weil sie des Flugs gewohnt sind, beim Schwarme ein, dieser aber hat kaum für sich selbst zu leben, vielweniger für so viele Fresser, er sticht sie daher schon am 2 bis 3 Tage ab. Da nun das Ausfliegen der Drohnen grade um die Zeit geschieht, wo auch die junge Mutter ausfliegt, so ist es sehr leicht möglich, daß sie von den Bienen, die sehr auf die Drohnen aufgebracht sind, für eine Drohne angesehen wird, und ihr Leben verlieren muß. Es ist dieß gewiß keine Grille, nein, ich habe es mit Augen gesehen, gesehen bei Landleuten, denen ein Nachschwarm verunglückte, da sie aber die Mutter und eine Faust dick Bienen hatten, so rieth ich, sie sollten sie in einen Korb thun, etliche Stunden einsperren und nun auf die Stelle des Mutterstocks setzen, und am Abend wegtragen. Sie befolgten meinen Rath und der Schwarm war am Abend nicht nur ruhig, sondern auch stark genug, allein aus dem Wegtragen wurde nichts. Der Schwarm arbeitete am folgenden

Tage recht fleißig, allein gegen Abend fing er seine Drohnnenschlacht an, am folgenden Morgen war er wieder sehr fleißig, als ich aber gegen 1 Uhr dahin kam, hörte er ganz mit fliegen auf, und lauerte nur auf die ankommenden Drohnen, ich warnte nochmalen, allein man wollte jetzt, weil es Sonntag war, von keinem Fortbringen hören. [Wie sehr muß man sich wundern daß in öffentlichen Schriften solche Thorheiten empfohlen werden. Es ist und bleibt fehlerhaft, es wende es an, wer da will. Der Fall, der unten folgen wird, soll sich auch selten ereignen, so hört der Mutterstock doch, nach 2 bis 3 Tagen, ganz mit Flie= gen auf: hat er noch viel Brut im Stock, so wird sie kalt und verdirbt. Fällt der Nachschwarm spät, so daß wenig Brut mehr im Stocke ist; so verliert der Mutterstock doch zu viel Vögel, und, weil er eine Zeitlang aufhört zu fliegen; so wird der Mutterausflug verschoben, und tritt oft 8 bis 10 Tage später als gewöhnlich ein.] Ich blieb mit Fleiß ein wenig stehen, weil ich vermuthete, die Mutter würde ausfliegen; sie kam auch wirk= lich nach einiger Zeit, als sie aber wiederkam, wurde sie eben so feindselig ergriffen, als eine Drohne, und ehe ich noch hinzukommen konnte, war sie schon gestochen, fiel augenblicklich herunter und war dahin! Wer wollte es also wagen einen Nachschwarm mit seinem Mutterstocke zu verstellen, wenn man Gefahr befürchten muß, ihn dadurch zu verlieren? Bis auf den Abend kanns angehen, aber nicht bis zum folgenden Abend, und wenn auch der Fall nicht grade einträfe, daß man den Schwarm verlöre, so leidet doch der Mutterstock zu sehr, und es muß ihm schwer fallen sich zu erholen, wie ich das sehr gut erfahren habe. Auch die Handvoll Bienen die derselbe nebst einer Königin fand, und sie mit einem starken Stock verstellte, wäre gewiß kein solcher Stock geworden, wenn es nicht eine alte fruchtbare Mutter gewesen wäre. Dieß sey genug und ein jeder Aufmerksame wird daraus schließen können, wann er verstellen, oder nicht verstellen darf. Schwärme, sage ich noch einmal, die frühe von selbst kommen oder gemacht werden, lasse man, wenn die Vorschwärme in Honigfässer kommen und die Nachschwärme mit Honigrosen, wenn's seyn muß, gehörig unterstützt werden, ohne verstellt stehen, so arbeitet jeder nach Kräften. Die Mutterstöcke, wenn's Schwärmen früh geschieht, behalten Nahrung genug, für den Vorsommer. Sorgt

man nun, daß sie nicht mutterlos werden, so
mögen sie sich durchs Schwärmen so schwach am
Volke, als sie nur wollen gemacht haben, sie erholen sich schnell wieder, weil sie Nahrung haben und man kann das Verstellen auf diese Art
beim Schwarm, wie beim Mutterstock unterlassen.

Vierzehnter Abschnitt.

Von den Geschäften bei den Bienen im July.

In diesem Monat fällt am Rhein jährlich
die Hauptnahrung für die Bienen, zwar haben
wir im Juny manchmal gute Nahrung auf den
blauen Kornblumen, weißen Klee und Wicken;
allein die Stöcke legen immer im July, bei gleich
guter Witterung, mehr am Gewichte zu, als im
Juny. Da es für einen jeden Bienenfreund
wichtig ist, nicht allein die Zeit zu wissen, wenn
die Stöcke ihre Hauptnahrung haben, sondern
auf welcher Blüthe sie solche haben, so ist es
Pflicht, sich mit der Gegend, in der man wohnt,
und mit den Gewächsen, die sie uns liefert, be-

kannt zu machen, weil wir dadurch im Stande
sind, die Dauer der Nahrung in etwas zu be=
stimmen. Ich will hier von den vorzüglichsten
reden, zuerst aber vom Honigthau.

§. 80.
Vom Honigthau.

In mehrern Gegenden muß es wirklich viele
Honigthaue geben, weil so oft und so viel davon
geschrieben wurde. Am Rhein, vorzüglich aber
in der Feldgegend ist, weil Kieß und Sandboden
da am häufigsten angetroffen wird, und die Obst=
bäume alle veredelt sind, nach meiner Beobach=
tung gar nicht darauf zu rechnen, vielmehr ist
es für unsere Bienen mehr schädlich, als nützlich,
wenn die Natur auf einmal zu stark wirkt. Ich
habe schon oft bemerkt, daß Korn=, Gersten=
und auch hie und da Weizenähren voll Tropfen
eines weißlichten, klebrigten Safts hingen, dieß
ist aber, meiner Meynung nach, nichts anders,
als der Nahrungssaft der Früchte, er tritt um
diese Zeit sehr gerne hervor, wenn auf einen sehr
schwülen Abend ein etwas kühler Morgen folgt,
sobald ihn aber die Sonne erwärmt, tritt er wie=
der zurück. Die Bienen genießen ihn auch dann,

wenn man ihnen einige Aehren vorlegt, höchſt
ungern, ſie fliegen aber gar nicht aus ihn zu holen, denn ganz gewiß enthält er zu viel Mehltheile, die den Bienen nicht zuträglich ſind, ſonſt
könnten ſie ihn eben ſo gut holen, wie den Honigthau auf den Blättern der Bäume, weil er
nie eher zurücktritt, bis ihn die Sonne erwärmt
hat. Sonderbar iſt es indeſſen doch, daß die
Bienen bei ſehr trockner Witterung häufig auf
die Weizenähren fliegen, wenn die Körner ihre
halbe Größe erlangt haben. Es geſchieht dieß
aber immer des Nachmittags, wenn kein Thau
vorhanden iſt. Es muß eine ſehr feine Ausdün-
ſtung ſeyn, die ſie dann auf dieſer Frucht finden,
und die ihnen auch nichts ſchadet. So oft ich
dieß Austreten des Safts häufig bemerkte, ſo
oft habe ich auch wahrgenommen, daß die Bienen
den Tag über wenig oder nichts auf der Blüthe
fanden. Ich muthmaße daher nicht ohne Grund,
daß dieſes Austreten auch für die Früchte ſelbſt
nicht vortheilhaft ſey. — Ich muß hier eines
Vorfalls gedenken, den ich vor 14 Jahren bemerkte. Ich beſuchte nämlich um dieſe Zeit einen Freund, der 5 Stunden von Mülheim wohnte,
es war Samſtag, als ich bei ihm ankam, und

der Abend war sehr schwül. Am folgenden Mor;
gen war die Luft kühl und sehr neblicht. Gegen
10 Uhr brach die Sonne durch, ich wurde gewahr,
daß die Zwetschenbäume gleichsam mit Bienen
bedeckt waren. Ich sah nach, und fand, daß
auf sehr vielen Blättern ein gelbgrünlichter, kleb;
rigter Saft lag, sie glänzten, als wären sie mit
Oel angestrichen worden. Ich probirte den Saft
und er war sehr süß. Gegen halb 12 Uhr konnte ich
auf diesen Bäumen weder Bienen noch Saft mehr
bemerken. Als wir aber Nachmittags im Garten
gingen, fand ich Zwetschenbäume, die im Schat;
ten standen, auf diesen trafen wir noch viele
Bienen, wie auch noch Blätter an, auf welchen
der Saft lag. Auf keinem einzigen andern
Baume habe ich eine Biene bemerkt, auch keine
Spur von dem Safte entdeckt. Die Bienen
mußten viel gewonnen haben, denn es schwärm;
ten an dem Tage Stöcke, auf welche man 14
Tage lang umsonst aufgepaßt hatte. Noch reuet
es mich, daß ich nicht frühe ins Feld ging, und
die Frucht bemerkte. Um diese Zeit erhalten die
Bienen auch auf Eichbäumen Nahrung. 1807
waren die Waldgegenden am Rhein so honigreich,
daß Stöcke, die kaum die halbe Winternahrung

gehabt hatten, sich so stark vermehrten, daß sie im Herbst 5 und 6fach angetroffen wurden; es gab sogar Nachschwärme, die kurz vor der Haidebluthe freiwillige Schwärme lieferten und die ihren Winterausstand noch sammelten. Gleich nach der Baumbluthe fiel ein starker Honigthau, der 6 Wochen lang von den Bienen benutzt wurde: er war so reichlich gefallen, daß ihn die Bienen in den beiden ersten Tagen nicht alle sammeln konnten. Die Sonne trocknete ihn auf, und die Bienen konnten am Tage nichts davon genießen. Sobald aber Abends der Thau gegen 6 Uhr begann, so wurde er erweicht und die Bienen sammelten bis in die Nacht. Am Morgen, so wie nur der Tag anbrach, waren die Bienen auf den Blättern und sammelten so lange, bis die Sonne ihn wieder erhärtete. Es geschah dieses in den Berggegenden gewöhnlich um 10 Uhr, wo die Bienen ganz zu fliegen aufhörten. Der einzige Thau dauerte also 6 Wochen lang; nach dieser Zeit fiel Regen, wodurch die Blätter abgewaschen wurden, und von den Bienen kein Honig mehr darauf gesammelt werden konnte.

§. 81.

Von den Blüthen, die die Hauptnahrung ausmachen.

Außer wildem oder weißen Klee, Blaublu=
men und Wicken, haben wir hier vorzüglich um
diese Zeit den Buchweizen, oder das Heidekorn.
Diese für die Bienen vortreffliche Blüthe giebt oft
sehr viel Honig, doch gewöhnlich nicht länger,
als von Morgens 8 bis 11, höchstens 12 Uhr
Mittags. So kurz auch diese Zeit ist, so hatte
ich doch Beispiele, daß ein starkes Volk 2, 3, ja
4 Pfund zulegte. Ueberhaupt glaube ich, daß
eine Pflanze oder Staude da, wo sie gerne wild
wächst, ihr rechtes Klima hat und auch für die
Bienen da am ergiebigsten ist. So giebt zum
Beispiel die Stachelbeerblüthe in einigen Gegen=
den, als im Werragrund, den Bienen reichliche
Nahrung, wenn nämlich die Witterung gut ist.
Am Rhein ist sie nicht zu rechnen, obschon ziem=
lich viel gepflanzt werden. So giebt auf einem
schweren Boden die Kirsch=, Birnen= und Aepfel=
blüthe den Bienen zu Zeiten gute Nahrung;
allein hier auf Sandboden ist auch diese Blüthe
nicht zu rechnen. So machen die Linden in vie=
len Gegenden die Hauptnahrung aus; allein am
Rhein kann man sie nicht anschlagen; ihre Blü=

rhe ist da nicht honigreich, weil die Linden auf
Sandfieß stehen. Man sieht also, wie sehr man
nöthig hat die Gegend, in der man wohnt,
kennen zu lernen, um sich darnach richten zu
können, und in keinem Monate ist es nöthiger,
als in diesem, wo die Bienen nicht allein ihren
Wintervorrath sammeln, sondern uns für unsere
Mühe auch was Ausbeute eintragen sollen. Lehm-
boden oder gut gedüngte Grunderde ist der Boden, auf welchem die Linde Honig giebt und auch
groß und stark wird.

§. 82.

In diesem Monate läßt man noch schwärmen was
schwärmen will, wenn man die Haide benutzen kann.

Wo gesammelt werden soll, kommts auf
viele Arbeiter an. Eine vieljährige Erfahrung hat
mich ganz überzeugt, und ich muß gestehen, daß
ich schon bei der ersten Ausgabe wußte, daß viele
Schwärme den höchsten Ertrag gewährten, ich
wollte mich aber damals nicht ganz gegen die
angenommene Meinung erklären. — Jetzt aber,
sage ich: (was hindert, daß ich die Wahrheit
rede!) Viele Schwärme, viele Arbeiter, viel
Honig! vorzüglich wenn die Haideblüthe im Herbst
gut wird; man kann sie in jedem Jahr anneh-

men, zwar sind sie keine so gute Ständer, als
Stöcke, die im Vorsommer den größten Theil
ihres Ausstandes gesammelt haben; allein es
bleibt ewig wahr, daß ein Schwarm, der bei honigreicher Witterung fällt, viel fleißiger ist, viel
mehr Honig macht, als ein Stock, der schon
Vorrath hat, und in voller Brut steht — sein
Trieb, sein Eifer ist grenzenlos. Der geschickte
als auch erfahrne Strauß schlug deswegen schon
lange vor, „man solle bei guter Honigtracht von
„von zwei starken Stöcken einen austreiben, und
„seinen Bau dem andern aufsetzen.“ Ja Freund,
es wird, wie bei einem Schwarme, zu einer
solchen Zeit dadurch mehr gewonnen und es ist
Pflicht den höchsten Ertrag bekannt zu machen.
Wer im May oder auch Anfangs Juny seine
Schwärme macht, und vorzüglich die Vorschwärme
in schweren Honigkörben aufstellte, der erhält im
July gewiß sogenannte Jungfernschwärme. Diese
Benennung ist zwar überall gebräuchlich, und doch
ganz unrichtig; ein solcher Schwarm würde richtiger mit Vorvorschwarm oder Hauptschwarm
zu benennen seyn, weil nach einer gründlichen
Schwarm- und Abtreiberegel (nur seltene Fälle,
ausgenommen) eine alte fruchtbare Mutter bei

Y

ihm zu finden ist. Jeder Nachschwarm (Afterschwarm) oder sonst durch Zufall mit einer
jungen Mutter ausgezogene Schwarm wäre als
Jungferschwarm zu benennen, weil er eine
junge noch nicht fruchtbare Mutter (Jungfer) bei
sich hat. Diese Schwärme nun zu verhüten
suchen, wie andere wollen, wie ich selbst zu
nachgiebig in der ersten Ausgabe, auch lehrte, ist
zweckwidrig. Denn erstens wird, wenn ich einen
solchen Vorschwarm durch übermäßiges Aufhöhen
zwinge beisammen zu bleiben, weniger Honig
gesammelt, als wenn er schwärmt. Es wird
zweitens weniger Bienen- und mehr Drohnenbrut
erbrütet, mithin hat man im August weniger
Arbeiter, die zu Felde gehen. Drittens werden
durch übermäßiges Aufhöhen mehr Drohnen- als
Bienenrosen gebaut; wird nun im Herbste oben
der Honig weggeschnitten, so macht der Bau
einen sehr schlechten Ständer fürs nächste Jahr
aus. Ich rathe daher wohlmeinend, nur da aufzuhöhen, wo aus Mangel an Raum nicht gearbeitet werden kann, damit in der besten Jahreszeit nichts versäumt werde.

§. 83.

Von dem Unterschiede des schädlichen und nicht schäd=
lichen Vorliegens.

Im Juny lasse ich meine Stöcke nie ganz
voll bauen, sondern ich setze ihnen eher unter, ehe
sie ganz ausgebauet haben; in diesem Monate
aber richte ich mich nach der Nahrung und höhe
nur so viel auf, daß meine Bienen nicht müssig
sind. Es ist unglaublich, was ein Stock, der
nicht zu bauen braucht, in dieser Zeit mehr am
Gewichte zulegt, als einer, welcher bauen muß.
Ich hatte Beispiele, daß es den Tag 2 Pfund
betrug. Ich habe deswegen auch schon seit einiger Zeit alle Jahre leere Waben bis in diesen
Monat verwahrt, und sie in Magazinwohnungen oben aufgesetzt, anstatt unten aufzuhöhen,
und ich werde es in Zukunft bei Gesundheit noch
fleißiger thun. Es kostet einem auch nur wenig
Mühe, man macht den Deckel oben vom Stocke
los, jagt die Bienen, die aufsteigen zurück, sezt
ein leeres Höchsel oben auf, und legt ein Stük-
chen Waben nach dem andern darein. Man
hat gar nicht nöthig, sie vest zu spießen und es
kommt auch nicht darauf an, wie sie stehen, denn
die Bienen machen sie in einer Nacht vest und

Y 2

tragen sie in Kurzem voll Honig. Es scheint
ihnen selbst sehr willkommen zu seyn, weil sie
um so viel emsiger sind. Ich habe schon oben
gesagt, daß die Bienen hier auf der Buchweizens
blüthe nur 3 bis 4 Stunden lang sammeln können. Was sich in dieser Zeit nicht vorlegt, hat
auch noch Raum, und es ist nicht nöthig, daß
wir aufhöhen, wenn sie sich auch Nachmittags
vorlegen. Sie haben Nachmittags manchmal
doch nicht viel zu thun und die starke Hitze treibt
sie oft heraus, wenn wir auch aufhöhen. Wir
haben nur dahin zu sehen, daß ein Stock zur
Zeit des Sammelns nicht müssig sitzen darf. Wem
das mit den leeren Waben übertrieben scheinen
mag, der merke sich noch Folgendes: Ich war
vor 2 Jahren in diesem Monate 8 Tage verreist,
bei meiner Zurückkunft fand ich 4 Schwärme, so
ärgerlich ich auch war, so wollte ich doch nun
sehen, was sie machten. Es war am 18. July.
Ich hatte noch 2 Schläuche; doch ohne Honig;
ich that gleich am Abend 2 Schwärme in die
Schläuche, und 2 ließ ich in ihren Körben,
worin sie gefaßt waren; ich schickte sie alle 4
eine Stunde weit von hier, weil da viel später
Buchweizen stand. Die Nahrung dauerte nur

noch 14 Tage, und, weil es sehr trocken war,
auch nicht reichlich zu finden. Dem ungeachtet
wog ein Schwarm, der in die Waben kam, 31,
der andere 29½ Pfund. Von den andern in den
Wohnungen, worein sie gefaßt waren, wog einer 13, der andere 14 Pfund. Nimmt die Nahrung ab, dann höhe ich gar nicht auf, sondern
lasse alles recht voll Honig tragen. Wenn man
um diese Zeit alle Abend 2 Stöcke wiegt, so kann
man wissen, wann und wie sie abnimmt. Ich
sehe überhaupt nie gern, wenn die Natur auf
einmal zu stark wirkt, es ist beinahe immer ein
sicheres Zeichen, daß die Nahrung nicht lange
dauert. Wenn ein starkes Volk täglich 2 Pfund
gewinnt, so kann man immer eher rechnen, daß
die Aernte länger dauert, als wenn es auf einmal 3 bis 4 Pfund gewinnt. Beinahe der vierte
Theil des am Tage Gesammelten wird in der
Nacht durch die Ausdünstung am Gewichte
verloren.

§. 84.
Vom Zurichten nach der Haide.

Wer weit von Haidegegenden wohnt und
nicht Gelegenheit hat, seine Stöcke dahin zu senden, für den ist der vorige §. richtig und kann

nicht beffer gefagt werden. Wer aber nach der
Haide fenden muß, der muß, wie ich jetzt wohl
weiß, anders handeln. Zu diefem ganz richtig
berechneten Gegenfatz gab mir die Beobachtung
der Bienenftöcke in der Haideblüthe Anlaß. Ich
fand nämlich, daß Stöcke, die mit wenig Honigvorrath in die Haide gebracht waren, fehr oft
40 bis 50 Pfund fammelten, während fchwere
Honigftöcke kaum 12 bis 15 Pfund gewonnen hatten, und wenn fie auch gleich Anfangs im Volke
gleich ftunden, fo waren im September diefe
letzten doch viel volkfchwächer als die erften. —
Ich höhte nun einige Stöcke von der Mitte July
an übermäßig ftark auf; das half. Sie ärnte-
ten nun 30 bis 36 Pfund in der Haide, wenn
Stöcke, die keine Buchweizen-Aernte genoffen
und mager dahin kamen 40 bis 50 Pfund ärn-
teten. Ich habe es auch nie dahin bringen können, daß Bienenftöcke, die fchon eine ftarke Aernte
genoffen, in der zweiten, die gleich darauf folgte,
eben fo viel fammelten als andere Stöcke, die
noch keine Hauptärnte genoffen hatten. — Nicht
der ftärkere Trieb allein ift Schuld daran, fondern auch die doppelte Aernte macht, daß im
September mehr Volk bei dem einen als bei dem
andern Stock vorhanden ift.

§. 85.

Vom Prüfen und Zubereiten der Stöcke, welche junge
Mütter haben, zu guten Ständern, während der
Aernte.

Sobald meine Stöcke, welche junge Mütter
haben, schwer genug sind (wenn nämlich jeder 30
Pfund wiegt, so hat er 24 inneres Gut), nehme
ich sie vom Stande weg und zwar zur Zeit, wenn
sie recht mit Sammeln beschäftigt sind, setze sie
in einiger Entfernung vom Stande hin und lasse
sie nun da bis im Herbst stehen. Das flugbare
Volk geht nun nach und nach zu den alten Stöcken
und diese werden, wenn die Aernte gut ist, auch
sehr schwer, und jene versetzten erhalten doch im=
mer so viel, daß sich ihr Gewicht noch eher ver=
mehrt als vermindert. Ich gewinne auf diese
Weise eher mehr, als weniger Honig und habe
dabei den Vortheil, daß ich nur von einigen ab=
zunehmen brauche, wo ich sonst von vielen ab=
nehmen oder mehr lassen müßte, und da diese
Stöcke, wenn ich ihnen den Honig abgenommen,
nach der Haide müssen, so sind sie auch nun so
viel stärker und können dann so viel mehr arbei=
ten. Auf diese Weise kann man Stöcke in ge=
wölbten, ganzen Körben recht gemächlich zu gu=

ten Ständern einrichten. Gegenwärtig setze ich,
wie schon gelehrt, oben auf und habe also das
Wegsetzen nicht mehr nöthig. — Es ist aber für
Jeden, der es ausüben will, noch immer nützlich
und gut, auch ohne Schaden anwendbar.

Funfzehnter Abschnitt.
Von den Geschäften im August.

§. 86.

Vom Zubereiten der Stöcke, die nach der Haide sollen.

Magazinstöcken, die nach der Haide sollen,
nehme ich, sobald die Aernte nachläßt, ihren
Honig oben bis an die Brut weg; wohl zu verstehen ist dieß, daß ich es nicht allen Stöcken
thue; was für den Winter stehen bleiben soll,
behält seinen Vorrath, selbst wenn ich auch sie
nach der Haide schicke, weil man nie vorher weiß,
was die Haide giebt und eben so verfahre ich
auch mit gewölbten Körben. Außerdem ist auch
der Feldhonig für die Winternahrung der Bienen
vortheilhafter als der Haidehonig, weil sie nicht

so stark zehren, und ruhiger und gesunder dabei
bleiben. Stöcke in gewölbten Körben treibe ich
aber erst aus, ehe ich den ganzen Korb von den
Höchseln abschneide. Die Höchsel, worin der
größte Theil der jungen Brut ist, bleiben stehen,
der leere Korb mit den Bienen wird darauf gesetzt
und verstrichen. Finde ich beim Abbrechen des
Korbs noch Waben mit Brut, so wird sie ausgeschnitten und einem Magazinstocke in einem
Höchsel aufgesetzt. So bleiben nun diese Stöcke
stehen, bis ich sie nach der Haide bringe. Ich
bin jetzt im Stande, alle Jahr ganz sicher zu bestimmen, ob die Haideblüthe gut und honigreich
seyn werde, oder nicht: nämlich wenn die Stöcke
vom Anfang bis in die Mitte August ganz voll
von Brut stehen; ferner, wenn sie ihre Drohnen
halben August noch nicht abgestochen haben. Ist
das Gegentheil der Fall, so giebt diese Blüthe
wenig oder nichts. Die Herbstnäscherei sagt uns
alle Jahr, wenn es Zeit ist, seine Bienen nach
der Haide zu schicken: denn sobald diese anfängt,
so ist es gewiß, daß die Bienen nichts mehr auf
dem Felde finden können. Stöcke, denen man
den Honig abgenommen, verlieren, wenn die
Näscherei anfängt und man sie nicht wegschickt

fehr viel Volk. Hat man gute Stöcke und fie
vor Mutterlofigkeit gefchützt, fo hört diefe Näs
fcherei in 2, 3 bis 4 Tagen von felbft auf.

§. 87.

Von der Haide und dem Dahinfchicken feiner Stöcke.

Die Haide hat eine fehr reichhaltige Blüthe
an Honig und Wachs; aber eben fo felten kann
fie von den Bienen gehörig benutzt werden. Bald
ift es ihr den Sommer über zu trocken gewefen
und fie hat fich nicht gehörig zur Blüthe anfchicken
können; bald ift es ihr jetzt oder kurz vor der
Blüthezeit zu naß gewefen und die Blüthe ift zu
wäfsericht und gibt nicht viel; bald ift der Blitz
eines einzigen Donnerwetters im Stande die Blüs
the zu verfengen. (Vom Blitz oder ftarken Winde
wird die Buchweizens, wie auch die Obftbaums
blüthe oft ganz verdorben.) Kurz, fie ift felten fehr
gut: ift fie es aber und haben auch die Spinnen
ihre Netze nicht zu fehr darin ausgebreitet; fo gibt
fie, weil die Bienen den ganzen Tag hindurch von
ihr fammeln können, vorzüglich wenn fie in hohen
Bergen ftehen, fehr reichlich. Ich hatte im Jahr
1800 Stöcke, die ich 15 bis 20 Pfund fchwer nach
der Haide fchickte; als ich fie wiederholte, wogen

sie 50 bis 70 Pfund. Vor 15 Jahren wurde im Durchschnitt nicht mehr als 6 bis 10 Pfund vom Stock gewonnen. Vor 14 Jahren hatte sie, wie man sagt, den Wolf inne, das heißt, sie war fast überall dürre geworden und blühte beinahe gar nicht. Ich schickte nur etliche Stöcke dahin, um zu sehen, ob sie etwas erhielten. Sie hatten demungeachtet doch 4 und 6 Pfund gewonnen. 1813 gab sie auch nicht viel, die zu nasse Witterung war Schuld daran. 1816 gab sie gar nichts; ich hatte es aber auch voraus gesagt und vielen Bienenfreunden gewarnt und gerathen, keine Bienen dahin zu schicken. In 25 Jahren, in welchen ich am Rhein Bienen nach der Haide schickte, hatte ich nur 2 Jahre, wo mir die Unkosten nicht bezahlt wurden. Ich hatte dagegen aber auch 9 sehr gute Jahre. Ueberhaupt merke man sich Folgendes wohl: Wer Bienen nach der Haide schickt, der schicke sie stark, lieber 2 oder 3 zusammen gethan, als schwache Stöcke wegges schickt, und man wird den Unterschied sehr bald gewahr werden. Man glaubt am Rhein allgemein, daß ein Austreibling in einer leeren Wohnung in der Haide viel fleißiger sey, als Stöcke, denen man ihren Vorrath ließ und ich finde nach

vielen Verſuchen, daß die Sache nicht ungegrün=
det iſt; denn ſchicken wir Bienen in ihrem Vor=
rathe dahin, und auch einen Austreibling, ſo ge=
winnt bei guter Witterung der letzte mehr als
die erſten. Ich habe es ſehr oft verſucht und
mich vollkommen davon überzeugt. Es tritt aber
auf der andern Seite wieder der Fall ein, daß
wir in den erſten Tagen ſchlechte Witterung ha=
ben, und unſer Austreibling nichts ſammeln kann;
dann laufen wir Gefahr, daß er bei dem erſten
Sonnenblicke ſeine Wohnung verläßt und davon
fliegt. Man macht es am beſten ſo: ſobald
man ſeine Bienen in der Haide hat, wartet man
den Zeitpunkt ab, wo ſie anfangen reichlich zu
ſammeln: dann treibt man die Halbſchied ſeiner
Stöcke in leere Körbe und ſetzt die vollen Körbe
auf die andern nicht ausgetriebenen Stöcke, wenn
man vorher die Storfen ausgezogen hat. Auf
dieſe Weiſe ärntet man den mehrſten Honig aus
der Haideblüthe: denn es kam nicht oft genug
geſagt werden, — ein ſtarkes Volk, bei ſehr gu=
ter Nahrung, thut Wunder in einem leeren
Korbe; es muß zwar ſtark Roſen bauen, hat aber
dagegen auch nichts mit der Brut zu thun; alles
arbeitet mit dreimal doppeltem Fleiße. Wie

fehr aber auch fein Volk in 14 Tagen zusammen=
fchmilzt, ift kaum denkbar. Doch der, welcher
feine Stöcke ftark im Sommer vermehrt, behält
für feine Zuchtftöcke immer Volk genug.

Sind ferner viele Spinnen in der Halde, fo
verliert ein folcher Austreibling in den erften 8
bis 14 Tagen den größten Theil feines Volks.
Da er nun keinen Erfatz hat, fo wird er fchwach
und kann das nicht leiften, was ein Stock leiftet,
der täglich neue Arbeiter aus der Brut erhält.
Das Befte, was man hier thun kann, ift, wie
ich aus Erfahrung weiß, man nimmt dem Stocke
feinen Honig weg, läßt ihm aber feine Brut.
Unter diefer befindet fich immer hie und da auch
Honig, fo daß wir ficher feyn können, daß er
nicht aus Hunger durchgeht. Es erleichtert auch
die Transportkoften um vieles, und aus der
Brut erhält er täglich neue Arbeiter, und er ift
nicht weniger fleißig, als ein Austreibling in ei=
ner leeren Wohnung. Wenn ich nun am Abend
wegfchicken will, fo lege ich fchon am Morgen
unter jeden Stock ein Tuch und fobald die Bie=
nen nicht mehr fliegen, binde ich jeden Stock zu.
Durch diefe Vorficht verliere ich faft keine einzige

Biene, und es ist auch viel gemächlicher, als wenn man am Abend erst die Bienen mit Rauch zurück treiben muß. Der Wagen, auf dem sie fortge= fahren werden, muß schön parat stehen; ich lege unten eine Hand hoch Stroh und auf dieses setze ich nun meine Bienenstöcke. Sobald sie alle darauf stehen und best. gebunden sind, ziehe ich oben den Stopfen eines jeden Korbes aus und lasse nun den Fuhrmann fahren. Nach näherer Prüfung habe ich gefunden, daß man die Stöcke am sichersten und besten verkehrt auf den Wagen setzt; das Tuch, womit sie zugebunden worden, kommt nun oben und die Wärme, die die Bie= nen beim Fahren verursachen, kann entweichen. Wenn man an Ort und Stelle kommt, so sind keine Bienen ausgelaufen und man kann die Stöcke sogleich absetzen, was beim Ausziehen der Stopfen nicht der Fall ist. Fängt ein Stock wider Vermuthen stark an zu brausen über dem Fahren, so schüttet man nur ein Tröpfchen Was= ser auf sein Tuch, sogleich kühlen sich die Bienen ab und sind ruhig. In den ersten 6 bis 8 Mi= nuten muß er ganz langsam fahren, damit sich die Bienen erst vestsetzen, nachher mag er fahren so stark er will. Die einzige Vorsicht, die man

noch gebrauchen muß, ist die, man muß vorn
am Wagen ein Tuch so binden, damit beim Fahren keine Biene an das Pferd laufen kann. Mir
geschieht es nie, wie alle, die mir gefahren haben,
bezeugen können. Sonst schickte ich meine Bienen 4 Stunden weit, wo eine sehr gute Gegend
ist; da aber die Wege sehr schlecht sind und man
immer befürchten muß, daß der Wagen umfällt,
wie ich einmal den Fall hatte, so wähle ich jetzt
lieber eine Gegend, die nur 2½ Stunde weit ist.
Sie ist zwar nicht ganz so gut, weil der Som-
mer- und Winterseiten der Berge nicht so viele
da sind, als in jener Gegend; allein die Wege
und die Nähe sind auch viel bequemer. Wer
Bienen nach der Haide schicken will, der muß
sich in der Nähe eine Gegend aussuchen, wenn er
sie finden kann, die abwechselnd ist. Eine Seite
muß schweren und die andere Sandboden haben. Auf einer Seite müssen Berge, auf der
andern Fläche seyn, damit bei trockener, wie bei
nasser Witterung die Bienen etwas finden können. Bei starkem Winde finden die Bienen unter Bäumen Schutz und können besser arbeiten,
als auf der Fläche. Bin ich mit meinen Bienen
an Ort und Stelle gekommen, so lasse ich aus-

— 352 —

spannen und habe ich noch Zeit, ehe der Tag an
bricht, so lasse ich sie eine Stunde ruhig stehen,
dann laufen die Bienen, die durch das Stopfenloch ausgelaufen sind, wieder ein; man kann
nach dieser Zeit die Stopfen wieder einstecken
und die Stöcke ruhig an Ort und Stelle setzen.
Alles dieses fällt weg, wenn man seine Stöcke
unten mit Tüchern zubindet und die Stöcke verkehrt auf den Wagen stellt, so können keine Bienen auslaufen und man kann die Stöcke gleich
nach der Ankunft an Ort und Stelle setzen. Man
macht sie auf, läßt aber die Tücher einen Tag
lang darunter, damit man keine Bienen verliere.
Selbst wenn Stöcke getragen werden, so ist es
besser mit Tüchern zugebunden und verkehrt getragen. Man unterlegt sie, damit die Luft Abzug hat, und läßt sie noch eine oder zwei Stunden stehen, bis alles in Ruhe ist. Dann öffnet
man die Fluglöcher, läßt aber die Tücher darunter
bis am Abend, wo man sie dann ohne Gefahr wegnehmen kann. Hier bleiben sie 4 Wochen, auch
wohl einige Tage länger stehen. Man bezahlt
hier in der ganzen Gegend von jedem Stock
3 Stüber oder 1 Groschen Standgeld. Gegenwärtig werden 2 Groschen bezahlt, ohne die

386

Wache. Ich lasse aber gewöhnlich in den letzten 14 Tagen dabei wachen und bezahle etwas mehr. Hier werden nun die Stöcke bei guter Witterung regelmäßig aufgehöht, doch nie zu viel, denn es schwärmt sehr selten einer, weil die Zeit dazu dahin ist. Ist die Nahrung vorbei, welches an der Näscherei zu erkennen ist, so holt man seine Stöcke wieder. Dieß geschieht auf die nämliche Weise, wie das Hinbringen.

§. 88.

Vom Haidehonig und daß er im Winter für die Bienen nicht gut ist.

Der Haidehonig ist, sey es von Natur oder weil er so spät gesammelt wurde, im Winter für die Bienen nicht gut. Ich habe es auf mannichfaltige Weise versucht, allein immer gefunden, daß die Bienen mehr davon zehren, selbst bei strenger Kälte, und immer unruhig sind. Die Hauptursache dieser Unruhe ist der Wassermangel in den kalten Wintermonaten; denn beim Genusse des Haidehonigs empfinden die Bienen wegen seiner hitzigen Natur weit mehr Durst, als beim Genusse des Feldhonigs, den sie bei strenger Kälte nicht befriedigen können. Ich lasse

Z

nunmehr keinen Stock mehr stehen, der viel
Haidehonig hat, denn man kann nicht sonderlich
auf ihn rechnen, selbst dann nicht, wenn der Stock
ein guter Ständer ist. Zum Aufbewahren der
Schläuche ist er aber sehr gut, er wird nicht
hart, wie anderer Honig, sondern er bleibt auch
in sehr kalten Wintern flüssig. Möchten sich doch
alle die belehren lassen, die Austreiblinge aufstel=
len und sie im Winter wieder verlieren, oder doch
sehr elende Stöcke an ihnen haben: denn nur ein
sehr gelinder Winter kann sie im Stande halten.
Sonst ist und bleibt es gewiß, sie kommen größ=
tentheils um, wenn sie auch noch so viel Honig
haben. Verstärkung im Volke hilft, aber nicht
ganz, es bleibt unruhig, man mag sich anstellen,
wie man will. Etwas Haidehonig, zum Beispiel
der 4te Theil, schadet einem Ständer nicht, aber
die Halbschied ist mir schon zu viel und bedenk=
lich. Es ist besser, wenn man das Volk mit einem
andern guten Stocke vereinigt und verwahrt sich
einen solchen Korb für einen künftigen Schwarm,
von welchem wir dann mehr Ausbeute erhalten,
als wenn wir den Stock selbst stehen ließen. Hier
will ich noch eines Vortheils erwähnen, der nur den
ganzen Körben im Werragrund, weil sie oben einen

Deckel haben, eigen ist. Gesetzt ich hätte einen
Korb, der 40 bis 50 Pfund schwer wäre, von
Bienen leer gemacht: ich wollte nun gern den
Honigkorb für einen künftigen Schwarm aufheben,
allein der Honigwerth wäre zu groß dazu, oder
der Bau zu alt für eine künftige Generation;
so kann ich mir doch helfen, ich kann Honig
gewinnen und doch den Korb fürs nächste Frühjahr, als einen bebauten Korb verwahren. Hiebei verfährt man auf folgende Weise: man reißt
oben den Deckel ab, schneidet von oben so viel Honig weg, bis man den Korb auf 20 Pfund gebracht hat; darauf setzt man am Abend einen
starken Stock und läßt die Bienen den Schnitt
rein ablecken, verwahrt den Korb und, wenn
man im Frühjahr einen Schwarm darein thut,
legt man den Deckel so lange verkehrt auf, daß
heißt, auf die untere Seite des Korbes und läßt
nun den Schwarm, wenn der Korb verkehrt gestellt worden, denselben wieder vollbauen und
setzt ihn dann erst herum, legt den Deckel wieder oben auf, so ist es gut; wollte man das Faß
gleich so setzen, wie es stehen sollte: so bauen
die Bienen auch über sich, aber nicht regelmäßig,

Z 2

:weil nur unterwärts ein regelmäßiger Bau von
Bienen geführt werden kann.

§. 89.

Daß der Haidehonig zum Ausmachen nicht gut, son;
dern zum Verwahren in Körben am besten ist.

Wer gerne guten Honig haben will, der mache
keinen Haidehonig aus, denn er ist nie so gut,
als Honig, den die Bienen im Sommer sammeln.
Er ist nicht so schwer, als Sommerhonig, wird
nicht so hart und schön, als dieser, und hält
sich auch nicht so lange. Dieß scheint mir zu be;
weisen, daß es ihm bloß an der Ausdünstung fehlt.
Er ist von Natur sehr hitzig und man sieht mit
Verwunderung, wie sehr ein Schwarm, den
man in eine solche Wohnung bringt, sich vermehrt.
Ja wer nicht auf Geld zu sehen braucht, der thut
wohl, wenn er Körbe mit Haidehonig, die 30
und mehrere Pfund schwer sind, aufbewahrt,
der Honig wird nicht nur im künftigen Sommer
gut, sondern er kann bei einem solchen Schwarm
auf eine reiche Ausbeute hoffen, die das Aufbe;
wahrte verinteressirt. Kuchenbäcker kaufen ihn
jedoch sehr gerne, vermuthlich weil er sehr stark
treibt.

§. 90.

Vom Vereinigen.

Sobald ich meine Stöcke von der Halde nach Hause gebracht habe, werden sie der Vereinigung wegen so gestellt, wie ich sie zu diesem Geschäft wünsche. Ich eile mit der Vereinigung so sehr nicht, damit die junge Brut erst alle ausläuft. Ist sie ausgelaufen, so setze ich den Stock, den ich der Mutter oder seines Baues wegen mit einem andern Stock vereinigen will, verkehrt, und den guten Stock mit einer diesjährigen Mutter darauf, binde rundherum ein Tuch und nach 20 bis 24 Stunden vereinige ich sie durch Rauch von Bovist oder leinenen Lumpen. Die unterste Mutter wird von den Bienen getödtet und die obere junge erhält das Feld. Eine dritte Verfahrungsart, die am aller bequensten ist, will ich hier noch bekannt machen. Sobald man im September sieht, daß die Aerhte zu Ende ist, setzt man die Stöcke, die man nicht stehen lassen will verkehrt, die Ständer darauf und läßt sie so bis im November stehen. Die Bienen laufen auf diese Weise von selbst zusammen, halten aber beide Körbe besetzt. — Setzt man nun einen leeren Untersatz am Abend zwischen beide Körbe, so laufen

die Bienen während der Nacht von selbst aus
dem untersten Korbe zu ihren obern Kameraden
und man kann die bebaute und von Bienen leer
gewordene Wohnung wegnehmen. Die Körbe
werden aufbewahrt und der Jahrgang ist zu Ende.

Schließlich ist noch zu bedauern, daß die
Zeitschrift von einer Gesellschaft
praktischer Bienenfreunde
herausgegeben. Tübingen u. s. w.

so frühe aufgehört hat; ein jeder Bienenhalter
sollte wünschen, daß die Fortsetzung dieser Schrift
noch Statt hätte. Sind nicht die Aufsätze eines
Strauß, eines Andreä, eines Rümelin
Beweise ihrer Thätigkeit und ihres Forschens im
Binenenfache? Selbst ein Wurster, wenn er
seine Eigenliebe und sonstige Eigenheiten abge-
legt hat, ist dann nicht zu verkennen. Der Auf-
satz im 2ten Heft vom Hrn. Strauß ist ein
deutlicher Beweis, daß auch diese würdige Männer zu untersuchen strebten; wie der höchste Ertrag von Bienen geärntet werden könne. Ich
habe in der ersten Ausgabe schon auf diesen Satz
aufmerksam gemacht und zugleich bemerkt, daß

bei guter Nahrung, wenn ein starkes Volk in eine leere Wohnung getrieben wird, und seine Wohnung mit der Brut einem andern Stock aufgesetzt wird, mehr Honig geärntet werde. Ich habe aber auch aus Ueberzeugung hinzugefügt, daß man es bei geringer Nahrung nicht thun solle, weil man dann in Gefahr stehe, beim Zusammensetzen zweier Wohnungen mit Brut, eine Mutter zu verlieren, daß es scheine, als sey dabei kein Schade; wenn wir nicht wüßten, daß ein Stock viel fleißiger wäre, wenn er eine fruchtbare Mutter hat, als ein anderer, der sie vor wenigen Tagen verloren hat und sich junge erbrütet. Im July 1813 verlor ich die vierte Mutter auf solche Weise, und ich habe mich vollkommen überzeugt, daß eine jede der 4 Mütter deßwegen umgebracht wurde, weil in der Wohnung, worin die Mutter war, schon ein starker Wabenbau und viel Brut war, und ich nun die zweite Wohnung, woraus ich die Bienen getrieben hatte, und worin auch viel Brut war, oben aufsetzte. Seit 12 Jahren habe ich noch mehrere auf diese Weise verloren und doch ist der Satz richtig: bei guter Nahrung wird dadurch mehr gewonnen. Am allerklügsten handelt man, wenn man es zur

Zeit der Haideblüthe thut: denn da kann man
drei mit Brut besetzte Körbe auf einander setzen
und die Mutter wird doch nicht umgebracht.
Im July aber tritt bei mäßiger Nahrung noch
immer der Fall ein, daß dadurch die Bienen auf
einmal zu viel Brut erhalten und deswegen ihre
Mutter am ersten oder zweiten Tage nach dem
Aufsetzen abstechen, die gewiß noch länger hätte
leben können. Man sieht also, daß ein wohl
überlegter Rath bei Bienen gut und auch nicht
gut seyn kann.

Den Fall, welchen Hr. Strauß im 9ten Auf-
satz erwähnt, habe ich schon dreimal erlebt, aber
jedesmal fand ich zwei beflügelte Königinnen.
Es war allemal im Herbst, und nach meinen
Versuchen waren sie auf immer unfruchtbar!
Solche Mütter, spät im Herbst erbrütet, werden
selten fruchtbar: denn die Gesetze der Natur heben
dann die Begattung der Mütter und Bienen und
mit ihr auch die Eifersucht auf. Auf diese Art
kann ein seltener Fall eintreten wo im Herbst —
aber auch nur im Herbst — mehrere unfruchtbare
Mütter, ohne daß sie tüt tüt rufen, in einem
Stocke angetroffen werden können. Immer liegt

aber eine Haupturfache zum Grunde: entweder:
eine zu alte Mutter oder eine widrige Behandlung waren Schuld daran! Von den zwei kleinen
Auffätzen des Hrn. Andreá ist der eine ein Beweis, daß Mütter ausfliegen, und der zweite,
daß man sich beim Gebrauche des Bovists in Acht
zu nehmen habe. Dieser Uebereilungssünde könnte
man noch eine zur Seite setzen.

Andreá hatte die Bienen nach der Betäu-
bung mit Bovistdampf erst wieder lebendig werden
lassen, ehe er sie zum Ständer brachte; dadurch
entstand Streit und er hatte keinen Nutzen, sondern Schaden, durch ein solches Vereinigen bewirkt: doch er war aufrichtig, gestand seinen
gemachten Fehler und warnte andere vor einer
ähnlichen Uebereilungssünde. Je geschwinder die
Bienen im Herbst durch den Bovistdampf fallen,
desto weniger schadet es ihnen — man schüttet
sogleich, wenn man den Stock, wozu sie sollen,
verkehrt gestellt hat, die scheintodten Bienen hinein, bindet ein loses Tuch darum und läßt sie so
zugebunden 2 Stunden stehen. Nach dieser Zeit
setzt man sie herum und es hat keine Feindseligkeit
Statt. Ich sagte dieser Uebereilungssünde könnte

man noch eine zur Seite setzen — und diese ist:
daß man die Bienen, wenn sie im Herbst schon
4 bis 5 Wochen lang stille gesessen haben, nicht
mit Bovistdampf betäuben darf, sonst lassen sie
beim Lebendigwerden ihren bei sich habenden Unrath los, und beschmieren sich eine die andere damit, wovon sie umkommen müssen. Eine dritte
Uebereilungssünde, vor der man sich zu hüten
hat, ist: läßt man zwei Völker in ein leeres Bie-
nenfaß zusammen fallen, so werden die untersten
Bienen zu frühe lebendig, und ersticken, ehe sich
die obersten regen. Eine vierte Uebereilungs-
oder Versuchungssünde darf ich hier nicht übergehen. Es denkt zum Beispiel mancher Bienenwirth, wenn ich das im Herbst kann, warum
soll es nicht auch im Sommer angehen. Freund,
rufe ich zu, sobald die Bienen Honig in ihren
Vordermagen haben, so darfst du keinen Bovistdampf bei ihnen anwenden, sonst ersticken sie über
halb und du richtest große Verwüstung an, außerdem können auch die Bienen nicht leicht aus den mit
Brut besetzten Waben fallen. — Der Bovist ist
also nur im Herbst und mit Vorsicht anwendbar.

Ich finde es wahrhaftig nicht lächerlich, wenn

Hr. K. S. 5. sagt: Die Stöcke, die wegen
der schlechten Witterung nicht schwärmen konn;
ten, tödteten die alten Weisel. Jeder andere
untersuche doch erst eine Sache genau, ehe er
sein Urtheil lieblos fällt! Es ist wahrlich keine
große Kunst zu wissen, ob ein Stock seine alte
Mutter umgebracht habe! Allein sie bestehet keines;
wegs darin, daß man vor dem Stande etliche
Mütter todt findet. —

Hr. Spizner irrt nicht so sehr, als Andere
geglaubt haben: denn ist der Honig wegen der
Kälte körnigt geworden, so kann er durch die
Wärme, die ein starkes Volk verursacht, zu jeder
Zeit flüssig und genießbar gemacht werden. Nicht
ein, sondern mehr als 100 mal habe ich mich davon
überzeugt! Auch lassen sich noch schlimmere Län;
deleyen finden, wenn man sie suchen wollte! Nur
elende Stöcke, die gar keine gehörige Volksbe;
setzung bewirken können, zernagen kalten Honig,
ohne ihn vorher zu erwärmen und flüssig zu
machen, oder es muß in der Eile hergehen, wie
zum Beispiel beim Rauben im Frühjahr. Auch
deswegen hätten mehrere die Fortsetzung dieser
Zeitschrift gewünscht, weil man seit dem nichts

mehr von Nordbienenständen gehört hat. Mir
hat es mit Nordständen anders nicht glücken wollen, als im Sommer und da sind, wenn der Bienenwirth 2 Stände, einen Südstand und einen
Nordstand hat, wichtige Vortheile zu erwarten.
Ich weiß nicht, ob jene Freunde diesen Versuch
der Nordlage im Sommer allein auch gemacht
haben, indem, wie schon gesagt, eine niedrige
Unterschlagung des Briefwechsels mit meinem
Freunde Strauß in Ludwigsburg gemacht
hat, daß ich von dorther lange keine Nachricht
erhalten habe.

Ein Südstand ist nach meiner Erfahrung
und gewiß genauer Beobachtung im Herbst, Winter und Frühling von sehr großem Nutzen, weil
Sonnenwärme bei sonst richtiger Behandlung in
diesen drei Jahrszeiten den Bienen nie schädlich,
sondern höchst wohlthätig auf sie wirkt. Hat ein
Bienenwirth aber zwei Stände, so finde ich es
sehr vortheilhaft, wenn der zweite oder Sommer-
stand eine Nordlage hat. Seine Ständer werden
im Herbst auf den Südstand aufgestellt und genießen die wohlthätige Wirkung der Sonnenstrah-
len zu ihrem großen Vortheil. Seine Schwärme

werden, sobald sie im May oder etwas später gemacht worden sind, von selbst erscheinen und
auf dem Sommer- oder Nordstande aufgestellt.
Um diese Zeit oder im Sommer ist ein Nordstand, wenn nur nicht Gebäude ihm Morgens
und Abends alle Sonne berauben, sehr wichtig.
Die jungen Schwärme, zumal wenn sie in Honigfässer kommen, arbeiten auf einer solchen Nordlage sehr fleißig; es wird ihnen bei warmer Witterung nicht zu warm in ihren Körben, die Son-
nenstrahlen verleiten sie nicht zum vergeblichen
Herumflattern. Der Honig, der am Tage gesammelt wird, riecht nicht so stark zum Fluglöchern
heraus, als auf Südständen, wodurch die Bienen einen ruhigern und stillern Flug halten als
auf Südständen. Die Näscher beunruhigen die
Nordbienen weit weniger als die Südbienen. Die
Nordbienen legen sich nicht so leicht vor, wie
Südbienen und laufen nicht so leicht in einander
als die Stöcke auf Südständen oft genug zu
unsern Schaden thun, wenn zwei Stöcke anfangen sich vorzulegen und die Bienen des einen
Stocks zu den Bienen des andern laufen, dadurch werden, wenn man sie nicht stört, in den
ersten Tagen oft eine Menge Bienen um's Leben

gebracht. Der Geruch eines Stocks ist gegen
den Geruch des andern verschieden, dadurch stechen
sich solche vorliegende Bienen häufig todt, wenn
man nichts dazwischen legt und sie an den Zusammenlaufen hindert.

Druckfehler.

S. XIV. 3. 17 statt eignen lies eigenen Stöcke

— XVI. — 13, vom Amte an den Schulzen — vom
Schulzen ins Amt

— 6 — 17, sein Werk — sein Volk

— 35 — 16, wurden — diese aber wurden

— 40 — 8, allen Menschen — vielen Menschen

— 50 — 13, unsrigen haben — Rheinischen haben

— 58 — 16, flüssig sind und — flüssig, und

— 60 — 23, 3 bis 5 Zoll — 3, 5 Zoll

— 61 — 15, einander sitzen — einander setzen

— 65 — 6, viel dicker — eben so dick

— 77 — 12, sie auf — ihn auf

— 106 — 19, auzulösen — aufzulösen

— 125 — 18, durch aufbewahrte — bei aufbewahrten

— 150 — 18, Ich setze — Ich machte mit 6 Stöcken einen Versuch und setzte

— 158 — 4, Sommerwärme — Sonnenwärme

— 171 — 11, hinein — hinzu

— 173 — 21, dieses Jahr — damals

— 184 — 8, 1805 — 1803

— 252 — 11, denn man — denn man kann

— 260 — 3, werden aus Eyern junge — nicht aus
Eyern, werden junge

— 261 — 18, aus Eyern junge Mütter gezwungen
erbrütet und am — aus Ma-
den junge Mütter gezwungen,
aus Eyern aber natürlich am

— 269 — 6, das andere, worunter — es, weil
darin

— 354 — 15, unruhig — Unruhe.

401